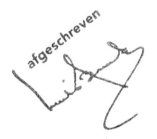

afgeschreven

In het duister

Van Deborah Moggach is leverbaar
bij Archipel:

Gekkenhuis
Tulpenkoorts

Deborah Moggach

In het duister

Vertaald door Catalien en Willem van Paassen

Amsterdam · Antwerpen

Copyright © 2007 Deborah Moggach
Copyright Nederlandse vertaling © 2007 Catalien en Willem van Paassen/Uitgeverij Archipel, Amsterdam
Oorspronkelijke titel: *In the dark*
Uitgave: Chatto & Windus, Londen

Omslagontwerp: Marjo Starink
Omslagillustratie: Marcel Rieder (1852-1942), *Vrouw in een interieur*, © Gavin Graham Gallery, Londen, The Bridgeman Art Library

ISBN 978 90 6305 303 1 / NUR 302
www.uitgeverijarchipel.nl

Ter nagedachtenis van mijn grootmoeder, Helen,
en haar eerste echtgenoot Tommy, die in 1918 sneuvelde
in de strijd.

Proloog

1916

*In heel Europa gaan de lichten uit; we zullen ze tijdens
ons leven niet meer aan zien gaan.*

Sir Edward Grey, 1914

Het was een klamme dag in maart toen het telegram kwam.
Ralph, die veertien was, zat in zijn slaapkamer naar de plaatjes van bustevergrotingen te kijken. Hij ging er zo in op dat
hij niets hoorde; niet de hond die blafte noch de deurbel die
beneden in de hal rinkelde.

Hij had het tijdschrift onder zijn matras vandaan gehaald,
waar hij het verborgen hield voor zijn moeder en Winnie, de
enige mensen die mogelijk in zijn kamer kwamen als hij er
niet was. Hij had het gekregen van Mr. Boyce Argyle, die op
de bovenste verdieping woonde. Ralph had een diepe bewondering voor Boycie, die achttien jaar oud en een beetje een
dandy was. Overdag was hij stoffeerder, maar 's avonds werd
hij een man van de wereld, die uitging in zijn kanariegele vest
en bij thuiskomst naar sigaren rook. Boycie wist werkelijk alles van vrouwen en hij had Ralph behalve het tijdschrift ook
vast wat tips voor de toekomst gegeven. Ralph had het nu een
paar maanden in zijn bezit. Zijn schaamte over de mogelijke ontdekking ervan deed hem op de meest onvoorspelbare

7

momenten blozen: een ontmoeting op de trap met een van de huurders die op weg was naar de badkamer; een blik van een voorbijganger op straat. Ze wisten ongetwijfeld wat hij had gedaan; het moest op zijn gezicht geschreven staan.

Hoe Ik In Dertig Dagen Mijn Buste Met Vijftien Centimeter Vergrootte. De advertentie liet een reeks foto's zien: steeds dezelfde vrouw, wier uitdrukkingsloze gezicht geen enkel teken vertoonde van het wonder dat zich bij haar voltrok. Haar borst, die plat was op het linkerplaatje, zwol op naarmate hij verder op de bladzijde werd herhaald. Hij zwol op alsof hij werd opgeblazen door een onzichtbare pomp. *Ik had Pillen, Massage, Houten Cups en Verscheidene Aanbevolen Preparaten Geprobeerd Zonder Ook Maar Het Geringste Resultaat.* Op het laatste plaatje was de omvang dermate groot dat de vrouw voorover zou zijn getuimeld als ze echt was geweest; haar lijfje kon de massa amper omspannen. *Met welk een medelijden zal een man een vrouw bekijken die hem een platte boezem biedt – een borst als de zijne. Kan zo'n vrouw bij een man dezelfde gevoelens en emoties opwekken die alleen opgewekt kunnen worden door een echte, volwaardige vrouw, een vrouw met een mooie, fraai gewelfde buste?*

Om de paar minuten rammelden de ruiten door de passerende treinen; Ralphs kamer lag aan de achterkant van het huis en werd overschaduwd door het reusachtige bakstenen viaduct waar het spoor naar London Bridge Station overheen liep. De geluiden van het normale leven leken echter heel ver weg.

Zelfs de hond leek in de gaten te hebben dat Ralph met iets gênants bezig was. De verschijning van het tijdschrift was voor Brutus aanleiding geweest de kamer te verlaten en naar beneden te gaan, waarschijnlijk naar Ralphs moeder, die in de salon was. Hoewel dit ergens een opluchting was, vergrootte het Ralphs schaamte. Sinds zijn vader weg was, had de hond zich aan Ralph gehecht; hij liep achter hem aan en sliep naast zijn bed. De afgelopen twee jaar was hun weder-zijdse troost een hele steun geweest. Maar de hond wist het, net zoals Ralphs moeder het ongetwijfeld wist. Ze wisten dat Ralph boven in zijn slaapkamer, met de deuren naar de slaap-kamer van zijn moeder stevig op slot, dezelfde warmte in zijn kruis ervoer als die hij voor het eerst op zijn tiende had ge-voeld toen hij naar een foto van de zinkende Titanic keek.

Een mooie, fraai gewelfde buste. Terwijl de vrouw Ralph we-zenloos aankeek, drong het helaas tot hem door dat ze on-miskenbaar op zijn moeder leek. Dezelfde knappe hooghar-tigheid, dezelfde uitdagende blik – ze droeg zelfs bijna dezelf-de blouse. En hoewel hij er niet aan mocht denken, had ook zijn moeder een volle boezem. Dat was Ralph nu eenmaal op-gevallen; hij had er niet speciaal op gelet. Iedereen kon haar figuur zien. Maar op een avond, toen hij ziek was, had ze zich in haar nachtjapon over hem heen gebogen en had hij de twee bollen gezien die overdag nog tot een boezem verenigd waren geweest; hij had een glimp van het mysterieuze duister van de vallei ertussenin opgevangen, het geheimste plekje op aarde en het meest verboden.

Dus hoorde Ralph de deurbel niet, noch het geblaf van Brutus. Toen het nieuws over de dood van zijn vader kwam, dacht hij aan de boezem van zijn moeder.

Ook Winnie, de dienstmeid, reageerde niet op de bel. Ze was beneden in de keuken niervet aan het mengen en haar han-den waren kleverig. Haar mevrouw was trouwens boven in de salon, die dichter bij de voordeur was. Mrs. Clay zat op de re-keningen te zwoegen. Winnie kon de stilte en de concentra-tie door de vloerplanken heen voelen. Ze kraakten toen Mrs. Clay opstond om een stel papieren uit het dressoir te pak-ken en ze kraakten opnieuw toen ze terugliep naar haar stoel. Winnie kon bijna de hond horen draaien en zuchten toen hij zich opnieuw aan de voeten van zijn bazin nestelde. Winnie had een scherp gehoor; dat had ze nodig om in deze wereld te kunnen overleven. Nog voor ze op een deur had geklopt, wist ze wat voor stemming er binnen heerste. Het huis met zijn vijf verdiepingen gonsde van zijn menselijke vracht.

Mrs. Clay was goed in rekenen. Zelfs toen haar man nog thuis was, was zij het die over de huishoudelijke financiën ging, aangezien Mr. Clay nogal een dromer was. Een lieve man, dacht Winnie, maar hij stond buiten de werkelijkheid van het dagelijks leven. Maar hij had hoe dan ook een salaris ingebracht. Nu was hij naar de oorlog vertrokken en kwamen ze geld te kort. De afgelopen maanden had Winnie een nauwere band met haar mevrouw gekregen; ze waren nog niet vertrouwelijk, dat had Mrs. Clay liever niet, maar ze hadden wel een soort solidariteit ontwikkeld. De werkster was opgestapt om in de munitiefabriek aan de Gray's Inn Road te gaan werken en daardoor moesten Winnie en Mrs. Clay nu al het huishoudelijke werk zelf doen, met hulp van de jongen. Winnie vermoedde dat haar mevrouw meer had verwacht van het leven, maar de oorlog had daar een eind aan gemaakt, zoals bij zoveel dingen.

Nu kookten en poetsten ze voor de huurders; ze sukkelden de trap op en af en voerden hun eigen strijd tegen het roet dat zelfs met de ramen dicht geruisloos neerviel en de vlakken bespikkelde die kort daarvoor waren schoongeboend. Winnie was een plattelandsmeisje; ze had geen idee hoe slinks deze vijand was.

De treinen maakten het nog erger. Ze spuwden rook uit die tot in de kleinste hoekjes kwam en zich als een zwarte vacht op de gordijnen vlijde. Hoewel een treinreis een sensatie was, was het spoor wel rampzalig voor de wijken. Palmerston Road was gebouwd als een straat met rijtjeshuizen voor welgestelden. Maar een paar jaar later was de spoorlijn aangelegd; hij sneed er dwars doorheen en verwoestte het middelste gedeelte, want hij amputeerde de huizen aan weerszijden en dompelde de straat in een permanente schemer. Mr. Clay, die veel van geschiedenis wist, had dit aan Winnie verteld. Kort nadat dit was gebeurd, waren de huizen in verval geraakt; ze waren opgedeeld in pensions waarvan de inwoners hun uiterste best deden hun fatsoen te bewaren. En nu werd de toestand nog erger. De oorlog, waarvan ze dachten dat die weldra zou zijn afgelopen, vertoonde geen enkel teken van een naderend einde. Er kwam juist nieuws over U-boten die Britse schepen, koopvaardijschepen vol voedsel, tot zinken brachten. Boter en suiker waren al schaars en de mensen hadden het over rantsoenen.

Winnie had echter zo haar eigen problemen. Hoewel ze loyaal was aan Mrs. Clay, had ze die middag amper aandacht besteed aan de huishoudelijke problemen. En evenmin aan de enorme en onbevattelijke kracht van de oorlog. Archie was buiten, hij stond te fluiten. Hoe kon Winnie ooit naar de deur gaan als haar kwelgeest op straat rondhing?

Winnie zag gewoonlijk alleen de onderste regionen van voorbijgangers. Ze zag die tussen twee stangen door; de stevige stangen van het keukenraam met daarachter het traliewerk. Ze had geen tijd om nieuwsgierig te zijn en dacht in haar veilige kooitje zelden na over de bovenste helften van de mensen die langsliepen. De enige benen die soms tot hele gedaanten werden verwezenlijkt, waren die van de mensen die haar vertrouwd waren: de bestellers, die hun pakjes brachten of hun goederen de trap af zeulden, naar haar domein.

Een paar vertrouwde gezichten waren verdwenen: Gyles, de jonge knaap van de groenteboer; de ietwat dreigende man die de vis afleverde en wiens naam Winnie nooit had verstaan. Ze waren verdwenen, zoals zoveel mannen, en vervangen door jongere jongens.

Een van die nieuwkomers was Archie, die een baantje had gekregen bij de slagerij van Mr. Turk aan de Southwark Road, waar Mrs. Clay een rekening had. Archie was zeventien jaar maar klein voor zijn leeftijd: een roodharige, spichtige jongen met een glimlach die zijn hele gezicht deed stralen. Hij had er een gewoonte van gemaakt nog wat te blijven voor een kop thee en een bitterkoekje. Toen ze vroeg of Mr. Turk boos zou zijn, haalde hij zijn schouders op: 'Hij kan het dak op.' Winnie moest lachen om zijn lef. 'Ken je die mop van de olifant en de Chinees?' vroeg hij met een knipoog. Wat was haar trage geest toch log vergeleken bij zijn spervuur aan moppen! Winnie begon op de geluiden van zijn komst te letten: zijn zachte gefluit, het gerammel van zijn fiets als hij die tegen de tralies smakte. Ze vloog naar de spiegel en schikte haar haar. Met het verstrijken van de weken begon er een sprankje hoop in haar te gloeien. Hij zou toch zeker niet in elke keuken waar hij kwam blijven zitten? Haar hart bonsde als ze naar de winkel liep om Mrs. Clays bestelling op te geven. Het bonsde in de hoop dat Archie achter de toonbank zou staan, dat ze een glimp van hem zou opvangen in de achterkamer, tussen de kadavers.

Hoe had ze zo dom kunnen zijn? Na de schok van wat er was gebeurd, de schok die haar deed duizelen, besefte ze hoe dom het was geweest ook maar te denken dat iemand zich aan haar zou kunnen hechten. Haar zelfs acceptabel zou kunnen vinden. Ze had op de zondagsschool het bijbelverhaal geleerd over Eva die zag dat ze naakt was en zich schaamde. Ook zij was blind geweest voor ze in de appel beet.

Dus Winnie ging niet naar boven. Ze ging naar de bijkeuken en waste haar grote rode handen onder de kraan. Ze veegde ze af aan haar schort en ging terug naar de keuken, waar de pruimen klaarstonden om gesneden te worden.

Ze was de deurbel inmiddels helemaal vergeten. Ze was zich er vagelijk van bewust dat Archies gefluit was opgehouden. Hij moest zijn vertrokken om te gaan voetballen. Dat was trouwens de reden waarom hij buiten rondhing. Het had natuurlijk niets met Winnie te maken; het was toevallig zijn vrije middag en hij trof zijn vrienden op Palmerston Road.

Ze zouden duwend en drentelend naar de lange, donkere tunnel onder het spoorviaduct gaan om daar een balletje te trappen.

Maar Winnie voelde zich niet opgelucht. Het huis was te stil. Ralph, die boeken las, had haar verteld dat mensen in een of ander ver land naast hun voordeur een kooitje met krekels hingen om hen te waarschuwen als er inbrekers waren. Dat was omdat krekels altijd zongen; alleen als er een vreemdeling aankwam zwegen ze.

Winnie stond roerloos, zo alert als een dier dat gevaar bespeurt. Daarna stoof ze naar de deur, schoof de grendel opzij, duwde hem open en rende de treden naar de straat op. De straat was leeg. Aan de ene kant klonken uit de grot van het viaduct de galmende kreten van het potje voetbal. Aan de andere kant sloeg in de verte een telegrambezorgster op haar fiets de hoek om en verdween.

Er drong geen zonlicht binnen in de salon waar Eithne Clay zat te ploeteren op haar rekeningen. De kamer keek uit op het noorden en had zware gordijnen naast het raam; de mensen erin werden door een half neergelaten zonnescherm en een gaasachtige vitrage beschut tegen de blikken van voorbijgangers. Het behang had een patroon van bruin op oker en was verschoten door de tijd en door de rook van talloze sigaretten van huurders. Het zware mahonie dressoir, dat een erfenis was van de vorige huurders, zoog met zijn massa al het resterende licht op. Toen Eithne en haar man de verhuur overnamen, was hij van plan geweest de kamer op te knappen maar toen hij begon na te denken over de verstoring van de orde – waar moest iedereen eten? – maakte een zekere lethargie zich van hem meester. Dat was Paul ten voeten uit. Zijn hoofd zat vol dromen en plannen die zelden ergens toe leidden, omdat zijn oog vroeg of laat op iets anders viel en ze een zachte dood stierven.

Zijn laatste bevlieging was het verzamelen van slakkenhuizen geweest. De zomer voor het uitbreken van de oorlog was hij met Ralph en de hond met de trein naar Box Hill gegaan, waarvan hij thuiskwam met een zak vol slakkenhuizen. Calcium in een kalkbodem leverde huisjes met de mooiste kleuren op, zei hij. Eithne was die zondag chagrijnig en was niet met hen meegegaan. Ze wist allang niet meer waarom ze zo narrig was geweest; hij had ongetwijfeld een klusje niet gedaan. Wat ze zich wel herinnerde was de kinderlijke opwinding van haar man bij hun thuiskomst. Het wonder van de slakkenhuizen! Hoe goed je ze ook bestudeerde, er waren er geen twee hetzelfde. Ze waren stuk voor stuk kleine wondertjes van de schepping, allemaal even mooi, met chocoladekleurige strepen op o zo bleek citroengeel, of zwarte strepen op terracotta. Eithne had het mooi moeten vinden maar in werkelijkheid was ze geïrriteerd. Wat had je aan slakken? Haar man had iets amateuristisch; hij was beter af geweest onder de adel, die een lange traditie van nutteloze hobby's had. De harde dagelijkse werkelijkheid leek hem te ontgaan.

Deze papieren, die over tafel lagen uitgespreid: dát was de harde werkelijkheid. Paul had daar in het verre Frankrijk geen idee van hun problemen. Ze liet er niets van blijken in haar brieven want hij had vast andere dingen aan zijn hoofd. Zijn regiment was momenteel bij de rivier de Marne gelegerd, ergens in Noord-Frankrijk, in afwachting van een offensief. Zijn brieven hadden echter zonder mankeren een vrolijke toon: *We hebben de mof dit keer een flinke oplawaai gegeven! Een rat die mijn plunjezak doorzocht leek precies op Ralph die zijn kerstkous onderzoekt.*

Eithne vond soms dat de beproevingen thuis op zijn minst gelijk waren aan die van de mannen die weliswaar voor hun vaderland vochten, maar gevrijwaard waren van de dagelijkse sleur daar. Hun leven was bevrijd van de verantwoordelijkheden die op haar drukten, zoals ze daar zat met haar hoofd in haar handen, starend naar de papieren die over het tafelkleed lagen verspreid. De thee kostte inmiddels al twee shilling en twee pence en er was een tekort aan; boter kostte een shilling en tien pence per pond. Ze had negen monden te voeden en de meesten van haar huurders hadden een gezonde eetlust; Mrs. O'Malley, die weliswaar tachtig jaar oud was en aan artritis leed, at haar bord altijd helemaal leeg en maakte het zelfs schoon met een stukje brood, als een vastelander. Ze was geld schuldig aan de winkeliers en nu had Mr. Boyce Argyle zijn oproep gekregen en zou hij weldra vertrokken zijn. Hoe zou zijn huur worden betaald? Dan had je nog de kwestie van de Spooners, op de bovenste verdieping. Ze hadden al drie pond en vijftien shilling achterstand maar gezien hun omstandigheden had Eithne het hart niet die op te eisen. Ze was niet van steen.

Ze was een vrouw met sterke emoties en kon gepassioneerd liefhebben. Voor haar zoon voelde ze zo'n vurige en beschermende hartstocht dat ze alleen al van zijn aanblik – zijn dunne halsje dat boven zijn mannelijke pak uitstak, zijn grote oren – tranen in haar ogen kon krijgen. Niemand had haar daarvoor gewaarschuwd; het leek weer een van de vele verrassingen die vrouwen maar zelf moeten ontdekken. Een vrouw werd door het moederschap ontwricht. Hoe sterk ze voor de buitenwacht ook mocht lijken, ze was de slaaf van haar zoon.

En het gevoel was wederzijds. Ralph hield zielsveel van haar en nu zijn vader afwezig was, deed hij zijn best voor haar te zorgen. De hond liep achter Ralph aan en Ralph liep achter zijn moeder aan. Als ze aan het eind van de dag uitgeput in de leunstoel neerplofte, ging hij op een leuning zitten en streelde hij haar voorhoofd. Hij was nu te oud om nog in bed gestopt te worden; ze gingen tegelijk naar bed en lagen dan in hun aangrenzende kamers slaperig tegen elkaar te murmelen door de tussendeuren heen. Hij was haar troost en zij de zijne.

Als ze op straat liepen en zij zijn arm nam, leken ze wel

een getrouwd stel. Ralph was inmiddels lang genoeg om een echtgenoot te kunnen zijn en als hij iets riep naar een jongetje door wiens bal ze bijna waren geraakt, was het nauwelijks voor te stellen dat hij nog maar zo kort geleden zelf zo'n jongetje was geweest. Eithne voelde zich hierdoor zowel trots als verdrietig. Ralph nam zijn verantwoordelijkheden namelijk soms zo serieus dat ze het gevoel had dat haar zoon te snel volwassen werd terwijl haar man gevangenzat in de tijd, gevangen in een eeuwig heden van opmars en aftocht, een oorlogsspelletje, een jongensavontuur, waarvan de regels even onbegrijpelijk waren als die van cricket. Er moest natuurlijk iemand winnen, maar het leek allemaal zeldzaam zinloos.

En terwijl de mannen weg waren, was het leven doorgegaan. Twee jaar geleden was Ralph nog een jongetje met een schrille, hoge stem. Hij had staan springen van opwinding en zijn vader aangespoord de mof een flink pak slaag te geven. Hij wilde trots op hem zijn, hij wilde indruk maken op de andere jongens op school. Hoewel Eithne gemengde gevoelens had, werd ook zij bezield door een zeker patriottisch vuur. Diep vanbinnen verlangde ze ernaar dat haar lieve en bescheiden man zich als man zou bewijzen. Ze werd opgewonden als ze aan hem in uniform dacht. Het leven was opeens heel simpel, op een enerverende manier: hij zou voor haar vechten en haar van de Duitsers redden, hij zou terugkeren als een held, onder wapperende vlaggen en met blinkende medailles op zijn borst, en zij zou bezwijmen in zijn armen. Het was zoals ze als klein meisje droomde dat een man en vrouw zouden moeten zijn. Door zijn nieuw verworven heldenmoed zou hij haar wegvoeren uit dit ellendige huis en carrière maken, en ze zouden gelukkig zijn.

Ze dacht trouwens net zoals iedereen dat de oorlog weldra zou zijn afgelopen. Niet dat de jaren zouden verstrijken en dat haar zoon de baard in de keel zou krijgen; dat hij veertien jaar zou worden en dons op zijn bovenlip zou krijgen zonder dat er een vader zou zijn die hem kon voordoen hoe je je scheert. Dat het, toen zijn vader terugkwam voor een weekje verlof, een beetje een teleurstelling zou zijn. Er waren geen ruzies; de tijd was voor haar en Paul te kort om in hun oude patronen terug te glijden. Maar om dezelfde reden leken ze niet bij machte elkaar te beminnen. Ze leken te spelen alsof ze getrouwd waren in plaats van dat ze het beleefden. Hij was niet een andere man, die ze helemaal opnieuw moest leren kennen, noch was hij de oude Paul die haar zo vertrouwd was. Hij was mat, als een foto van zichzelf: een waarheidsgetrouwe benadering, maar niet meer dan dat. Eithne kreeg geen vat op hem. Hij leek het huis nauwelijks te bewonen; het leek door zijn aanwezigheid meer een wachtkamer.

Toen Paul aan het eind van zijn verlof vertrok, had ze zich tot haar schaamte opgelucht gevoeld dat hij nu weer haar verzonnen held kon worden. Natuurlijk maakte ze zich zorgen, maar niet bepaald om deze man. Toen ze hem ten afscheid kuste, voelde dat theatraal aan. Ze hadden in de hal gestaan, zoekend naar woorden.

Hij wendde zich tot Ralph. 'Zorg goed voor je moeder. Ze is een fijne vrouw.' Hij had nog nooit zoiets gezegd.

'Ik zal mijn best doen, sir.' Sir? Er viel een stilte.

Ralph was te oud om geknuffeld te worden. Paul gaf hem een hand. Ze waren nu even lang. Het viel Eithne op dat ze eenzelfde profiel hadden: de scherpe neus, de uitstekende adamsappel.

Alleen de hond gedroeg zich natuurlijk. Hij rook onder het gewassen en gesteven uniform de geliefde mens daarbinnen en besprong en besteeg het been van zijn baas.

'Dag, ouwe makker,' zei Paul, terwijl hij hem zachtjes terugduwde. Brutus greep hem steviger vast. 'Sorry, ouwe jongen, verkeerde sekse.' Paul zette hem op de grond. 'Fout op alle punten.'

Ralph trok de hond weg en hield hem vast bij zijn halsband. Er viel weer een stilte. Eithne herinnerde zich opeens de schapenbouten; ze stonden te koken, voor een bouillon, en Winnie was er niet. Waren ze drooggekookt? Ze was ervan overtuigd dat ze een brandlucht rook.

Ze kuste haar man afwezig op de wang en het volgende moment was hij verdwenen.

Het vuur was uitgegaan maar Eithne had de energie niet om er meer kolen op te doen. Ze zat naar de huuroverzichten, het huishoudboekje, de rekeningen en reçu's te staren. Ze wekten een van angst vergeven apathie in haar op. De kat Flossie lag te slapen op de rekeningen van de groenteboer; het kon haar geen zier schelen.

De grijze dag was drukkend; het leek onnatuurlijk stil, alsof er onweer dreigde. Wat deed Ralph daar op zijn kamer? Die jongen was te veel alleen. Hij miste zijn vader ongetwijfeld maar hij sprak zelden over hem. Dat deden ze geen van beiden. Het probleem was dat hij al zo lang weg was. Natuurlijk voelde ze zich schuldig dat hij ver weg aan vechten was voor zijn vaderland terwijl zij soms in geen dagen aan hem dacht.

Maar vandaag was Paul in haar gedachten. Dat was het rare. Misschien had ze een voorgevoel dat er iets zou gebeuren. Want terwijl ze daar zat en de wereld zijn adem inhield, hoorde ze het geknerp van een naderende fiets. Zo stil was het. Ze hoorde zelfs hoe hij voorzichtig tegen de tralies werd gezet. Pas toen begon de hond te blaffen.

Ralph trof zijn moeder aan in de achterkamer. Ze zat heel stil, alsof ze een vat was waarvan de inhoud bij de minste beweging zou overlopen.

'Ik vrees dat ik slecht nieuws heb,' zei ze.

Ralph ging naast haar zitten. Ze pakte zijn hand.

'Het gaat over je vader,' zei ze. 'Je zult een heel dappere jongen moeten zijn.'

18

1

1918

De wijze waarop schapen worden geslacht is wellicht het meest humane en snelste proces om het gewenste doel te bereiken: het dier wordt op een soort betonnen bankje op zijn zij gelegd, de slager drukt het lichaam neer met zijn knie en doorsteekt de strot vlak bij het kaakbeen; zijn mes glijdt tussen de luchtpijp en de botten van de nek en snijdt de nekaderen, de halsslagader en andere grote vaten door, zodat de dood door deze grote bloeding snel intreedt.

Mrs. Beeton's *Book of Household Management*

Eithne was aardappelen aan het koken toen het keukenraam donker werd. Er kwam een man de trap af. Hij klopte op de kelderdeur. Eithne veegde met de rug van haar hand haar voorhoofd af en haastte zich door het gangetje.

'Allemachtig!' zei ze. 'De grote baas in eigen persoon.'

Mr. Turk, de slager, vulde de hele deuropening. 'Goedemorgen, Mrs. Clay.' Zijn hele massieve lichaam stond in de schaduw. 'Weinig personeel vandaag,' zei hij. 'En aangezien ik toch langskwam...'

Ze stapte opzij om hem binnen te laten; hij leek daarvan uit te gaan.

'Ik heb een stukje nek voor u,' zei hij, terwijl hij een pakje op tafel legde.

Eithnes hart ging tekeer. Ze wist waarom hij zelf naar haar huis was gekomen.

'Het spijt me vreselijk,' zei ze.

'Wat dan wel?'

'Ik wilde morgen komen afrekenen.'

Mr. Turk leunde tegen de keukenkast en keek haar aan.

'Daar hoeft u zich niet druk om te maken.'

'Komt u niet voor het geld?'

Hij schudde zijn hoofd. 'Ik kwam toevallig langs, zoals ik al zei.'

Het plafond leek lager met Mr. Turk in de kamer. Hij was een grote man, gebouwd als een stier, met een blozende teint en dik zwart haar. Het glansde in het lamplicht. Eithne had de slager nog nooit buiten zijn winkel gezien. Het gaf haar een schok; ze moest dezelfde aanpassing maken als toen ze als klein meisje haar lerares buiten het klaslokaal had gezien; ze was aan het tennissen in de Stockport Recreation Gardens.

'Ik heb net een pot thee gezet,' zei ze. 'Of hebt u haast?'

'Alle tijd.' Mr. Turk trok er een stoel bij.

Eithne baalde. Het was wasdag, de drukste dag van de week. Ze zou naar boven moeten gaan om Winnie met de lakens te helpen. Maar ze stond alarmerend bij deze man in de schuld. Voor het lieve sommetje van een pond, veertien shilling en zes pence, om precies te zijn, en het was in haar belang hem te vriend te houden.

Mr. Turk strekte zijn benen. Hij droeg een karamelkleurige broek en een mooi zwart vest en jasje. Zijn horlogeketting twinkelde toen hij zijn kopje pakte.

'U hebt een groot huis,' zei hij. 'Veel werk, zou ik zeggen.'

Eithne knikte. 'Altijd wat te doen.'

'Maar goede, stevige huizen, goede fundamenten. Ken deze straat al sinds ik klein was. Is het uw eigendom?'

Eithne schudde geschrokken haar hoofd. Ze vond de vraag onbeleefd. Toch voelde ze zich verplicht te antwoorden. 'Mijn man en ik hadden kamers op de bovenste verdieping. Toen de oude dame stierf, namen wij de verhuur over.'

'Ik zal u een tip geven, Mrs. Clay.' Hij nam een slok thee. 'Zorg dat u dat eigendomsrecht krijgt. Verkoop zo nodig uw ziel. Straks is de oorlog afgelopen en wat gebeurt er dan?'

Eithne schudde haar hoofd.

'Er komt een schreeuwend tekort aan woningen,' zei hij. 'En weet u waarom?'

Ze schudde opnieuw haar hoofd.

'Omdat er in de afgelopen vier jaar niets is gebouwd. En weet u wat er dan gebeurt? Dan vliegt het dak van de huizenmarkt.' Hij grinnikte. 'Bij wijze van spreken dan. Als u advies wil, kan ik een mannetje naar u toe sturen. Geloof me, Mrs. Clay, u zit op een goudmijntje.'

'Ik kan er niets aan doen,' flapte ze eruit. 'Ik heb geen geld. Dat weet u best. Ik heb al in geen twee maanden betaald en ik kan ook niet morgen langskomen om af te rekenen.'

Hij keek haar geschrokken aan. Ze waren allebei beduusd door de plotselinge vertrouwelijkheid. Neville Turk streek met zijn hand langs zijn snor. Ze konden in de stilte het water horen koken.

Eithne probeerde zich te herpakken. Die man maakte haar in de war maar die uitbarsting had echt niet gehoeven. Ze liet haar blik zakken, die bleef rusten op zijn hand. 'Arme stakker!' zei ze. 'Hoe is dat gebeurd?'

Hij keek naar het litteken. 'Mes gleed weg. Ik bof dat ik geen vinger ben kwijtgeraakt.'

'Het moet vreemd zijn om de hele dag in dode dieren te staan snijden.'

'Nog vreemder als ze zouden leven.'

Eithne lachte. De slager zoog zijn adem op. Er waren een paar plukken van haar haar losgeraakt; ze voelde ze kriebelen in haar nek.

'Ik moet de aardappelen even afgieten,' zei ze, 'anders vallen ze uit elkaar.'

'Dat kunnen we niet hebben.'

'Nee.' Ze stond op. 'U overvalt me een beetje.'

Eithne tilde de pan van het grote fornuis. Ze had zichzelf in de bijkeuken haastig in de spiegel geïnspecteerd. Ze zag er angstig uit, als een kind dat in een menigte zijn ouders is kwijtgeraakt. Ze probeerde haar haar op te steken maar gaf al snel op. Kwam Winnie nu maar naar beneden!

In de keuken schoof de slager zijn stoel naar achteren. 'Ik stap maar weer eens op,' zei hij. 'U hebt het druk genoeg.'

'Ja.'

Hij stond op. 'Alles goed met uw zoon?'

Ze knikte.

'Moeilijk voor zo'n joch,' zei hij.

Eithne knikte weer. Hij zette zijn hoed op. Ze voelde opeens aandrang hem nog even bij zich te houden, om opnieuw het gezoem van vertrouwelijkheid te voelen.

'We hebben een nieuwe huurder,' zei ze. 'Hij is blind.'

'Blind?'

'Door gas. De arme stakker. Ik moet hem bij het avondeten vertellen wat hij gaat eten. Dan weet hij dat tenminste.' Ze lachte schel. 'Zoals ik kook, moet ik het aan allemáál vertellen.'

Mr. Turk trok zijn wenkbrauwen op. 'Kookt u zo slecht?'

Ze had zichzelf alleen maar op een meisjesachtige manier omlaag willen halen om zijn interesse te wekken. Nu haastte ze zich om zich te verdedigen en zei: 'Nou ja, er ligt ook niets in de winkels. Je staat uren in de rij en als je aan de beurt bent, is het op. En de kwaliteit is zo beroerd dat je niks kunt maken dat ergens naar smaakt. We hadden vorige week worstjes en daar zat zo veel brood in dat ik niet wist of ik ze met mosterd of met marmelade moest besmeren.'

Nog terwijl ze sprak, besefte Eithne wat ze zei, maar het was al te laat. Haar woorden hadden een eigen wil. Ze sloeg haar hand voor haar mond.

'Neem me niet kwalijk!' Ze voelde het schaamrood opkomen.

Maar Mr. Turk grinnikte. Hij keek geamuseerd naar haar, met zijn hoofd scheef, zijn wenkbrauwen opgetrokken. 'Ik wist dat u een goede smaak hebt,' zei hij. 'Ik zal u een geheim vertellen.' Hij leunde naar haar toe; ze kon zijn haarolie ruiken. 'Voor mijn favoriete klanten heb ik een stel worstjes van topkwaliteit, zestig procent varkensvlees. Ik zal ze voor u opzij leggen. Vertel uw meisje maar dat ik dat heb gezegd.'

Eithne probeerde dankbaar te zijn, maar ze tintelde van verontwaardiging. Het was allemaal zijn schuld dat ze zichzelf zo voor schut had gezet.

De slager boog zijn hoofd en verdween. Eithne ging aan de tafel zitten. Ze keek naar het bloed dat door het pakje lekte. Hoe had ze zich zo door hem kunnen laten meeslepen? Ja, het was allemaal zijn schuld, zoals hij zomaar haar keuken was binnengestapt alsof die van hem was, zoals hij zo arrogant familiair met haar sprak. Zo hoorde een winkelier zich niet te gedragen.

Hij had ook een anjer in zijn knoopsgat gehad en hij stonk naar brillantine. Hij was vast en zeker op weg geweest naar een of andere minnares; hij leek er het type voor. Ze zou voortaan zijn winkel mijden. Ze zou zelfs die hele straat mijden en de lange omweg maken. Winnie of Ralph konden de bestellingen afgeven.

Alleen al de gedachte aan die twee onschuldige jonge mensen vervulde Eithne met ergernis. Als zij hier waren geweest, was er niets van dit alles gebeurd. En nu waren haar ochtendklussen in het honderd gelopen en moest haar arme dienstmeid in haar eentje de was doen.

Eithne probeerde tot bedaren te komen. Hoe had haar man haar ooit zo kunnen achterlaten? Ze was helemaal alleen, met een huis vol mensen die afhankelijk van haar waren. Die verantwoordelijkheid drukte zwaar op haar. Paul had zijn tekortkomingen, maar op zijn manier had hij voor haar gezorgd. Ze miste zijn warme lichaam in haar bed en nu wa ren er twee jaar voorbijgegaan en begonnen de lijnen van zijn gezicht te vervagen. Ze moest teruggrijpen naar zijn foto om zich te kunnen herinneren hoe hij eruitzag.

Eithnes ogen werden vochtig. Daar schrok ze van; ze was niet zo'n tuttig dametje dat bij het minste of geringste begon te snikken. Dat soort vrouwen minachtte ze zelfs. Maar de wereld was wreed, vreselijk wreed. Paul zelf leed altijd namens de slachtoffers. Ze had ooit een naaktslak in de keuken aangetroffen, een grote zwarte naaktslak. Ze had hem vol walging in de achtertuin gegooid en hem met zout bestrooid. Paul was overstuur geweest. Hij had ontsteld naar de slak staan kijken die voor hun ogen bubbelend aan het oplossen was. 'Hoe kon je?' had hij geschreeuwd. 'Kijk eens hoe hij lijdt. Hij sterft een gruwelijke dood, hij verdrinkt in zijn eigen slijm.'

Een aantal jongens heeft te lijden gehad onder mosterdgas, had hij in zijn laatste brief geschreven. *Maar we hebben onze beproefde gasmaskers, die inmiddels sterk zijn verbeterd, en vorige week hebben ze ons stalen helmen gegeven. Ik was gehecht geraakt aan mijn pet, die mij hier twee jaar lang heeft vergezeld, maar ik heb er natuurlijk niet veel aan als het menens wordt. Net zoals de slak dragen we nu onze 'Battle Bowlers' en dat heeft het moreel flink opgekrikt. Liefs voor jou en onze dierbare zoon.*

Op de vloer glinsterde een slijmspoortje in het lamplicht. Twee spoortjes, om precies te zijn; ze kruisten elkaar bij het dressoir. Die vervloekte slakken.

'Beschrijf ze voor me,' zei de blinde huurder.

'Wie, sir?'

'De mensen in dit huis. Hoe zien ze eruit?'

Winnie stond over het bed van Mr. Flyte gebogen en trok de lakens eraf. Hij zat bij het raam met zijn gezicht in de schaduw, maar het leek alsof hij naar haar keek. Zijn gezicht was naar haar toe gedraaid.

'Nou, de kamer boven u is van Mr. Argyle, maar die is er niet.'

'Dat dacht ik al. Ik hoor nooit iets.'

'Hij wordt vermist op het slagveld.'

'Ah.'

'Maar Mrs. Clay heeft zijn kamer voor hem aangehouden.'

Winnie trok het laken eraf en propte het in haar armen.

'Naast hem, op de bovenste verdieping, wonen de Spooners. Mr. en Mrs. Spooner en hun dochtertje Lettie. Ze zijn erg op zichzelf. Mrs. Spooner is buschauffeur maar Mr. Spooner komt niet van de kamer af.'

'Waarom niet?'

Winnie liet het laken naast de deur vallen. 'Hij is niet helemaal in orde, sir. Lettie zorgt voor hem, ze is tien jaar oud, ze is een juweeltje.'

'Hoe zien ze eruit?'

'Dat weet ik eigenlijk niet zo goed. Mrs. Spooner heeft bruinig haar. Het kleine meisje lijkt op haar.' Winnie knoopte de kussensloop los.

'En hoe zit het met die oude vrouw naast me? In de voorkamer?'

'Dat is Mrs. O'Malley. Die woont hier al jaren.'

'Hoe ziet ze eruit?'

Winnie trok het kussen eruit. 'Ik weet het niet. Oud.'

'Je bakt er weinig van.'

'Het spijt me, sir.'

'Noem me geen sir.'

'Pardon?'

'Noem me Alwyne. Ik noem jou Winnie; jij moet mij Alwyne noemen.'

Winnies mond viel open. Gelukkig kon hij haar gezicht niet zien.

'Goed, sir, ik bedoel...' Ze stopte, blozend.

'Voel je je daar ongemakkelijk bij?'

Er rammelde een trein voorbij. Op deze verdieping was het spoor op gelijke hoogte met het raam. Winnie keek verlangend naar de langsschietende gezichten. Wat zagen ze er gelukkig uit in hun rijtuigen, en wat waren ze snel voorbij! Kwam Mrs. Clay maar naar boven om haar te redden. Wat voerde haar mevrouw toch uit, beneden in de keuken?

Mr. Flyte stak een sigaret op. De kamer stonk naar zijn sigarettenrook, maar Winnie bedacht dat hem toch al zo weinig pleziertjes restten. Het probleem was dat als je aan deze kant van het huis de ramen openzette, het stof naar binnen woei.

'En hoe zit het met onze hospita, Mrs. Clay?'

'O, die is heel knap.' Winnies stem werd warmer. 'Ik vind haar heel mooi. Dat vindt iedereen. Ze is lang, met bruin haar...'

'Niet wéér bruin haar.'

'Maar het hare heeft een rossige gloed. Dat kun je in het lamplicht zien. Ze kijken haar op straat na. Het komt door haar houding, haar zwaaiende rok. Ze heeft een heel mooie groene rok, met een band langs de rand.'

'Goed zo, dat is al beter.'

'En haar groene hoed met de parelhoenveren.'

Mr. Flyte blies een pluimpje rook weg. 'En is ze een goede werkgeefster?'

'Nou en of.' Winnie onderdrukte het 'sir'. Het voelde alsof haar tong was geamputeerd. 'Ze behandelt me heel goed.' Winnie was een loyale jonge vrouw; ze zou tegen deze man niets zeggen over Mrs. Clays luimen, ook al was hij een oorlogsheld. Bovendien hield ze van haar mevrouw. Hun wederzijdse afhankelijkheid betekende alles voor haar. 'Het is natuurlijk zwaar voor Mrs. Clay, nu haar man dood is.'

'Erg, hè?'

Winnie knikte. 'Al die jonge mannen worden voor niets gedood. Ze zijn daar aan het vechten en wij geloven er niet meer in en niemand heeft hun dat verteld en ze blijven maar doodgaan.'

'Ik bedoel het klassensysteem, Winnie. Neem jou nou, je bent een intelligente jonge vrouw, waarom zou je mensen bedienen die heel goed voor zichzelf kunnen zorgen?'

Winnie dacht hier geschrokken over na. 'Omdat ik ervoor word betaald. Als ze voor zichzelf zouden zorgen, had ik toch geen werk meer?'

Mr. Flyte lachte; een korte, harde blaf. Winnie had hem nog nooit horen lachen. Ze keek naar hem. Het gaf een vreemd gevoel om naar een blinde te kijken. Je kon hem uitgebreid bekijken, als een meubelstuk. Trouwens, Mr. Flyte kon ook wel een grote schoonmaak gebruiken. Er zaten vlekken op zijn jasje en zelfs in dit schemerige licht kon ze zien dat zijn overhemd groezelig was. Dat was nauwelijks een verrassing; ze wist als geen ander hoe zelden hij kledingstukken voor de was inleverde. Zijn huid had het wasachtige uiterlijk van iemand die nooit daglicht heeft gezien. Toch had hij iets wilds over zich: in zijn baard genestelde volle lippen, een ontspannen, soepel lichaam. Ze vermoedde buitenlands bloed. Als hij zichzelf wat opknapte, zou hij zelfs een knappe man zijn, al had hij daar nu niet veel aan. Geen wonder dat hij er zo verslonsd uitzag.

Vandaag was zijn gezicht naakt. Aan tafel en op straat droeg Mr. Flyte een zwarte bril. Maar in zijn kamer zette hij die meestal af. Op een of andere manier leek zijn gezicht dan bloter dan dat van gewone mannen, ondanks de baard. Soms hield hij zijn ogen dicht, wat haar wel eens zenuwachtig maakte: zat hij te soezen? Als ze open waren, dwarrelden zijn pupillen naar de bovenrand van zijn oogbollen, alsof ze naar een geheim onder zijn schedeldak zochten. Winnies hart smolt. Hij had zijn gezichtsvermogen verloren voor zijn land, het mosterdgas had het gedaan, en het leek vals om zelfs maar op te merken dat zijn nagels vies waren. Híj kon dat immers niet zien.

Winnie schudde het kussen op in zijn schone sloop. De arme man; hoe kon uitgerekend hij vraagtekens zetten bij de behoefte aan een helpende hand? Het moest vreselijk zijn om blind te zijn, dat het 's ochtends voor iedereen licht werd terwijl jij in het duister bleef – in het *zwart,* zonder de minste hoop op een sprankje licht. *Voorgoed.* Tot aan je *dood.* Hoe beangstigend moest het zijn opgesloten te zitten in je eigen gedachten. Het moest zijn alsof je een blinddoek op had. De paniek, de eenzaamheid... Het idee alleen bezorgde Winnie al kippenvel. Het was echt niet vreemd dat Mr. Flyte zich eigenaardig gedroeg.

Winnie vroeg zich af wat zijn laatste beeld op aarde zou zijn geweest. Een van woede verwrongen Duits gezicht? Een gaswolk? Was het geel, dat gas? Ze had geen idee. Ze moest er ook niet aan denken. Ze had ook maar een vaag beeld van die parallelle wereld waarin de mannen in zulke groten getale nu al zoveel jaren verdwenen. Je had natuurlijk de foto's in de krant, maar die zagen er geposeerd uit en de mannen die terugkeerden spraken zelden over wat ze hadden meegemaakt. Mr. Spooner van boven, bijvoorbeeld, kon ze onmogelijk naar zijn ervaringen in de loopgraven vragen. In zijn toestand was zoiets uitgesloten.

Winnie vouwde het schone laken open en sloeg het uit. Mr. Flyte kon zijn kamer tenminste niet zien. Dat was een zegen, meende ze. Die verkeerde in een belabberde staat. De dakgoot was kapot en er was vocht naar binnen gekropen. Het behang zat vol bobbels en bladderde af; een strook had losgelaten van de muur en hing als een tong omlaag. Aan een kant van het raam waren krijtachtige plekken waarop een soort katoen was opgebloeid. En onder de kroonlijst was op de plaats waar de wastafel van boven had gelekt een substantie uitgebarsten die op gekookte toffee leek. Het hele huis ging naar de filistijnen, maar wat kon Mrs. Clay doen, met haar pensioentje van oorlogsweduwe?

Winnie stopte het laken onder het matras. Ze stuurden al het beddengoed naar de wasserij – het zou onmogelijk zijn alles in de wasketel te wassen – en het kwam altijd fris geurend als de haartjes van pasgeboren baby's terug. Het bracht een zweempje hoop in het huis. De geur deed haar verlangen naar een eigen kind, een eigen huis, maar dat zat er niet in. Dat had ze een tijdje geleden beseft.

'En hoe zie jíj eruit, Winnie?'

Winnie gaf geen krimp. Ze legde de dons op het bed. Als ze geen geluid zou maken, zou Mr. Flyte misschien denken dat ze al weg was. Waar o waar was Mrs. Clay?

Mr. Flyte drukte zijn sigaret uit. 'Kom op, Winnie. Wees niet zo verlegen.'

'Ik zou het niet weten, sir.' Winnie pakte de vuile lakens en stommelde de kamer uit.

Ralph stond stil op de bovenste overloop. Er kwam geen geluid uit de kamer van de Spooners. Wat deed dat kleine meisje de hele dag, alleen met haar vader? Soms kwam ze tevoorschijn en trippelde ze de trap af om boodschappen te gaan doen, maar meestal zat ze daarbinnen, achter een dichte deur. Van school was geen sprake. En wat deed híj de hele dag? Voor hij naar het front ging, had Mr. Spooner als politoerder gewerkt, maar ook toen al was hij een verlegen, teruggetrokken man. Hij was altijd vroeg van huis gegaan en het gezinnetje gebruikte het avondmaal apart, voor de andere huurders aten. Soms speelde hij in de achterkamer een spelletje schaak met Ralphs vader, maar het spel voltrok zich altijd in een geconcentreerde stilte. Beide mannen dronken een flesje donker bier. Dat leek nu in een ander leven. Het was nauwelijks te geloven dat er maar vier jaar was verstreken.

Het was nu alsof ze een geest in huis hadden; een aanwezigheid, krakende vloerplanken. Mrs. Spooner haalde het avondeten voor hen drieën op en nam het mee naar boven. Niemand vroeg iets over haar echtgenoot of zijn toestand en Ralph kon er moeilijk over beginnen. Zelfs Winnie sloeg alleen maar haar ogen ten hemel en ging dan gauw iets anders doen.

Ralph haalde diep adem en draaide aan de knop van Boyce Argyles deur. Hij ging naar binnen en werd overspoeld door zonlicht. Hoewel er in geen maanden meer een kachel was aangestoken, leek het de warmste plaats van het huis. Dat kwam doordat het de enige kamer was waar 's winters zonlicht binnenviel. De spoorbrug blokkeerde de onderste verdiepingen maar Mr. Argyles raam stak boven het schemerduister uit; buiten zag je blauwe lucht en daken. Ralph besefte nu pas dat het een schitterende januaridag was. Op de vensterbank zat nog steeds duivenpoep vastgekoekt; Boyce vond het leuk om de vogels te voeren. Hoe vaak zouden ze er zijn neergestreken voor ze het opgaven?

In de tuin beneden was Winnie matten aan het kloppen. Hij hoorde de zwakke, ritmische plofjes, als trommels uit het oerwoud. Zijn moeder was boodschappen aan het doen. Ze had de hond meegenomen, dus er was geen gevaar dat Brutus naar deze kamer zou lopen om zijn baas te zoeken.

Winnie had het bed opgemaakt alsof de bewoner net was weggegaan en elk moment kon terugkomen. Dat was een opluchting; Ralph was bang geweest een afgehaald bed aan te treffen. De kamer was opgeruimd – Boyce had in een spectaculaire chaos geleefd – maar verder was alles zoals het altijd was geweest. De aquarel van Colwyn Bay hing aan de muur en in de lijst staken rondom de afgescheurde kaartjes van variététheaters: het Alhambra, het Tivoli, het London Pavillion. Stofferen kon Boyce niet bekoren; hij wilde het toneel op. 'De geur van schmink!' zei hij, 'het gebrul van het publiek!' Ralph zat op het bed en keek toe hoe Boyce zijn nummertjes deed en terwijl hij zijn wandelstok ronddraaide zong:

I'm Burlington Bertie, I rise at ten-thirty
And reach Kempton Park around three...

Hij leerde Ralph de foxtrot en sjorde hem daarbij als een ladenkast door de kamer.

Het theater stond natuurlijk bekend om zijn losbandige vrouwen. 'Ik ben kattenkruid voor ze,' zei Boyce, 'ik heb de gave, het is simpel als je weet hoe het moet.' Ralph was betoverd door Boyce' amoureuze veroveringen. Die jongen was wereldwijs, en hoe. Op een keer zei hij, met een luchtige nonchalance: 'Vrouwen zijn goedkoop in Rio de Janeiro.' Hij kende de namen van alle soubrettes op de Londense planken en had hun foto's op de deur van zijn klerenkast geprikt: Gladys Cooper, Madie Scott en z'n laatste vlam Vesta Carr. Ze was ook Ralphs favoriet, omdat haar foto de betoverendste van allemaal was: ze leunde met een kom-maar-bij-me-lachje om haar lippen tegen een zuil en was gehuld in strategisch geplaatste struisvogelveren die weinig aan de verbeelding overlieten. Boyce had verklaard dat hij verliefd op haar was en haar naar het einde van de wereld zou volgen. Ze was een vaste act in het Tivoli, waar Boyce haar vanaf het schellinkje bejubelde en uitgerekend na haar spannendste suggestieve nummer, 'If you've got it let me see it', gingen de lichten aan en werden de rekruteringstafels het toneel op gedragen.

Ralph miste Boyce heel erg. Bijna even erg als hij zijn vader miste, wat hem een zeker schuldgevoel gaf. Boycie was de oudere broer die hij nooit had gehad. Maar het was meer dan dat. Boycie maakte hem aan het lachen. Zijn ontregelende aanwezigheid had de ietwat drukkende sfeer in het huis verlicht. Hij had voor Ralph een nieuw leven geopend, een leven vol mogelijkheden; hij had de gordijnen opzij getrokken en

31

een toneel onthuld dat vol vrolijkheid en illusie was. Hoe kon je weten wat werkelijker was: de dagelijkse sleur thuis of een wereld van wijn, vrouwen en vertier? Boyce kwam uit dat andere oord terug met geschenken: een verlepte roos, puntzakjes suiker die hij uit restaurants in West End stal en die Ralph als goudstof verzamelde. In deze tijd was het ook werkelijk goudstof.

Ralph wist dat Boyce niet dood was. Hij had te veel leven in zich. Hij kon niet op zijn achttiende worden tegengehouden terwijl Ralph ouder werd en geleidelijk op hem begon in te lopen. Over twee jaar zou hij zelf achttien zijn, hij zou hem inhalen terwijl Boyce nog steeds stilstond; hij kon de gedachte niet verdragen, Ralph werd er misselijk van. Het was een van Boyce' practical jokes.

De avond dat de zeppelin overkwam – die avond, bijvoorbeeld, toen ze met z'n allen de straat op renden en de zoeklichten kriskras over de hemel gleden en de oude Mr. Crocker van de overkant in zijn nachthemd stond te roepen en te wijzen.

'Waar is hij?' vroeg Boyce.

Mr. Crocker zwaaide zijn arm omhoog. Zijn nachthemd schoof omhoog. Daaronder was hij naakt, met bungelend klokkenspel. 'Daar!'

'Waar, Mr. Crocker? Ik zie hem niet!' zei Boyce, en de oude man zwaaide zijn arm weer omhoog als een sein langs het spoor. Hup, daar ging het nachthemd.

'Daar, jongen. Ben je blind of zo?'

'Waar?'

Het nachthemd schoof omhoog en onthulde de kalkoenlevers. Boyce en Ralph konden hun lachen amper houden.

'O ja, nu zie ik hem. Hij is minder groot dan ze zeggen.'

Nee, Boyce zou wel weer opduiken. 'Het was maar een grap,' zou hij grinniken terwijl hij naar binnen stapte in zijn kaki uniform en zijn plunjezak op de grond slingerde. Hij liet altijd spullen liggen in de gang, waar anderen erover struikelden.

Ralph had het boek van de plank gepakt. Hij zou voor zijn examen moeten leren maar zijn moeder zou met al die rijen bijna de hele ochtend weg zijn. Hij ging op het bed zitten; de veren kraakten. Zijn hart bonkte. Beneden in de tuin stond Winnie de kleden te kloppen. Had zij ooit in het boek gekeken? De titel *The Human Figure in Motion* verraadde niets van wat het in zich droeg. Boyce had het geleend van een vriend die de kunstacademie deed en het nooit teruggegeven.

Ralphs handen waren vochtig. Hij sloeg de bladzijden een voor een om, op zoek naar zijn favoriete foto's. *Vrouw die met een emmer een helling op loopt. Vrouw die staande strijkt. Vrouw die water schenkt.* De rijen foto's toonden een vrouw die deze alledaagse werkjes uitvoerde *en ze was bloot. Helemaal naakt.* Die aanblik was intens en bedwelmend schokkend. De foto's waren genomen door ene Eadweard Muybridge maar de vrouwen – want het waren er verschillende – leken zich niet bewust te zijn van zijn aanwezigheid. Wat waren dat voor vrouwen, dat ze hun lichamen zo openlijk lieten zien? Niemand die hij kende, in elk geval. Ze hadden borsten en billen en – dat was het biologerendste – dichte, zwarte driehoekjes haar tussen hun benen. *Vrouw die een bezem opraapt.*

Ralphs hart bonkte. Hij wist natuurlijk dat Winnie onder haar kleren naakt was, maar het deed hem blozen dat zij niet wist dat hij dat wist, dat hij probeerde er niet aan te denken. En niet alleen zij, ook andere vrouwen. Vrouwen die hij op straat zag, zich niet bewust van zijn priemende ogen; de vrouwelijke studenten bij zijn boekhoudlessen. Zijn moeder was taboe; daar kon hij niet eens aan dénken.

Ralph dacht: als Boyce echt dood is, mag ik het boek houden.

Dat leek de schokkendste gedachte van allemaal. Hij sloeg het boek dicht en bleef zitten. Er danste stof in de banen zonlicht. Winnie zei dat stof was gemaakt van mensenhuid, iemand had haar verteld dat het uit minuscule huiddeeltjes bestond. Dat veegde ze op en klopte ze uit kleden, dag in dag uit, zoals de vrouw in *Vrouw die een vloerkleed klopt*. Ze ademde de bewoners van het huis in, de levende en de dode. Misschien ademde ze wel zijn vader in.

Hij kon moeilijk geloven dat zijn vader dood was, omdat er geen lijk naar hen was teruggestuurd. Er was een pakketje met zijn persoonlijke spullen gekomen, maar dat was alles. Zijn bevelvoerend officier had een brief gestuurd: *korporaal Clay was een dappere en betrouwbare soldaat, geliefd bij ieder die hem kende,* maar er stond niets over de manier waarop hij was gestorven, over of hij had geleden of wat er van hem over was – áls er al iets van hem over was.

Ralph kon hier met niemand over praten. Hij kon beslist niet met zijn moeder praten. Ieder woord over haar man maakte haar van streek en ze vermeden zijn naam te noemen. Haar verdriet was groot, maar dat verdriet had haar voor hem afgesloten. Ze was zo bleek en mager geworden dat hij met haar te doen had. En toch zat hij hier naar vieze plaatjes te kijken, net zoals hij naar vieze plaatjes had zitten kijken toen het telegram kwam.

Ralph was op de bovenste verdieping en had het geluid van de voordeur niet gehoord. Hij dacht: ik zal mijn hele leven voor mijn moeder zorgen. Ik ben de enige die ze heeft in deze wereld.

Je zult een heel dappere jongen moeten zijn.

Ralph stond op en zette het boek terug op de plank. Hij zou zich nooit meer bezondigen aan blikken op de inhoud.

Het gaat over je vader.

Op dat moment drong er een geluid tot hem door. Het was Brutus, die de trap op klom. Hij zocht zijn meester. De laatste trap was onbekleed; Ralph hoorde de nagels van de hond op het hout krassen.

Brutus duwde de deur open en liep de kamer in. Hij droeg een bot in zijn bek.

Hij kuierde kwispelend naar Ralph en liet het voor zijn voeten vallen.

'Allemachtig,' zei Ralph. 'Waar heb je dat vandaan?'

Het was een groot bot, een stuk van een poot van een of ander dier, met vegen bloed erop.

Brutus keek naar Ralph, terwijl zijn staart van links naar rechts ging.

'Ik weet waar je bent geweest,' zei Ralph. 'Je bent bij de slager geweest.'

Er hing een sliertje slijm uit Brutus' bek; het werd zwaarder en viel op de vloer. De hond duwde met zijn neus het bot naar Ralphs voeten.

'Nee, dank u beleefd,' zei Ralph.

Hij schopte het weg en Brutus sprong erachteraan. De hond liet zich door zijn poten zakken en wilde erop gaan knauwen, maar het ding was te groot. Hij hield zijn kop scheef om het te inspecteren; daarna hield hij het tegen met zijn poten en begon hij het teder te likken, zoals een moederdier haar pasgeboren jong likt. Hij likte het bloed op met zijn roze tong.

Pas toen werd Ralph zich bewust van een ander geluid. Het kwam van diep in het huis, uit de achterste zitkamer, en heel even was hij erdoor verrast. Hij had het lang niet gehoord, in geen jaren zelfs.

Zijn moeder, die net terug was van de slager, speelde piano.

2

GOEDKOPE LOGEMENTEN, BEPERKT AANBOD
Deze HOTELS *zijn prettig gesitueerd in prachtige streken van Frankrijk, in de frisse lucht en met fraai* UITZICHT OP HET FRONT. *Geheel voorzien van stroom- en prikkeldraad. Goede jachtmogelijkheden in de buurt.*
GRATIS BEDIENING
'De prijs die u aan het front betaalt wordt in dit hotel echt niet gehaald.'

The Wipers Times, Ieper, 1917

De slagerij van Mr. Turk was een bloeiend handelscentrum dat het noordelijke uiteinde van de straat domineerde. Het had de twee winkels aan een kant ervan opgeslokt en spreidde zich uit over drie gevels. De verste winkel was van een varkensslager geweest. Hij was zoals zoveel van zulke ondernemingen van een Duitse familie geweest, maar toen de oorlog uitbrak en de natie in de greep van een patriottische koorts kwam, had een menigte de ruiten ingegooid, de zaak geplunderd en de inhoud ervan op straat gesmeten. De Weissmans waren terug naar Düsseldorf gevlucht en Mr. Turk had de huur overgenomen.

De winkel in het midden, een ijzerwarenzaak, werd hierdoor een buitengewoon aantrekkelijk object. Zoals een leeuw het zwakste dier in een kudde kan ruiken, zo kon Neville Turk, zakenman als hij was, de kwetsbaarheid van een medemens bespeuren, en hij gokte op de zwakke gezondheid van de man die de winkel dreef, wiens enige zoon met de Lusitania ten onder was gegaan. De winkel raakte inderdaad al snel in het slop, de slager kocht voor een prikje het eigendomsrecht en zijn imperiumvorming kon beginnen.

Er verschenen werklieden om de tussenmuren weg te slaan en elektrisch licht te installeren. Waar vond Mr. Turk die? Het was de plaatselijke winkeliers een raadsel, want sterke, gezonde jonge mannen waren een uitstervende soort en hun eigen kleine reparaties bleven liggen. Maar Mr. Turk was een machtig man. Hij had connecties. Het gerucht ging dat hij een vrijmetselaar was – rare handdrukken, niemand zeggen – en iedereen wist dat vrijmetselaars heel wat vingers in heel wat potten pap hadden. *Als de ene hand de andere wast, dan zijn ze beide schoon.* Er werden binnen een paar weken grote, moderne koelkasten naar de achtergedeelten versjouwd en mahoniehouten toonbanken en uitstalkasten op hun plaats getimmerd, en Kwaliteitsslagerij Turk opende zijn deuren weer.

En de zaak floreerde. Neville Turk wist wel raad met een kadaver. De dichtheid van de spier, hoeveel water in het vlees moest, hoe lang het had gehangen: hij las het er allemaal aan af. De geringste spanning in de vezels vertelde hem al hoeveel stress het dier bij de slacht had ervaren en dus hoe mals het vlees zou zijn. 's Ochtends stond hij in de ijzige kou op Smithfield te porren en te snuffelen; hij beoordeelde een gevild beest alsof het een hoer was, met opgetrokken wenkbrauwen en een knik naar de pooier. Hij was een harde onderhandelaar maar daar werd hij om gerespecteerd; hij betastte levend en dood vlees, en sloot de deal.

In zijn winkel was hij de perfecte verkoper. Oudere dametjes voelden zich gevleid door zijn complimentjes; ze gingen zich koket gedragen. De meest kleurloze huisvrouwen versnelden hun pas als ze zijn winkel naderden en zelfs dienstbo-des, die hij soms grof behandelde, begonnen te blozen als hij tijdens het slijpen van zijn messen zijn blik over hen liet glij-den. Niet iedereen vond hem aardig; sommigen vonden dat hij naast zijn schoenen liep. Maar zoals alle machtige mensen straalde hij een soort magnetisme uit, gaf hij het gevoel dat het leven beter werd in zijn nabijheid.

Bovendien was hij veertig en nog steeds vrijgezel. Dat gaf zijn aanwezigheid een extra spanning, die van een losgebro-ken hengst. Dat hij niet was getrouwd, werd algemeen als de schuld van zijn moeder beschouwd. Mrs. Turk was een tiran-niek oud wijf dat haar zoon onder de duim hield; hij leek zelfs bang voor haar. Het was komisch hoe hij, uitgerekend hij, voor haar kroop. Mrs. Turk had achter de kassa gestaan. Niets ontging haar als ze in haar glazen hokje zat en haar ogen als een mechanische pop op de kermis van links naar rechts liet schieten, op zoek naar een roofzuchtige vrouw die haar zoon zou kunnen stelen. Maar ze was een jaar geleden gestor-ven, tijdens de strenge vorst van 1917, en nu woonde Neville in zijn eentje boven de winkel. Niemand wist of hij iemand het hof maakte; er waren avonden waarop hij zich flink opdofte om eropuit te gaan, maar hij had altijd een geheimzinnig le-ven geleid. Wat een conditie had die man, die gewoon weer om vier uur 's ochtends opstond!

De winkel was echter vooral zo populair om iets veel essen-tiëlers. De mensen hadden het zwaar die winter. De schaarste nam toe; de geruchten over voedselleveranties – zalm in blik, boter, thee – leidden tot roerige rijen en zelfs relletjes. Brood en aardappels waren twee keer zo duur geworden, kolen wa-ren schaars en suiker bestond in feite niet meer. Mensen had-den het over rantsoenering. Gezinnen ploeterden om te over-leven en leefden op brood en een mespunt boter, koolblade-ren die ze na het sluiten van de markt uit de goot hadden ge-vist en drie keer gebruikte theeblaadjes.

Desondanks was er in Mr. Turks winkel van alles te krijgen. Zijn lichten straalden de groezelige straat in. De mensen drukten hun neus tegen de ruit en staarden naar zijn theater van vlees: welgevormde schapenbouten, die op een rij hingen; opgestapelde, glimmende snoeren worstjes. En hij was de impresario, die achter de toonbank stond met zijn schort vol roestbruine vegen. In die hongerige tijden had een mooie lende meer allure dan een revuemeisje. En zelfs als hij weinig in huis had wist hij voor zijn speciale klanten altijd weer een paar mooie stukjes te voorschijn te toveren die hij voor hen apart had gelegd. Niemand wist hoe hij dat klaarspeelde.

Winnie ging graag naar de slager. Archie, haar kwelgeest, de verwoester van haar hoop, was al tijden geleden vertrokken. Hij was op zijn achttiende verjaardag in dienst gegaan en sindsdien was er niets meer van hem vernomen. Ze voelde zich schuldig dat ze opgelucht was door zijn vertrek, want ze was een aardig meisje, maar ze was tóch opgelucht.

Ze was blíj. Dat was de vreselijke waarheid. Ze zou er ongetwijfeld voor worden gestraft maar hij had haar ook gestraft en ze hoopte nu ook weer niet dat hij zou sneuvelen, zo zondig was ze niet. In Kent, waar haar vader woonde, had ze een keer, toen ze bij hem op bezoek was, het bombardement boven het Kanaal gehoord; ze had de aarde voelen trillen. 's Nachts had ze de oranje gloed van de branden gezien. En ze had voor hen allemaal gebeden, zelfs voor Archie. Zo harteloos was ze echt niet.

Het was een grijze, mistige dag op het eind van februari, zo'n dichte brij, zo'n dag waarop de straatlantaarns alweer aan moesten voor hij goed en wel was begonnen. Gedaanten haastten zich met gebogen hoofd over straat, ze doemden op uit de mist om er meteen weer in te verdwijnen. Er ratelden trams langs, die hun bel lieten rinkelen om te waarschuwen; er denderde een vrachtwagen voorbij, die rook uitbraakte.

Winnie was tot op het bot verkleumd en haastte zich naar de slager. Ze was al een tijdje boodschappen aan het doen en was vergeten reuzel te kopen.

Het was zoals altijd druk in de winkel; de hulpen stonden vlees te snijden en gooiden het op de weegschaal, waarop ze met een scheef hoofd het gewicht aflazen terwijl ze hun handen aan hun schort afveegden. Winnie stond bij de toonbank en was bijna aan de beurt. Achter het glas lag een reusachtige ossentong met kippenvel; z'n grote aanhechtpunt was uit de strot gerukt. Het jonge meisje dat voor Winnie was, zei: 'Voor zes penny restvlees, alstublieft.'

Op dat moment zag Winnie Mrs. Clay. Ze had haar eerst niet opgemerkt omdat haar mevrouw met haar rug naar haar toe stond en ze haar fluwelen jas met de ingenomen taille droeg. Het arme mens moest het steenkoud hebben. Ze stond bij de toonbank met Mr. Turk te praten. Toen ze haar hoofd schudde trilden haar veren; ze leek het niet eens te zijn met iets wat Mr. Turk had gezegd. Hij tikte met zijn vinger tegen zijn neus en ze barstte in lachen uit.

Mrs. Clay stond onrustig te draaien, als een schichtige merrie. Ze kreeg Winnie in het oog en stopte.

'Wat doe jij hier?' snauwde ze.

'Ik kom de reuzel halen.'

Mrs. Clay liet een schrille lach horen. 'En waarom hebben wij reuzel nodig?' Haar gezicht zag er opgewonden uit; ze had rode vlekken op haar wangen.

'Voor de pasteitjes,' zei Winnie.

Mrs. Clay keek naar Winnie alsof ze net uit een vreemd land was gekomen. Haar mevrouw zag er in het elektrische licht grover uit, met haar rode gezicht en de rimpels rond haar ogen. Ze zei: 'Ik kwam hier voor de koteletten. Je kunt ze maar beter eerst bekijken, dan weet je wat we krijgen.'

Later werd het allemaal duidelijk, maar Winnie was een goedgelovig meisje en geloofde wat haar werd verteld. Bovendien was ze elders met haar gedachten. Ze vroeg zich af of Mr. Flyte, de blinde huurder, haar die avond opnieuw zou vragen hem voor te lezen, en of ze dan uit de lange woorden zou komen. Als ze erover struikelde, begonnen z'n knieën op en neer te wippen. Daardoor werd ze nog zenuwachtiger. En trouwens, wie was die Karl Marx eigenlijk? Ze had Mr. Flyte om uitleg gevraagd, maar die scheen te denken dat iedereen dat wist. Hij kon soms heel vermoeiend zijn.

Winnie wandelde met Mrs. Clay naar huis. Het was inmiddels donker en de mist was zo dicht dat ze slechts aan het galmende geluid van hun voetstappen merkten dat ze onder een brug door liepen. Boven hen hing dreigend een stel bruggen dat de treinen van de kust naar Waterloo Station, London Bridge en Charing Cross droeg. In de smalle straat eronder rezen aan weerskanten huizen op. Ze kon ze niet zien; ze zag alleen het doffe licht dat door hun ramen viel. Deze buurt had een wisselende bevolking; de mensen kwamen en vertrokken weer, wat te wijten was aan de kopstations in de buurt. Winnie, een dorpsmeisje, vond het een raadsel dat mensen een paar meter van elkaar konden wonen zonder elkaar ooit tegen te komen. Toch vond ze het ook spannend: die achteloosheid, de vrijheid, die vage geur van verval, alsof er iets achter het fornuis lag te rotten. Een meisje zoals zij kon uit Kent hierheen komen en het slechte pad op gaan. Iemand kon worden vermoord en weken blijven liggen voor hij werd gevonden. Ze had over zulke dingen gelezen in haar *Penny Pictorial*, het soort blad dat Mr. Flyte ongetwijfeld zijn interesse onwaardig zou vinden.

Ze zou willen dat ze hem aardiger vond. Mr. Flyte – *Alwyne* – had iets van een dwingeland. Hij dwong haar dingen te zeggen die ze niet geloofde. En als ze hem hielp bij het oversteken, streek hij met zijn vinger over haar pols. Maar die arme man had al zo weinig pleziertjes in het leven, dacht ze dan maar weer. En het ongeluk was niet kieskeurig in wie het

41

trof; het kon een granaat niet schelen wie hij in stukken reet. Hiervan was de afgelopen jaren volop bewijs geweest. Ze vermeed bijvoorbeeld om in de Borough Road langs de Hop Exchange te lopen, want daar stond een geamputeerde die lucifers verkocht bij de deur. Ze wilden niet bedelen, ze hadden hun trots, dus kocht ze altijd voor een halve penny een doosje, maar hij zei nooit 'dankjewel' en hij had een keer naar haar voeten gespuugd en nu lag haar kamer vol met luciferdoosjes; het had haar een vermogen gekost. En dat alles vanwege een oorlogsveteraan met één been, die voor de Hop Exchange heen en weer hopte.

Winnie wilde lachen, maar er was niemand aan wie ze haar grapje kon vertellen. Mrs. Clay was er niet het type voor en bovendien leek ze op te gaan in haar eigen zorgen. Winnies mevrouw liep zwijgend voort; haar tanden klapperden in de kou. Mr. Boyce had er wel om kunnen lachen maar die werd vermist op het slagveld. Hij had haar een brief gestuurd vanaf het Front, waarin hij zijn commandant, een groot uilskuiken, beschreef en met een grapje eindigde: *Onze commandant zit altijd in de rats. Die is dan ook onverteerbaar!*

Ze miste Mr. Boyce heel erg. Het was toch grappig: ze dacht altijd aan hem als Boyce, dat ging vanzelf. Maar Mr. Flyte Alwyne noemen, was alsof ze over een hoog hek moest klimmen.

Ze staken bij de Mitre de weg over. Er steeg bulderend gelach op uit de bar. Iemand anders was een grap aan het vertellen. Winnie dacht: ik zal het hopgrapje aan Ralph vertellen. Hij miste Boyce' gevoel voor humor, maar ze hield van hem. Hij was als een klein broertje voor haar en ze zou voor hem door het vuur gaan.

'De moderne bourgeois maatschappij die op de ruïnes van de feodale maatschappij is ontstaan heeft de vijandschap tussen de klassen niet opgeheven,' las Winnie. 'Zij heeft slechts nieuwe klassen, nieuwe omstandigheden voor onderdrukking, nieuwe vormen van strijd in plaats van de oude gesteld.'

Winnie stopte, uitgeput. Dit was vermoeiender dan emmers vol kolen naar boven sjouwen. Ze had geen idee wat ze las; de inspanning zat 'm in het goed uitspreken van de woorden. 'Bourgeois' was een van de ergste geweest, maar nu kende ze het. Alwyne Flyte zat met gesloten ogen. Misschien was hij in slaap gevallen. Het was er in ieder geval saai genoeg voor.

'Ga door,' zei hij.

'Met de ontwikkeling van de industrie...' zei ze, 'neemt het pro... pro...'

'Proletariaat!'

'Pardon. "Neemt het proletariaat niet alleen in aantal toe; het concentreert zich in grotere massa's, zijn kracht groeit en het is zich meer bewust van die kracht."'

Op dat moment zag ze de troep op de vloer: allemaal botsplinters op het haardkleedje. Brutus moest weer een trofee van de slager hebben meegenomen. Daar was hij de laatste tijd vaak geweest. Ze zag nu zelfs een groter stuk, compleet met knokkel, onder een kussen uitsteken waar de hond het had verstopt voor later. De kamer zag eruit als een slachthuis.

'Ga door,' zei Mr. Flyte.

'Zijn opkomst zal gepaard gaan met verbeteringen in de kunst der destructie en jaarlijks zal er meer worden besteed aan de dure oorlogsmachinerie.'

Ze zou het moeten schoonmaken. Eigenlijk zou ze nu bezig moeten zijn met de afwas van het avondeten maar Mr. Flyte had erop gestaan dat ze bij hem in de achterkamer kwam zitten. 'Je begrijpt het toch wel, Winnie? Arbeiders aller landen, verenigt u!' Mr. Flyte zwaaide met z'n armen. Er vloog as van z'n sigaret. Nog meer troep om van het tapijt te vegen. 'Jullie hebben niets dan je ketenen te verliezen.' Hij leunde naar voren. 'Het is in Rusland gebeurd, het zal hier gebeuren, let maar op. Kameraad Lenin is onder ons!'

'Waar?' vroeg ze verschrikt.

'Hier!' Hij tikte tegen zijn hoofd; er viel nog meer as. 'Ideeen, niet wapens zullen de wereld veranderen. We moeten dit moment waarop de vijand zwak is benutten om het kapitalistische klassensysteem weg te vegen, Winnie!'

Ik kan beter eerst die botten opvegen, dacht Winnie. 'Is dat alles?' vroeg ze.

'Anders zijn oorlogen nutteloos. Ze zijn buitengewoon zelfdestructief, snap je? Weet je nog wat Marx over het militaire proces zei? We hebben het vorige week gelezen. Wie er ook wint, het gevolg ervan wordt door de overwinnaar opgelegd aan de overwonnene en draagt zo het zaad voor toekomstige oorlogen in zich.'

Winnie kon het zich natuurlijk niet herinneren. Ze had al veel te veel hooi op haar vork. Ze keek naar zijn fladderende ogen; ze deden haar denken aan heiligen in kerken, gipsen beelden van hen in vervoering.

'Als we deze cyclus niet doorbreken, zal dat het patroon van de twintigste eeuw zijn. Let maar op, Winnie. Er is maar één oplossing en die is dat we de macht in handen van mensen zoals jij leggen.'

'Moet dat?' vroeg Winnie. 'Ik ben best tevreden zo.'

Mr. Flight zuchtte. 'O, Winnie.'

'Maar ik ben het ermee eens dat oorlog moet ophouden,' zei ze. 'Het moet vreselijk zijn geweest.' Ze raapte haar moed bijeen. 'Hoe was het, Mr. Flyte?'

'*Alwyne!*' Hij drukte zijn sigaret uit. 'Dat wil je niet weten, schatje.'

Er viel een stilte. Ze had het niet moeten vragen, maar ze moest er voortdurend aan denken. Ze kon er verder niemand over aanspreken, zeker niet die arme Mr. Spooner van boven. En tegenwoordig voelde ze zich wat meer op haar gemak bij

Mr. Flyte. Z'n dwingende vertrouwelijkheid begon op haar over te slaan en ze durfde hem nu meer te vragen en hem soms zelfs te plagen. Ze begon meer hoogte van hem te krijgen. En al was hij ongetwijfeld heel intelligent, hij was zo hulpeloos als een baby. Wat dat betrof had zíj de macht in handen. Arbeiders aller landen verenigt u!

'Ze is weer aan het pingelen, hoor ik.' Met een ruk keerde Mr. Flyte zijn hoofd naar de muur. Mrs. Clay was piano aan het spelen in de voorste salon. 'Ze speelt dat stuk van Chopin te snel.'

'Ik vind het mooi,' zei Winnie. 'Ik vind het heerlijk als ze speelt.'

'Waardoor zou ze zo vrolijk zijn?'

Winnie haalde haar schouders op en besefte toen weer dat hij niet kon zien. 'Ik weet het niet,' zei ze.

Het stond wel vast dat het humeur van Mrs. Clay de afgelopen weken aanzienlijk was verbeterd. Ze speelde niet alleen piano. Soms, als er niemand in de buurt was, zong ze. Ze besteedde meer tijd aan haar toilet en probeerde allerlei combinaties voor ze besloot wat ze zou aantrekken. Haar slaapkamer zag eruit alsof hij geplunderd was. Maar Winnie vond het niet erg om hem op te ruimen, omdat ze blij was dat haar mevrouw weer wat vrolijker was. Er was minder wrijving in huis. Ze zou echter niet met de groezelige oude huurder naar de oorzaak gaan gissen, ook al kende ze die. Het was Mrs. Clay die haar loon betaalde.

De muziek hield op, alsof haar mevrouw hun gedachten had geraden. De deur ging open en ze kwam de kamer binnen. Mr. Flyte bleef zoals altijd zitten. Dit was ofwel te wijten aan zijn politieke overtuigingen of aan zijn blindheid; Winnie wist het nooit zeker.

'Winnie, kan ik je even spreken?' vroeg ze.

Winnie sprong op. 'Het spijt me van de afwas, ik ga meteen naar beneden.'

'Daar gaat het niet over.'

Mr. Flyte stond op. 'Ik ga ervandoor,' zei hij. 'Ik heb een afspraak met een glas bier.'

'Ik zal u helpen,' zei Winnie. 'Waar is uw jas?'

Hij wuifde haar weg. 'Het lukt wel.' Bij de deur draaide hij zich om: 'Wat was dat nu precies voor vis, die we vanavond aten? Ik heb geprobeerd erachter te komen.'

'Heek,' zei Mrs. Clay kortaf.

Hij hield er niet van als ze hem door het huis heen hielpen. Ze hoorden hem in de gang naar zijn jas grabbelen en daarna de klik van de voordeur.

'Wat is het toch een vreemde man,' zei Mrs. Clay. 'Ik kan hem niet goed plaatsen. En zo donker. Zou hij een Israëliet zijn?'

'Maar hij komt uit Bolton.'

'Dat maakt niet uit. Ze komen overal.' Ze keek Winnie op een vage manier aan. 'Hij mag geen misbruik van je maken, Winnie. Ik hoorde laatst hoe hij probeerde jou je vrije middag af te troggelen.'

'Dat geeft niet, ik leer van alles.'

Mrs. Clay had haar hoofd niet bij het gesprek. Winnie had het gas aangedraaid om te lezen en stak twee lampen aan. Ze kon het gezicht van haar mevrouw heel goed zien. Mrs. Clay was opgewonden. Ze had een blos op haar wangen en haar ogen schitterden.

'Jij mag morgenavond koken. Ik heb bonen te weken gelegd. Je kunt rissoles maken en ze vullen met de gerst en wat gehakt. Ze voegde er achteloos aan toe: 'Ik ga uit.'

'Uit?'

De klok op de schoorsteenmantel tinkelde. Het was al negen uur! Het voelde alsof de hele avond van slag was.

'Ik heb afgesproken met een vriend.' Mrs. Clay liep naar de deur. 'Denk eraan dat je de gerst eerst kookt.'

En weg was ze.

Na de show nam Neville haar mee uit eten in het Café Royal, in Regent Street. Het leek wel een paleis, met kroonluchters aan het plafond en zacht kaarslicht achter roze geplooide kapjes. Het plafond, dat beschilderd was met fresco's, rustte op zuilen met naakte figuren rond de bovenkant. Ze kenden hem daar. De hoofdkelner gaf Neville een hand en leidde hen naar een tafeltje naast een palm in een kuip. Een orkestje van oude mannen kraste op violen.

'Champagne?' vroeg Neville haar.

Op het tafelkleed stond een vaasje met tuberozen. De geur deed haar duizelen. Neville knipte met z'n vingers en daar verscheen de kelner weer. Ze leken geen van allen bij machte hem te weerstaan. Eithne zat daar in haar jurk van moiré die nu te wijd was en waarin ze zich in deze omgeving schaamde. Ze moest dikker worden. *Vetmesten voor de slacht.* Eithne voelde een lach opborrelen; ze sloeg haar hand voor haar mond. Neville sloeg zijn zware, in leer gebonden menukaart open. Hij viste een bril te voorschijn wat haar gek genoeg voor hem innam. De man had een zwakte! Ze voelde zich zo vrolijk als een mijnpaardje dat uit de onderwereld is bevrijd; ze schudde haar manen en galoppeerde door de wei.

En andere mensen vonden dit doodnormaal! Ze had geen idee dat er nog zoveel mensen over waren om dit soort dingen te doen. De zaal was vol mannen en vrouwen die uit eten gaan iets vanzelfsprekends vonden; ze waren een schitterende wolk van hoge hoeden en karmozijnrode japonnen, hun levens waren even onvoorstelbaar als marsmannetjes en toch zaten ze vanavond bij haar, alleen vanavond, en ze vond het een opwindend moment.

'Wat is er zo grappig?' vroeg Neville.

Eithne kon niet antwoorden *ik stelde me de schenkelstoofpot voor die ik heb gemaakt: ik stond te roeren in de pan terwijl hij steeds dikker werd tot hij in een grijze lijm was veranderd die zo smerig was dat zelfs m'n huurders hem niet konden eten en ze hadden* HONGER. *Mrs. O'Malleys kunstgebit plakte aan elkaar en zelfs de hond liet de restjes links liggen. En het is nu grappig omdat het er niet toe doet, ik leef, we leven allemaal, en het mooiste is dat ik hier zit.*

'Niets,' zei ze. 'Ik heb honger.'

'Dat doet me deugd.'

'Honger als een leeuw.'

'We willen geen kwijnende juffertjes die hun soep amper aanraken.'

Hoeveel kwijnende juffertjes had Neville hier mee naartoe genomen? Niemand kon haar vanavond iets maken, niemand was zo machtig als Eithne Clay omdat ze dit oord harder nodig had dan zij ooit hadden gedaan. Wie gaf er een zier om haar flodderende jurk met z'n versleten manchetten, die Winnie had beloofd te verstellen? Vanavond was zij de koningin van het Café Royal en zelfs de kelner voelde dat toen hij naast haar stond om haar bestelling op te nemen.

'Ik neem de oesters,' zei ze, 'en de tong en de kalfsoester.'

Hij boog en trok zich terug terwijl hij de menukaart gracieus dichtsloeg, als een gebedenboek.

Ze glimlachte naar Neville. 'Je verwent me.'

'We leven maar één keer.'

Pauls gezicht flitste voor haar op en verdween weer. Hij had haar dit van harte gegund, het was geen verraad dat ze hier zat te nippen aan champagne die in haar neus kriebelde. Hij zou willen dat ze gelukkig was.

'Geloof je in de hemel en de hel?' vroeg ze.

Neville trok z'n wenkbrauwen op. 'Wat een vraag voor een donderdagavond.'

Ze dronk haar glas leeg. 'Ik geloof in geen van beide. Niet meer.' Ze keek hem doordringend, uitdagend aan. De champagne was haar naar het hoofd gestegen.

'De wereld is slecht,' zei Neville. 'Ieder moet zichzelf zien te redden.'

Hij reikte haar een mandje met broodjes aan. Eithne nam er eentje en brak de korst. Er kwam een heerlijk zoete geur af. Vanbinnen was het wit en fluffig als distelpluis. Dít was heilig. Ze mochten hun God lekker zelf houden.

'Ik heb zo genoeg van dat vieze harde grijze brood met brokjes aardappel erin,' zei ze. 'Waarom moeten we dat eten? Ik heb zo genoeg van dat alles.'

'Een bakker die ik ken, bakt dit soort brood. Je hoeft maar te kikken en ik laat hem een brood bij je bezorgen. Broden. Zoveel je wilt, m'n lieve, het kan niet op.'

M'n lieve. 'Jij kent iedereen, hè?'

Hij haalde z'n schouders op. Vanavond was het de tweede keer dat ze Neville zogezegd in burger zag. Z'n haar glom van de olie, z'n huid zag er geboend en roze uit. Hij droeg vanavond een witte anjer; hij had haar er ook een gegeven, die hij op haar boezem had gespeld. Hij droeg een geelbruin jasje, een kastanjebruine choker met hoefijzertjes erop en een bijpassende zakdoek in z'n borstzak. Hij had beslist iets ordinairs, iets van de paardenrenbaan. Eigenlijk was hij haar type helemaal niet. Bovendien was hij een handelaar. Ze zou zich misschien een tijdje generen, maar dat kwam eerder uit haar positie dan uit geboorte voort. Haar vader had immers een respectabele functie bij de Sun Insurance Company gehad en hij genoot enig aanzien in de gemeenschap.

De oesters arriveerden. Neville leunde naar haar toe maar ze duwde zijn hand weg. 'Ik weet hoe het moet,' zei ze. 'Ik heb ze al vaker gegeten, weet je.'

Neville grinnikte. Hij had een wolfachtige grijns vol witte tanden die onder zijn snor blikkerden. Eithnes maag trok samen. Ze verdiepte zich in de citroen en de tabasco, een paar drupjes hier, een sprietje daar. Neville boog zich over de zijne. Het voelde opeens gezellig aan; het was lang geleden sinds ze alleen met een man had gegeten.

Ze bracht de schelp naar haar mond, opende haar lippen

en kiepte de oester naar binnen. Als kind had ze natuurlijk in God geloofd. Ze had Zijn bloed gedronken en op haar tong Zijn vlees genomen dat hij de wereld had geschonken ter verlossing van zijn zonden.

Heel even hield Eithne de oester tussen haar tanden, zo zacht als een kat een muis vasthoudt. Toen beet ze en haar mond stroomde vol met zilte zoetheid, de vleesgeworden oceaan.

Tegenover haar liet Neville zijn schelp zakken. Hij veegde met zijn servet zijn lippen af.

'Eerlijk gezegd,' zei hij, 'had ik die dag helemaal geen tekort aan personeel.'

'Welke dag?'

'De dag dat ik bij je langskwam. Met het vlees.'

'Nee?'

Hij schudde zijn hoofd. 'Ik kwam omdat ik je wilde zien.' Hij keek haar over de tafel doordringend aan. 'Ik heb namelijk aan je gedacht. Heel veel zelfs.'

Eithnes keel kneep dicht. 'Is dat zo?'

Hij knikte. 'Ik was blij dat het niet het meisje was.' Er viel een stilte. De stemmen van eters echoden vanuit de verte. Neville grinnikte.

'Ze is lelijk als de nacht, vind je niet?'

Eithne versteende. 'Wie?'

'Je dienstbode. Had vroeger 'n staffie, die er net zo uitzag. Je kent de staffie, de bulterriër? Een geweldige vechtjas maar mijn god, die kop van hem...'

'Hou op!' riep Eithne. 'Dat mag je niet zeggen!'

Haar lip trilde. Ze keek naar Neville. Hij hief zijn handen op. 'Sorry, sorry.'

De stemming was bedorven. Ze gingen verder met eten maar Eithne had zich van hem teruggetrokken als een hert, was van zijn uitgestrekte hand weg het bos in gevlucht. Blijkbaar was ze gesteld op die meid.

Neville vervloekte zichzelf. Vrouwen waren gecompliceerde wezens, je moest voorzichtig met ze omgaan. Ze waren enorm wispelturig; het ene moment poeslief, het volgende een snauwende helleveeg; hoe kon een man het hun naar de zin maken als ze zo onvoorspelbaar waren als het weer in april? Zijn moeder, God hebbe haar ziel, had hem grondig onderwezen in de ontvlambaarheid van de vrouwelijke psyche.

Maar Neville liet zich niet ontmoedigen. Niet voor niets was hij driemaal kampioen zwaargewicht geworden in de Elephant and Castle. Hij kon wel een uitdaging hebben.

Want die vrouw had hem betoverd. Haar lage, opwindende stem; de deining van haar boezem; die levendigheid van haar! Ze had iets voornaams in haar houding, iets hooghartigs, maar hij vermoedde dat ze vanbinnen boterzacht was. *Ze is een en al vrouw. Ze is mijn vrouw, en dat weet ze.*

Ze aten hun eten en voerden een geforceerd gesprek en de grote spiegelwanden om hen heen weerspiegelden hen naar zichzelf: gewoon een knap echtpaar dat een avondje uit was.

Terwijl zijn bazin uit was, ontlastte Brutus zich op de overloop voor haar slaapkamer. Het was Ralph die het rook. Hij had in de keuken schoenen gepoetst. Dat was een van zijn taken, het poetsen van de schoenen van de huurders, maar tegenwoordig was er niet zoveel te doen. Boyce had het grootste assortiment schoeisel bezeten – brogues en hoge schoenen, van krokodillenleer en van kalfsleer, lederen instappers voor z'n avondjes uit – maar Boycie was er niet meer. Mr. Spooner had geen schoenen nodig want hij kwam het huis niet uit en hoewel Mr. Alwyne Flyte met ijzeren regelmaat een paar buiten zijn slaapkamerdeur zette, leek het van weinig nut de schoenen te poetsen van een man die toch niet kon zien wat hij droeg. Toch hield Ralph dapper vol met zijn uitgedunde cliëntèle en hij liep net naar boven met Alwynes schoenen toen de geur hem tegemoet sloeg.

Ralph liet vloekend de schoenen vallen en rende naar beneden. De hond was nergens te bekennen; hij zat vermoedelijk schuldbewust onder een tafeltje te mokken. Het was half elf en het was stil in huis. Ralph stak beneden in de bijkeuken een lamp aan en zocht een emmer. Het was ijskoud in dit achterste gedeelte van het huis.

Winnie was al naar bed; haar deur was dicht. Ze woonde in het kleine kamertje naast de bijkeuken. Ralph had zelden haar privédomein betreden, ook niet toen hij jonger was; op een of andere manier voelde hij dat het verboden terrein was.

Maar vanavond liet hij de emmer kletteren toen hij hem in de gootsteen tilde en luid zuchtend de kraan opendraaide. Het werkte. Winnies deur ging open en haar gezicht verscheen in de kier.

'Wat is er gebeurd?' vroeg ze.

Ralph vertelde het haar. Winnie sloeg een sjaal om en kwam haar kamer uit. Ze droeg een lange nachtpon die in het schemerige licht bedrukt leek met bloemetjes.

'Geef hier, ik doe het wel,' zei ze. 'We hebben wat oude lappen nodig en de Dettol, daar in de kast. Staat er nog heet water op het fornuis?'

Boven op de overloop nam Winnie haar gebruikelijke houding op handen en knieën in en begon ze te schrobben.

'Wat een stoute jongen,' zei ze.

'Misschien heeft hij iets verkeerds gegeten,' zei Ralph, die op de trap zat. 'Heb je hem wat van die rissoles gegeven?'

'Er was niets meer over,' antwoordde Winnie vinnig. 'Ze vonden ze lekker, dus pas op je woorden.'

Boven op de tweede verdieping ging Alwyne Flytes deur krakend open. Er lekte licht naar buiten. Ralph vroeg zich af waarom een blinde man eigenlijk de moeite nam een lamp aan te steken. Misschien voelde de gloed prettig aan tegen zijn oogleden. Misschien hielp het tegen nachtmerries.

'Wat is dat voor een walgelijke geur?' vroeg Mr. Flyte. Ze vertelden het hem.

'Is je moeder nog niet terug?'

'Nee, ze zei dat het laat kon worden,' antwoordde Ralph. 'Ze is uitgegaan met een vriend.'

Mr. Flyte liet een daverende lach horen. 'Nou, de hond heeft wel duidelijk gemaakt wat híj daarvan vindt!'

Winnie zat op haar hurken. De hond voelde natuurlijk dat er iets aan de hand was. Daarom was hij van slag. Honden hadden een zesde zintuig. Zíj wist dat er iets aan de hand was, maar dat wist ze al een tijdje. Dienstbodes wisten iets voor hun mevrouwen dat deden. Dat was een van de dingen die ze gemeen hadden met dieren.

'Dieren weten wat er gaat gebeuren,' zei ze. 'Dulcie wist dat ze haar zouden komen halen.'

'Wie is Dulcie?'

Winnie zweeg even. Ze wilde eigenlijk niet over Dulcie praten, maar ze was nog groggy van de slaap.

'Ze was een paard,' antwoordde ze. 'Die hebben ook een zesde zintuig.'

Opeens werd Winnie overmand door verdriet. Ze zat in elkaar gezakt op de trap, zonder zich nog te kunnen bewegen.

'Wat is er gebeurd, Winnie?' vroeg Mr. Flyte. 'Gooi het er maar uit.'

'Ze kwamen de paarden weghalen,' zei Winnie. 'Iedereen in het dorp wist ervan. Sommige mensen hadden geprobeerd ze in de schuren of het bos te verstoppen, maar de paarden begonnen naar elkaar te hinniken. Ze wisten dat er iets ging gebeuren.' Winnie hield op. Ze zou nu het stinkende bundeltje lappen moeten wegbrengen, ze zou het spul door het water-closet moeten werken, maar alle krachten leken uit haar weg-gevloeid.

'Ze namen de twee grote Clydesdales van Mr. Bancrofts boerderij mee. Ze heetten Captain en Dolly. Ze lieten er een-tje voor hem achter, ze lieten Bismarck staan zodat hij kon ploegen.' Winnie sprak gehaast, ze kon niet ophouden. 'Ze namen de merrie van de voerman mee, Judy, die de weg naar het station uit haar hoofd kende; zelfs als Mr. Forrest tipsy was, kon ze helemaal naar het station lopen. En ze namen het paard van de dominee mee, en ze namen alle jachtpaar-den uit de stallen van Lord Elbourne mee, ze namen ze mee voor de cavalerie, alle zes, grote Ierse volbloeden, sommige wel zestien handbreedten hoog en stevig gebouwd.' Ze stopte even om adem te halen.

'Ik wist niet dat je verstand had van paarden,' zei Ralph.

'Mijn vader is de stalknecht,' antwoordde ze. 'Lord Elbour-nes stalknecht.' Ralph keek op haar neer vanaf zijn bovenste trede.

'Dat wist ik niet,' zei hij.

'Het heeft z'n hart gebroken.'

'Wie is Dulcie?' vroeg Mr. Flyte.

'Ze had niet weg gemogen, sir!' Winnie barstte in tranen uit. 'Ze was twintig jaar oud, ze was te oud, ze hadden haar niet mee mogen nemen! Want weet je, het duurde altijd even voor ze aan iemand gewend was, je moest veel tijd aan haar besteden, maar als ze je eenmaal vertrouwde, ging ze overal met je naartoe, ik voerde haar stroop, ze was dol op stroop, ze likte m'n vingers af met haar grote, slijmerige tong, ze likte altijd tussen mijn vingers, ze wreef altijd met haar hoofd te-gen m'n borst en ik wist wel dat ze dat deed om van de vlie-gen af te komen maar het leek alsof ze van me hield, in elk ge-val hield ik van haar.' Winnie keek hen door haar tranen aan. 'Ze is bang voor vreemde mensen. Ze is bang voor knallen. Als de motor van een auto terugsloeg, sprong ze de greppel in. Wat moet ze daar in godsnaam?'

Winnies schouders schokten. Niemand had de voordeur gehoord. Opeens stond Mrs. Clay daar, die haar best deed haar evenwicht te bewaren.

Eithne keek naar het groepje dat op de trap bij elkaar zat. 'Wat is er gebeurd?' riep ze. 'Winnie, wat is er met je?'

Winnie huilde. Wat zijn er toch veel tranen in de wereld, dacht Eithne. Zoveel vreselijk nieuws, hoe kunnen we het verdragen?

'Winnie! Is het je broer?'

Winnie schudde haar hoofd en veegde haar neus af aan een punt van haar sjaal.

'Het is een paard,' zei Ralph, met een brok in z'n keel.

'Een paard?'

Eithne probeerde helder te denken. Het duizelde haar; ze had in geen jaren wijn gedronken.

Winnie stond inmiddels weer op haar voeten. Ze waren zo groot als die van een man. Hun naaktheid had iets schokkends. Ze keken met z'n drieën toe hoe het lelijke, grofgebouwde meisje de lappen bij elkaar raapte.

Eithne haalde haar neus op. 'Ruiken jullie ook iets?'

3

De beste, meest humane manier om een groot varken te doden is om hem als een jonge stier met het puntige einde van een slacht-bijl op het voorhoofd te slaan, waarmee het dier in een keer wordt gedood; de slager hoeft vervolgens alleen maar de aorta en de slag-aders open te snijden en de hals van het dier boven een trog te leg-gen om het bloed er zo snel mogelijk uit te laten stromen.

Mrs. Beeton's Book of Household Management

In maart van dat jaar begonnen de Duitsers een groot offen-sief. Tijdens de terugtocht naar Arras hadden de geallieerden de grootste nederlaag van de oorlog geleden, met onthutsen-de verliezen. Honderdduizenden waren afgeslacht en zo'n ne-gentigduizend soldaten waren krijgsgevangen genomen. Ge-neraal Haig verkondigde: We moeten allen doorvechten tot het einde, met onze rug tegen de muur en overtuigd van de recht-vaardigheid van onze zaak. Zowel de veiligheid van ons vader-land als de vrijheid van de mensheid hangt af van ons gedrag op dit cruciale moment.

Diep in Southwark begon Neville Turk zijn eigen offensief. Hij moest en zou die vrouw hebben. Voor het eerst in zijn le-ven kon hij niet slapen. Hij was naar de slaapkamer van zijn moeder verhuisd, boven de voorkant van de zaak. Hij maakte zichzelf wijs dat dit vanwege de grotere afmetingen was. Het had natuurlijk niets te maken met het feit dat de kamer op straat uitkeek, met het feit dat Eithne Clay daar over de stoep liep als ze boodschappen deed en daarmee de kamer een magische aantrekkingskracht gaf, zelfs 's nachts als het onmogelijk was dat hij haar zou zien. Hij lag rusteloos te woelen in het bed van zijn moeder en luisterde hoe de kerkklok de uren sloeg. Hij stelde zich Eithnes lichaam onder haar kleren voor, die deinende borsten, die brede, welgevormde heupen. In gedachten deed hij zulke dingen met haar dat hij, een man met de nodige ervaring, rood werd als ze de winkel in kwam.

Neville had met heel wat vrouwen intieme omgang gehad. Hij was een man die er wel pap van lustte en had nooit moeite gehad de andere sekse voor zich te winnen. Deze afspraakjes vonden ver van zijn moeder vandaan plaats, in kleine hotels rond Victoria Station waar je kamers per uur kon huren en soms zelfs in het leegstaande appartement van een van de jongens van de Lodge, een politiecommandant die bekendstond om z'n discretie. Maar dat waren korte affaires geweest; hij had een paar harten gebroken maar het zijne was heel gebleven. Eithne Clay had hem echter van z'n stuk gebracht. Die vrouw had iets diep binnen in hem geraakt, hij was een bezeten man geworden. Hoe onbereikbaarder ze leek, hoe meer hij naar haar verlangde. Deze eenzijdige jacht leek des te onzinniger als hij bedacht hoeveel mogelijkheden zich aandienden.

Nevilles moeder was dood. Net zoals de echtgenoten van veel vrouwen uit zijn kennissenkring. De Slag aan de Somme had voor zover hij wist zeven van zijn klanten weduwe gemaakt en deze lente waren er tijdens de Duitse opmars zware verliezen geleden. Hij had gemerkt dat verdriet een verrassend effect op het libido van een vrouw kon hebben. De kleine Mrs. Holmes, die hij als een van zijn kuiste klanten had beschouwd, had hem verrast door de vurigheid van haar eisen. Voor zijn personeel had hij de krassen verklaard als een ongelukje met een vleespen. En ze hunkerden niet alleen naar seks. Vlees was schaars en hij stond ervan te kijken hoeveel vrouwen hun broekje lieten zakken voor een pond gehakt.

Maar Mrs. Clay had zich tot nu toe onverzettelijk getoond. Nevilles onhandigheid in het Café Royal had hem geleerd dat hij voorzichtig te werk moest gaan. Ze was een buitengewoon loyale vrouw en die gevoelens golden ongetwijfeld niet alleen haar hulpje in de huishouding; misschien rouwde ze nog om haar man. Ze hield zich bovendien afzijdig en maakte zelden een praatje met de andere klanten. Als haar situatie hopeloos was – en dat vermoedde hij – dan liet ze daar niets van blijken en ze gedroeg zich als een welgestelde vrouw. Misschien vond ze hem beneden haar stand. Hoe dan ook, haar verzet maakte hem woest en hij moest een nieuwe campagne uitstippelen. Z'n instinct zei hem dat hij haar niet opnieuw mee uit moest vragen, nu nog niet; in plaats daarvan groef hij zich in en maakte hij zich op voor een uitputtingsoorlog.

Neville maakte haar het hof met het zwaarste geschut dat hij bezat. En daarbij werd de regering onbewust zijn bondgenoot. Deze stelde rantsoenen in. Suiker, boter en thee waren al op de bon maar die lente kwam daar nog eens vlees bij: anderhalf ons per persoon per week. Neville was een geziene zakenman en een vooraanstaande figuur in de gemeenschap. Het was uitgesloten dat hij in aanvaring zou komen met de politie. En wat een bof dat hij uitgerekend die wetshandhavers tot z'n beste kennissen mocht rekenen!

'Anders nog iets?' vroeg hij Mrs. Clay, toen ze voor de toonbank stond met een wit gezicht van de kou. Hij sprak haar niet meer aan met madam; er bestond tegenwoordig een zekere vertrouwelijkheid tussen hen. Omdat ze beiden wisten hoe het zat, ontstond er een grotere intimiteit dan een dinertje bij kaarslicht in het Café Royal ooit zou kunnen bewerkstelligen.

'Ik ben zo dol op Irish stew,' liet ze dan terloops vallen. 'Er is toch niks lekkerders op een druilerige winterdag?' Of: 'M'n zoon houdt erg van lever. Goed veel ijzer voor een jongen in de groei, heb ik gehoord.' Neville knikte; er was een siddering tussen hen en zij draaide rond op haar hielen en liep weg; haar tred was licht van opgewonden afwachting.

Bij elke levering ging Eithnes hart tekeer. Met gretige vingers maakte ze het papier los, alsof het een kerstcadeautje was. Naast haar oorspronkelijke bestelling lag nog een pakje genesteld. Het aanbod was grillig en soms kon haar hint niet worden gevolgd door het gewenste artikel. Dan kreeg ze iets anders: een stel niertjes, een pond worstjes. Om een of andere reden was ze daar diep door geroerd. Ook voor de slager waren het zware tijden en hij deed zijn best aan haar wensen te voldoen. Ze stelde zich liefdevol voor hoe hij met zorg het beste alternatief uitzocht. Op zo'n moment voelde ze grote genegenheid voor hem. Ze wist dat hij hiermee een groot risico nam. En wat nog roerender was: hij bracht haar nooit een cent in rekening.

Eithne had natuurlijk door wat er gebeurde. Op haar eigen bescheiden manier was ze een zakenvrouw; ze wist dat elke relatie een handelstransactie was. Maar waar was de druk? Neville leek er niets voor terug te willen hebben, tot nu toe. En dat vond ze nog het allerontroerendst.

Ralphs les was geannuleerd. Dat stond op een briefje dat op de deur was geprikt: *Wegens een sterfgeval in de familie kan Mrs. Brand niet de les 'Boekhouden, Typen en Registervoorbereiding' geven in lokaal 6. We bidden voor haar en haar familie.*

Ralph was op slag vrolijk. Het was treurig, maar waar. Hij voelde de warme, schuldige haast van de spijbelaar, die plotseling een vrije middag voor zich heeft liggen. Hij wist dat hij medelijden moest hebben met zijn lerares – volgens zijn klasgenoten was haar echtgenoot met zijn schip bij Zeebrugge naar de kelder gegaan – maar hij was pas zestien en moest zich wel opgelucht voelen. Bovendien mocht hij Mrs. Brand niet. Ze was een opvliegende vrouw die hem van de wijs bracht. Nieuws over doden was al zo lang zo gewoon dat het tot het achtergrondgebabbel van het dagelijks leven was gaan behoren. Je spitste alleen je oren als het over iemand ging die je kende, of iemand die aardiger was dan die kenau Mrs. Brand.

Ralph begon vervolgens medelijden te krijgen met de onbekende Mr. Brand, die zijn toch al korte tijd op aarde getrouwd was geweest met Mrs. Brand, die niet alleen een kenau was maar ook een snor had. Misschien had hij wel nooit een haarloze vrouw gekust en nu was het te laat.

Ralphs blik werd vertroebeld. De oorzaak was een raadsel. Hij bleef onbewogen onder het vreselijkste nieuws maar bij het verhaal over Winnies paard waren zijn ogen volgelopen. Misschien kwam dat doordat dieren geen stem in het geheel hadden. Zijn vader had in een van zijn brieven beschreven hoe de cavaleriepaarden zo mager werden dat er nieuwe gaatjes in hun singels moesten worden geprikt. *Ze brachten ze naar de zadelmaker voor een praam en een prik.*

Ralph verliet het gebouw en begon naar huis te lopen, langs de rivier. Het was een sombere dag, met dreigende regenwolken. Voor hem doemde St Thomas' Hospital op. Daar werden de gewonden uit Frankrijk naartoe gebracht. Ze arriveerden per trein en kwamen op weg vanuit Kent langs zijn slaapkamerraam. Hij herkende de treinen aan de gesloten rolgordijnen.

De weg voor het hospitaal was bedekt met stro om het geluid van het verkeer te dempen. De regen had het modderig gemaakt; er zat paardenmest in geperst. In heel Londen verzamelden de mensen paardenmest, die ze in emmers schepten om hem in hun groentetuintjes te verwerken. Zelfs de kleinste tuintjes waren al lang geleden omgeploegd om voedsel te kunnen telen. Ralph herinnerde zich een van Boyce' grappen. *Een jongen komt z'n makker tegen die een kruiwagen vol mest voortduwt. 'Wat ga je daarmee doen?' 'M'n pa doet die op z'n rabarber.' 'O, wij doen custard op die van ons.'*

Ralph had nog geen traan gelaten om Boyce; als hij de sluizen zou openzetten, zou hij toegeven dat Boyce dood was. In het geval van zijn vader had hij de strengste zelfbeheersing aan de dag gelegd. Hij had niet gehuild, niet waar zijn moeder bij was. Hij wilde haar niet van streek maken en hij moest sterk zijn voor haar. Hij was nu de man in huis.

Naast hem raasde de rivier: gehaast, grijsbruin, gezwollen door het springtij. In de bevlekte hemel boven St Paul's rommelde onweer. Ralph liep naar huis, zich niet bewust van de donderwolken die zich binnen zijn eigen leven samenpakten. Hij vroeg zich af wat zijn klasgenoten zouden doen nu ze de middag vrij hadden. Hij had vier van hen samen zien zitten fluisteren op de trap. Misschien waren ze een plannetje aan het bedenken, een of ander uitstapje, en wachtten ze tot hij zou vertrekken. Het was zijn schuld niet dat hij geen vrienden had gemaakt; hij moest klokslag vijf altijd snel weg, naar zijn taken thuis.

Ralph verliet de rivier en nam de kortste weg terug, langs de azijnfabriek. Buiten de poort waren twee jongens elkaar aan het stompen. Hij stak over naar de andere kant van de straat. Die jongens op school waren sowieso een ruig stel; ze liepen te schreeuwen in de gangen en gniffelden naar de vrouwelijke leerlingen. Hij zou voor geen goud zijn meegegaan op hun uitstapje.

Er vielen een paar regendruppels. Ralph dacht: als Boycie bij me was geweest, als ze hadden gezien dat Boycie m'n vriend was, dan zouden ze wel een toontje lager zingen.

Ralph liep naar huis door de steegjes die hij zo goed kende dat hij de weg er met zijn ogen dicht kon vinden. Alwyne

Flyte had die keus natuurlijk niet. Ralph kwam hem soms tegen, als hij met het in de smalle steegjes echoënde getik van zijn stok op weg was naar de pub bij Southwark Bridge. Het moest zijn alsof hij in een permanente black-out leefde. Er struikelden altijd wel mensen van de stoep, die hun enkels bezeerden, maar voor Alwyne hield het duister nooit op. In het begin had Ralph nog wel eens behoedzaam z'n arm gepakt, maar Alwyne schudde zich dan los. 'Ik red me wel, jongeman.' Hij was vastbesloten op eigen benen te staan en Ralph moest z'n moed wel bewonderen.

Het begon te regenen. De vrouwen op de binnenpleinen haalden hun was van de lijn. De grote etagewoningen rezen aan beide zijden hoog op, klam en vettig. Ralph liep Back Lane in, voorbij de depots die werden overdekt door het spoor erboven, waar de mensen moesten schreeuwen om boven het lawaai van de treinen uit te komen. Het was waar: zijn medeleerlingen waren een stel ongelikte beren. De meesten van hen hadden nog nooit van hun leven een boek gelezen. Ralphs vader had wanneer het maar even kon een brief geschreven en hij had op Ralph een voorliefde voor interessante woorden overgebracht. Ook Ralphs moeder had een kast vol boeken en zou zeker meer lezen als ze er de tijd voor had. Maar het probleem was dat ze het razend druk had. Maar nu zijn les was komen te vervallen kon hij haar helpen. Hij stelde zich voor hoe blij ze zou zijn als hij vroeg thuiskwam.

Dit alles overdacht Ralph toen hij in de hoofdstraat uitkwam. Tot zijn verbazing zag hij Winnie schuilen bij het pandjeshuis. Ze stond onder de luifel, met de hond.

'Je moeder zei dat ik hem uit moest laten,' zei ze. 'In het park.'

'Maar het regent.'

Ook Winnie keek enigszins verward. 'We zouden het koper gaan doen. Ik had de poets al klaarstaan.' Ze keek omlaag naar de hond. 'Hij is al klaar.'

'Dan gaan we met hem naar huis.'

'Ik weet niet of ik dat wel moet doen.'

Er viel een stilte. Buiten werden de twee overvallen door een zekere terughoudendheid. In de intimiteit van het huis waren ze vertrouwelingen en open tegen elkaar, maar als ze elkaar zoals nu ontmoetten kroop Winnie terug in haar rol van bediende. Ralph voelde zich dan intens eenzaam.

Winnie leek zich nu nog minder op haar gemak te voelen dan anders. Ralph had dan ook geen idee waarom ze niet naar huis wilde gaan.

'We gaan niet terug!' zei ze opeens. 'Laten we naar de rivier gaan, misschien is er wel een lijk aangespoeld. Dat vond je altijd leuk toen je klein was.'

Ralph schudde zijn hoofd. 'Ik ben net bij de rivier geweest. Kom mee.'

Winnie wachtte even. Toen haalde ze haar schouders op. Snel gingen ze ervandoor, hun hoofden gebogen tegen de regen.

Tegen de tijd dat ze bij Palmerston Road aankwamen, was de regen even abrupt opgehouden als hij was begonnen. De mensen die hadden staan schuilen onder de spoorbrug gingen weer verder. Een man klom weer op zijn ladder en ging verder met het opplakken van een affiche: DERRY EN TOMS VERKOOP TEGEN HALVE PRIJZEN BEGINT MORGEN. Ralphs huis was het laatste in de rij, het huis dat was losgesneden van zijn buren van weleer en waarvan een kant beplakt was met affiches. BOVRIL GEEFT KRACHT OM TE WINNEN. Toen hij klein was dacht Ralph dat deze boodschappen speciaal voor hem waren en dat ze werden vernieuwd door mannen die hem persoonlijk belangrijk nieuws kwamen brengen. HOUD REGELMAAT MET FRIARS LAXEERMIDDEL: HOED U VOOR IMITATIE! De zon brak door en Ralph werd overspoeld door liefde: een warme, beschermende liefde voor zijn huis en al zijn bewoners. Want ondanks al hun gekke gewoonten waren de huurders als familie voor hem, en hij moest voor hen en zijn moeder zorgen. Het kinderlijk verdiept zijn in zichzelf leek hem nu belachelijk: wat was hij dom geweest wat betreft die affiches en wat een bof dat hij er destijds niemand over had verteld! En wat stom om zich op te winden over die jongens op school. Hij was nu een man en hij zou weldra een fatsoenlijke mannenbaan hebben, op een kantoor. Zijn vader was letterzetter geweest. Ralph voelde dat zijn moeder dit een min beroep vond en dat de ambities van zijn vader te wensen over lieten. Daar zou Ralph iets aan doen. Hij zou zorgen dat ze trots op hem was. Dat zijn váder trots op hem zou zijn geweest. En hij zou tot aan haar dood voor haar zorgen.

'Ik ga,' zei Winnie, en ze schoot de trap naar het souterrain af.

Ralph deed de voordeur open. Er zweefde zachte muziek door de hal.

Hij herkende de melodie. Het was *The Massachusetts Foxtrot.*

'Boyce!' schreeuwde Ralph en hij stoof de gang door. De hond stoof voor hem uit. Boyce had inderdaad gedaan alsof, hij had het altijd wel geweten. Dit was zijn allerbeste grap.

Brutus duwde met zijn neus de deur van de achterste salon open; er dreef muziek naar buiten. Ralph ging achter de hond aan de kamer in en bleef stokstijf staan.

Zijn moeder danste met een man. Ze hielden geschrokken op en sprongen uit elkaar.

Het was Boyce niet. Het was de slager, Mr. Turk. Ralph staarde hem aan.

'Wat doe jij hier?' hijgde zijn moeder. Haar gezicht glom van de transpiratie.

'Die grammofoonplaat is van Boyce,' zei Ralph.

Mr. Turk tilde de naald op en plofte neer in een stoel. Ook hij zweette.

'Ik heb hem alleen maar geleend,' zei z'n moeder.

De man zat in de leunstoel van Ralphs vader. De hond was kwispelend op hem gesprongen en probeerde zijn gezicht te likken. Mr. Turk tilde hem van zich af en zat daar met zijn benen wijd uit elkaar geplant.

'Waarom ben je zo vroeg thuis?' vroeg zijn moeder buiten adem.

'De man van Mrs. Brand is gesneuveld.' Ralph keek naar Mr. Turks dijen in de strakke broek. Grote dijen, zo dik als boomstammen. Hij kreeg de bobbel ertussen in het oog en wendde abrupt zijn blik af, alsof hij was gestoken. 'Het is oorlog, weet je.'

'En wat wil je daarmee zeggen?' snauwde ze.

Het was gedaan met Ralphs moed. Hij zei zwakjes: 'Stel dat de huurders binnenkomen?'

Mr. Turk keerde zich naar haar. 'Laat je je huurders in deze kamer?'

'Als ze willen,' antwoordde ze. 'Maar dat gebeurt zelden.'

Mr. Turk fronste zijn wenkbrauwen. 'Heb je geen eigen kamer?'

Ralph keek boos naar hem. Wat had hij daarmee te maken?

'Maar goed,' zei z'n moeder, 'ik begrijp niet wat we fout doen.'

Mr. Turk stond op. 'Ik ga maar eens.'

'Zeg Mr. Turk gedag,' zei ze geagiteerd tegen Ralph.

'Hallo en tot ziens, jongeman,' zei Mr. Turk, die zijn hand uitstak. Ralph schudde hem.

De slager pakte zijn jasje en vertrok. Brutus liep achter hem aan. Ralphs moeder ook.

Ralph stond in het bedompte kamertje. Er gloeide een vuur in de haard; het was er heel warm. Er hing een weeë lucht – zweet, parfum en nog iets anders, een klierachtige geur. Hij had die wel eens in Flossies vacht geroken, als ze krols was.

Ralphs maag kwam omhoog.

Zijn *moeder* had met de *slager* gedanst. Ralph kon het nog steeds niet bevatten. Hij voelde zich verdoofd. Er stond een vaasje met rozen op de schouw. De laatste tijd waren er opeens bloemen in huis verschenen, bedacht hij nu. Mrs. O'Malley had de vorige avond nog opgemerkt dat de hele kamer opfleurde van mimosa.

Hij hoorde het gemurmel van stemmen in de hal. De voordeur sloeg dicht. Ralph greep Boyce' grammofoonplaat, schoof hem in zijn hoes en rende de trap op.

Ralph lag in bed. Zo dadelijk zou zijn moeder komen om hem welterusten te kussen. Dat kon niet anders, wist hij.

Maar de dubbele deuren bleven gesloten. Het was laat. De reeks voetstappen op de trap, als de huurders omlaag, naar de badkamer sjokten en daar in een rij wachtten, om ten slotte weer naar boven te sjokken, was opgehouden. De leidingen in de muur gorgelden en waren toen stil. Ralph had het lampje naast zijn bed nog niet uitgedaan; hij lag op haar te wachten.

Zijn moeder was de hele avond beleefd maar koeltjes geweest. Het was alsof zij hém strafte. Geen enkele verklaring, maar ze waren dan ook nog geen moment alleen geweest. Er moest eten worden gekookt – een warrige toestand, waarbij alles overstemd werd door de gebeurtenissen van die middag – tafel worden gedekt, afgeruimd. Mrs. O'Malleys scherm was kapotgegaan en Ralph moest het met een touwtje repareren; Mrs. Spooner was voor haar doen opvallend spraakzaam geweest – hij had alcohol in haar adem geroken – en toen ze haar dienblad kwam terugbrengen, was ze blijven treuzelen in de keuken en had ze hem een langdradig verhaal verteld over iemand in haar bus die stampei had gemaakt. Maar toch, als zijn moeder met hem had willen praten, had ze hem apart kunnen nemen. En toen hij de hond nog een keer uitliet voor het huis op het nachtslot ging, had ze met hem mee kunnen gaan, wat ze soms deed.

Hij hoorde het klokje van zijn moeder door de deuren heen elf uur slaan; het zilveren geklingel dat door hun dromen klonk als ze in hun aangrenzende kamers lagen te slapen. Als Ralph 's nachts wakker werd, had hij het altijd een geruststellend geluid gevonden. Het had zo lang hij leefde op het hele uur geslagen. Het werd geëchood door de zwaardere slag van de staande klok beneden en het verre geluid van de kerkklok, twee straten verderop, maar het sloeg als eerste en herinnerde hem eraan dat ze dichtbij was.

De vloerplanken kraakten. Wat deed zijn moeder daar? Flossie lag op zijn buik, een warm gewicht. De kat was tenminste trouw gebleven. Hoe kon Brutus kwijlen van die man? Ralph lag daarover te tobben toen hij een klopje op de deur hoorde.

'Ben je wakker?' fluisterde zijn moeder.

Ralph schoot overeind en pakte de brief. De deur ging open en ze kwam binnen. Ze zag er met haar losse haar uit als een jong meisje.

'Mag ik hier gaan zitten?' Ze duwde de poes weg en ging op zijn bed zitten. Het donzen dekbed zuchtte.

'Ik las net vaders brief,' zei Raph.

'O. Welke?'

'Die met het gedicht.' Ralph hield de brief bij de lamp. Hij schraapte zijn keel en las:

Als de oorlog over is en de Kaiser is gevlogen
dan koop ik snel een pijlinktvis en staar hem in de ogen;
Als de oorlog over is en het zwaard voorgoed begraven
Dan koop ik een stel schildpadden en laat ze rondjes
  draven.

Ze pakte de brief, wierp haar haar naar achteren en bekeek hem. Ze kon de woorden niet lezen; ze zat te ver van de lamp, maar ze kende hem ongetwijfeld uit haar hoofd. Ze zat op zijn voeten maar dat vond Ralph niet erg.

Hij zei: 'Hij was knap, hè?'

Zijn moeder gaf hem de brief terug. Ze stond op, sloeg haar sjaal om zich heen en kruiste haar armen voor haar boezem. Het was haar zijden sjaal met de vogels erop; de glans ving het licht. Ralph schraapte opnieuw zijn keel en las:

Als de oorlog over is en je mag victorie zingen
dan koop ik snel een mosseltje om samen mee te springen;
Als de oorlog over is en de Duitse vloot verslagen
Dan zal ik aan een zijderups z'n zielenroerselen vragen.

Zijn moeder ijsbeerde met opgetrokken schouders door de kamer. Haar schaduw viel over het behang.

'Heel leuk,' zei ze.

'Het is niet alleen maar heel leuk, het is ontzettend knap.' Zijn stem klonk harder.

Als de oorlog over is en geen Belg hoeft nog te vrezen
Dan zal ik aan een vlinderpop een mooi verhaal voorlezen;

Zijn stem klonk nog harder. Hij schreeuwde bijna:

Als de oorlog over is en het kwaad is uitgeroeid
dan plant ik een citroenpitje en luister hoe het groeit!

Ralph vouwde de brief op en legde hem terug op de tafel. Zijn hand trilde.

Zijn moeder stond bij het raam met haar rug naar hem toe. Haar haar viel tot op haar middel. Ze praatte tegen het gordijn. 'Ik ben achtendertig, Ralph.'

Precies, dacht haar zoon. Je bent veel te oud om je zo te gedragen.

'Ik ben pas achtendertig,' zei ze. Ze draaide zich nog steeds niet om. 'Er wordt hier in huis bar weinig gedanst.'

'Als je had gewild, had ik met je kunnen dansen,' zei Ralph. 'Boycie heeft het me geleerd. En hij was de vrouw, dus ik ken de passen van de man. Dat is hem ten voeten uit.'

Haar moeder trok geïrriteerd met haar schouders, alsof ze was gestoken door een insect. Ze liep rusteloos door de kamer en bleef stilstaan bij de schouw.

Ze zei: 'Je weet niet half hoe vriendelijk hij is geweest.'

'Wie?'

'Mr. Turk. Hij heeft ons geholpen. Hij was zo aardig.'

'Niemand is zo aardig als vader. Die zou nog geen slak doodmaken. Hij was de aardigste man ter wereld! Dat merk je wel aan zijn gedicht! Hij luisterde naar kwallen!'

'Hou op!'

'Hij maakte geen dingen dood, zoals Mr. Turk...'

'Hou op!'

'Hij vond ze levend leuker!'

Haar moeder draaide zich met een ruk om; haar haar zwiepte als zweepjes. 'Dat gedicht is niet door je vader geschreven, Ralph!' riep ze. 'Hij heeft het uit een tijdschrift overgeschreven! Het was een van zijn favoriete gedichten, daarom heeft hij het naar jou opgestuurd! O, god, Ralph!'

Ze rende de kamer uit en smeet de deur dicht.

Winnie kon niet slapen. Het huis ademde ellende. Ze voelde die door de planken heen, door de leidingen en de schoorsteenpijp die naar haar eigen kleine haardje leidde. De staande klok boven sloeg twee uur. Over vier uur moest ze opstaan en aan het werk gaan – het fornuis opporren en het vullen met wat er nog over was van de kolen, water koken voor thee en pap en de ketel verwarmen voor de drie voorste slaapkamers die geen wastafels hadden. De taken die haar wachtten schenen haar vreemd toe, alsof ze in een hotel werkte. Nu Ralph de waarheid kende, had er een verschuiving plaatsgevonden; niets zou ooit nog hetzelfde zijn. Mr. Turk was nu een aanwezigheid in de kamers, ze bespeurde hem als een gas.

Haar mevrouw was in zijn greep. Ze had nota bene met hem gedanst. Winnie mocht die man niet, maar ze was niet in de positie om een mening te hebben. Haar verdriet gold Ralph; ze had zijn ontsteltenis tot in het weefsel van het huis gevoeld. De arme schat.

Het was april en haar voeten waren nog steeds niet warm geworden. Winnie lag opgekruld op haar zij, met haar nachtpon over haar tenen getrokken. Ze kon de klamme lakens alleen maar vermijden door in één houding te blijven liggen en wat lichaamswarmte te fabriceren. Ondanks de vochtigheid hield ze van haar kamer. Het was de enige kamer die ze ooit voor zichzelf had gehad. Het plaatsje voelde ook aan als haar domein en elke morgen kwamen Mr. Boyce' duiven, die in een rijtje op de muur gingen zitten wachten tot ze kruimels voor hen zou strooien.

Wat zou er gebeuren als Mrs. Clay met Mr. Turk trouwde? Zou hij Winnie eruit gooien? Hij vond haar misschien een slechte werkster, nu het huis er zo bedroevend bij stond. Hij had geen idee hoe zwaar het was om een huis schoon te maken dat zo vervallen was, met haar mevrouw die tegenwoordig te verliefd was om van nut te zijn. *Mr. en Mrs. Turk.* Ze zouden verhuizen; ze zouden een nieuw leven zonder haar beginnen! Winnie kneep haar ogen dicht. Ze had alleen in de vroege uurtjes, als ze alleen in haar bed lag, tijd om aan zichzelf te denken en nu had ze zichzelf zo bang gemaakt dat ze niet kon slapen.

En hoe kon ze bovendien kamers schoonmaken als de bewoners weigerden weg te gaan? Dit was een slepend probleem.

Winnie was op de huurders gesteld maar ze bleven met een mosselachtige volharding op hun plaats zitten. Een grondige lenteschoonmaak was al jarenlang volstrekt onmogelijk. De kamers zouden geschrobd en ontsmet moeten worden, de gordijnen moesten worden gewassen, de muren opnieuw behangen. Hoe kon ze dat doen als de huurders koppig in hun kamers bleven en hun voeten alleen bewogen als ze eronder veegde? Mr. Turk zou zich een hoedje schrikken als hij ging rondneuzen in het huis.

De klok sloeg drie uur. Wat zou Mr. Clay ervan hebben gevonden dat zijn vrouw zo onbekommerd ronddartelde met de slager? Zo'n lieve man, zo aardig en beleefd; zou hij zijn vrouw nu nog herkennen? Mrs. Clay was grover geworden door de laatste paar jaar; ze had nu iets hards en roekeloos over zich. En iets sluws. Winnie vond het nog het ergst dat ze haar er met de hond op uit had gestuurd; ze vermoedde al dat er iets speelde. En dan moest ze ook nog een vuur aanleggen terwijl er al zo weinig kolen waren. In de kelder lag nog amper genoeg om het fornuis aan te houden, laat staan een vuur in een kamer die zelden werd gebruikt.

En toch zag haar mevrouw er geweldig uit! Ze gloeide; haar ogen fonkelden, ze straalde zoveel leven uit dat ze knisperde. Als ze langsliep, kon Winnie haar warmte voelen. Wat was ze jaloers op haar! Zijzelf zou nooit zulke passie opwekken, dat wist ze al heel lang, al sinds Archie op straat dat ene had gedaan. En toch lag die in haar, opgevouwen als de blaadjes van een bloemknop. Als ze 's nachts in bed lag en zich voor zichzelf had, nam ze haar borsten in haar handen. Ze trok haar knieën op tot haar kin, trok haar nachtpon op tot over haar neus en snoof haar warme, dierlijke geur op.

Winnie werd gewekt door een woest geklop. 'Winnie!' Mrs. Clay deed de deur open. 'Het is al half negen!'

De twee vrouwen staarden elkaar aan. Winnie struikelde uit haar bed.

Ze bond haastig haar schort voor en liep naar haar mevrouw in de keuken. Mrs. Clay zag er verwilderd uit; haar haar hing nog op haar rug. 'Ik kon niet slapen,' zei ze. 'En toen moet ik zijn ingedommeld.'

'Ik ook,' zei Winnie. 'Waar is Ralph?'

'Die slaapt nog.' Mrs. Clay meed Winnies blik. 'Ik wilde hem niet storen.'

Het fornuis was uitgegaan. Meestal haalde het de volgende ochtend wel, maar niet nu ze zo laat waren. Nu was het koud en stond Mrs. Clay er hulpeloos bij.

'Wat moet ik in hemelsnaam doen, Winnie?' zei ze.

'Het aanmaakhout halen,' zei Winnie. Het huis roerde zich; ze hoorde voetstappen op de vloeren boven, het gesis van leidingen. Mrs. Spooner moest zonder ontbijt naar haar werk zijn gegaan. De andere huurders zouden zich verzamelen in de salon en Lettie zou beneden het dienblad voor haar vader komen ophalen. Winnies hoofd tolde terwijl ze probeerde haar achterstand in te lopen. Haar blaas stond op springen.

'Hij is zo lief,' zei Mrs. Clay. Ze knielde bij het fornuis en verfrommelde kranten. Wie bedoelde ze, de jongen of Mr. Turk?

Winnie rook aan de melk en schonk hem in een kan. In dit tempo zou de pap pas over minstens een halfuur klaar zijn. Moest ze naar de salon draven om Mrs. O'Malley en Mr. Flyte te vertellen dat het ontbijt wat later begon? Ze had nog steeds haar nachtpon aan maar Mrs. O'Malley was te gaga om het op te merken en Mr. Flyte zag sowieso niks.

'Vind je ook niet?' vroeg Mrs. Clay, terwijl ze naar haar opkeek.

Winnie wilde net antwoord geven toen ze lawaai buiten het raam hoorde. De twee vrouwen stopten en hielden hun hoofd schuin. Het was een rommelend geluid. Op straat riepen mannen iets naar elkaar.

Winnie liep naar het raam. Ze kon de benen van het trekpaard zien, dat buiten stond. Mannen sjouwden met zakken en stortten die leeg in de kolenkelder.

De twee vrouwen keken elkaar verbijsterd aan. 'Hebt u kolen besteld?' vroeg Winnie.

Mrs. Clay schudde haar hoofd. Het gedonder waarmee de kolen op de lege keldervloer vielen galmde na.

'Ze zullen bij het verkeerde huis zijn,' zei Winnie.

Mrs. Clay gaf geen antwoord. Het gedonder klonk gedempter naarmate de kelder voller werd. Mrs. Clay ging terug naar het fornuis. Daar ging ze naar het rooster zitten staren.

'Ik had hem verteld dat we nog maar weinig kolen hadden,' zei ze. 'Maar dit had hij niet hoeven doen.' Ze veegde het haar uit haar gezicht, maar bewoog zich nog steeds niet.

Het gedonder ging door. De ene zak na de andere werd leeggegooid; de kelder raakte vol. Ook Winnie was vervuld van een warm en vreemd gevoel. Iemand zorgde voor hen. Wat gaf het dat er rantsoenen golden? Dat had Mr. Turk opgelost en het was niet aan haar om ernaar te vragen, al had ze geen flauw idee hoe het zat. Ze was opgenomen in zijn gulheid en nu kon ze de grote ketel met stevige brokken kool in plaats van gruis verhitten, ze kon het water lekker laten koken voor de was en ze kon de kleren te drogen hangen in de heerlijk warme keuken, ze kon, als de huurders dat wilden, alle haarden in de kamers de hele zomer door laten branden, ze kon zelfs de haard in haar eigen kamertje aansteken want Mrs. Clay zou dat niet erg vinden, ze vond tegenwoordig niets meer erg, ze merkte het niet eens, en ze zouden allemaal een fijn en zorgeloos leven gaan leiden zoals de mensen in de *Penny Pictorial*.

Mrs. Clay draaide zich om. Op haar gezicht zaten roetvegen. 'Vind je hem aardig, Winnie?' vroeg ze dringend. 'Zeg dat je hem aardig vindt!'

Mrs. Clay was de hele ochtend zo dartel als een veulen. Het was grappig, dacht Winnie: die vrouw blaakte van energie en toch deed ze eigenlijk niets. Ze liep rusteloos door het huis en pakte dingen op en zette ze weer neer. Ze bleef gebiologeerd door haar eigen spiegelbeeld voor de spiegel in de hal staan. Voor de badkamer nam ze heel wat tijd; Mr. Spooner was drie keer de trap af en op gestommeld.

Ralph bleef op zijn kamer. Winnie zou zich zorgen om hem hebben gemaakt als ze daar de tijd voor had gehad, maar ze werkte zich uit de naad. Nu ze geen van beiden hielpen, moest ze in haar eentje de kamers schoonmaken. Ze vond het niet erg – ze leefde mee met de jongen – maar het zou een helse klus worden om alles af te krijgen voor het wasgoed arriveerde.

Mr. Flyte voelde in zijn kamer dat er iets aan de hand was.

'*Welke vreemde aanwezigheid roert zich in het Huis van Usher?*' zei hij.

'Pardon?' Winnie kiepte zijn sigarettenpeuken in haar emmer.

'Wat is er gaande, Winnie? Jij bent degene die me op de hoogte moet houden.'

'Dat mag ik niet vertellen, sir.'

'Wees niet zo loyaal. Zou zíj loyaal aan jóú zijn?'

Winnie keek naar hem. 'Natuurlijk.' Maar nu ze erover nadacht, was ze daar eigenlijk niet zo zeker van.

'De routine is aan flarden geschoten,' gniffelde hij. 'Alles ligt op z'n gat. Ik vind het eigenlijk best leuk.' Alwyne stak nog een sigaret op en ze had net de asbak geleegd. 'We zijn de slaven van de routine en weet je waarom we die hebben? Om vrouwen als jij op hun plaats te houden. Maar wat bereik je ermee? Je stoft een kamer, maar de volgende dag moet je weer van voren af aan beginnen. En wie kan het iets schelen?'

Jou niet, dacht ze. Jij merkt het toch niet. Ze keek naar Mr. Flyte in zijn leunstoel. Híj had zeker een routine. De dagelijkse hoestexplosie in de badkamer om acht uur. Het dagelijkse uitstapje naar de Albion-bar na het avondeten, stipt om negen uur. Vandaag was het wat warmer; hij droeg geen sokken in zijn pantoffels. Ze kon de aderen op zijn enkels zien.

'Waar denk je aan, Winnie?'

Dat zou je wel willen weten, dacht ze.

'Blind zijn heeft ook z'n voordelen,' zei hij. 'Ik leer elke dag iets bij. Je hebt *ervoor* en je hebt *erna*. Het ervoor heeft te maken met herinneringen, maar het erna betekent alles ontdekken. Niet alleen deze kamer, de trap, dingen die ik nog niet kende. Jou, Winnie. Je gezicht, dat ik nooit zal zien.'

Winnie draaide zich van hem af en verdiepte zich in het stoffen.

'Ik herinner me natuurlijk de mensen die ik al kende. Maar ze zijn blijven stilstaan in de tijd. Het is alsof ze zijn doodgegaan. Maar met jou ligt het anders. Ik weet niet hoe je eruitziet. Het interessante is dat ik zonder die afleiding in je hart kan kijken. Want gezichten leiden soms af – ik heb wat dat betreft heel wat blunders gemaakt. Maar als je alle onzin wegschraapt, kan ik in het wezen van de dingen kijken. In jouw hart, Winnie.'

Winnie stopte even. Buiten ratelde een trein voorbij.

'Wat denk ik dan nu?' vroeg ze.

Hij glimlachte. 'Vertel het me maar.'

'Ik zal u vertellen wat ik denk,' zei ze. 'Ik had de kanten van de lakens naar het midden moeten keren voor de was komt.'

Hij trok zijn wenkbrauwen op. 'Wat is dat in godsnaam?'

'Je knipt ze in het midden door en je naait ze omgekeerd weer aan elkaar.'

'En waarom zou je dat doen?'

Omdat mensen als jij ze verslijten, dacht ze. Zo slim was hij blijkbaar nu ook weer niet. 'Dan komt het minder versleten stuk in het midden,' zei ze geduldig. Mrs. Clay zou haar moeten helpen maar Mrs. Clay was een mysterieuze boodschap gaan doen, drie keer raden waar. 'Ik ben er nog niet mee klaar.' Maar misschien zou ze terugkomen met een lekker stuk vlees voor het avondeten. 'En ik moet de tule op Letties jurk herstellen. Dat heb ik Mrs. Spooner beloofd. Lettie wordt vanmiddag namelijk naar Kennington gebracht om voor de mannen zonder benen te dansen.'

'De mannen zonder benen?'

'Er is daar een rusthuis. Bij de gasfabriek.'

Alwyne Flyte leunde naar voren. De rook kringelde omhoog tussen zijn vingers. 'Geloof je dat echt, Winnie?'

Ze bloosde. Er was iets zachts en dwingends in zijn stem. Vandaag had hij zijn zwarte bril op. Ze zag zijn ogen liever niet. Nu ze verborgen waren, was Mr. Flyte even mysterieus voor haar als zij voor hem moest zijn. Kon hij echt in haar hart kijken? Hij zat met zijn rug naar het raam, zijn gezicht in de schaduw.

Winnie voelde plotseling een vlaag van rebellie. Dat was zo'n onbekend gevoel dat ze erdoor werd verrast. Waarom zou Mrs. Clay als enige recht op passie hebben en door het huis kunnen zweven met die dromerige glimlach zonder ook maar even met het werk te helpen? Mr. Flyte had gelijk: Mrs. Clay had geen belangstelling voor haar dienstmeisje, Winnie was gewoon een nuttige hulp. Maar ook Winnie had hevige gevoelens. Ook zij was een vrouw, mocht iemand daar achter willen komen. Maar dat was nooit zo, tenzij ze blind waren.

Er welde een lach op. Winnie kneep haar mond dicht.

'Toe, Winnie.' Zijn stem klonk vleiend. 'Het leven heeft meer te bieden dan naaien, vind je niet? Vertel me je geheimen, ik heb verder geen sodemieter om aan te denken.'

'Maar u zei dat u ze kende.'

'Ik wil ze uit jóuw mond horen.'

Goed dan, dacht Winnie. We zullen eens zien hoe slim je bent.

Haar gezicht begon te gloeien. Haar hart ging tekeer. Ze kon achteraf niet geloven dat ze het had gedaan; wat had haar bezield? Toen ze er later over nadacht werden haar knieën slap en moest ze tegen de muur leunen.

Want ze zette haar emmer met de dweil neer. Ze liet daar, midden in de kamer, haar hand achter het bovenstuk van haar schort glijden. Haar ogen bleven gefixeerd op de bebaarde man in de leunstoel. Ze ging met haar hand omlaag, achter het voorstukje, en omvatte haar borst. Ze voelde met haar vinger de tepel door de stof. Ze streelde hem. De warmte verspreidde zich door haar lichaam. En ze bleef voortdurend naar hem kijken. Dit doe ik in het duister, vertelde ze hem geluidloos. Hij was samen met haar in het duister, het was zijn domein. Ze zaten er samen in.

Mr. Flyte bewoog niet. Zijn blindheid wond haar op. Hij had geen idee wat ze uitvoerde en voor één keer, op dit kortstondige moment in haar leven, had Winnie een man in haar macht. Er steeg een scherpe, dierlijke geur op uit haar oksels.

Winnie trok haar hand terug. Ze pakte haar emmer en dweil, haar bezem en haar veger en blik weer op; ze hanneste ermee, de veger viel op de grond, de bezem viel om, maar uiteindelijk had ze die allemaal vast en stormde ze de kamer uit.

Het vlees arriveerde inmiddels dagelijks: stevige lamskoteletten, die als gehuwde stellen tegen elkaar aan genesteld lagen; een vochtige, karmozijnrode entrecote, dooraderd met vet; een kalfsschenkel. Eithne Clay nam niet meer de moeite een bestelling te doen. Ze wachtte op de komst van de slagersjongen met het pakket, waaruit het bloed door het papier heen sijpelde en waarvan het touwtje ongetwijfeld eigenhandig door Neville Turk was dichtgeknoopt. Ze maakte de knoop los met een rilling van intimiteit. Er was ook aan de hond gedacht. Elke bestelling ging vergezeld van een pakketje botten, die Brutus een voor een meenam en onder de salontafel opat; hij kraakte ze als metselwerk en liet een zee van splinters achter. De hond had zich al lang geleden overgegeven aan de slager; hij hoefde niet meer verleid te worden en trok aan de lijn als hij langs de winkel kwam.

Als de huurders al verrast waren door al het goeds dat hun ten deel viel, dan lieten ze dat niet merken. Het was niet aan hen de reden te achterhalen en hun instinct zei hun dat ze beter konden zwijgen. Ook zij hadden honger gekregen en als anderen leden, dan was dat Mr. Asquiths schuld want die had hen de oorlog in getrokken. Ze keken de hele dag uit naar het avondeten en snoven als het etensuur naderde de geuren op. Het was afgelopen met de dagen van kleverige gerststoofpotten, van erwtenpuddingpasteitjes die als lood op de maag lagen, van gekookte pens waarvan de rubberachtige vezels tussen Mrs. O'Malleys kunstgebit bleven zitten. Ze aten elke avond vlees dat zo naar Buckingham Palace kon. En als de kookkunsten van Mrs. Clay iets te wensen overlieten, dan waren ze de laatsten om erover te klagen. Er was zelfs bacon bij het ontbijt.

Door het opgeklaarde gemoed van hun hospita verbeterde ook de sfeer in huis. Het was een zware lente geweest, met chronische tekorten en vreselijk nieuws van het front. Maar op Palmerston Road waaide pianomuziek de trappen op en de kannetjes met rozen gaven een bedwelmende geur af. Mrs. Clay liep zachtjes te neuriën; ze sprong als een meisje de trap op. Als de deur op een kier stond was te zien dat haar kamer, die altijd al rommelig was, nu in een spectaculaire chaos verkeerde. Ze ging op haar paasbest boodschappen doen; op haar kastanjebruine hoed deinden veren. Er hing wellicht romantiek in de lucht, maar er waren geen aanwijzingen voor wat de oorzaak van deze transformatie kon zijn. Er kwam geen herenbezoek aan huis; afgezien van de winkeliers kwam er zelfs bijna nooit bezoek. De huurders waren over het algemeen ook niet bijster nieuwsgierig. Ze waren tevreden met het goeds dat hun ten deel viel.

En toen kregen ze op een dag tegen het eind van april een onthutsend bericht te horen. Mr. Turk, de plaatselijke slager, zou voor hen het avondeten komen koken.

Winnie liet bijna de eieren vallen. 'Wát gaat hij doen?'

'Hij vroeg me hoe ik het vlees bereidde en dat heb ik hem verteld,' zei Mrs. Clay terloops. 'Hij kreeg bijna een rolberoerte toen hij hoorde dat ik de koteletten kook. Dus toen zei hij dat hij een keer zou langskomen om me te laten zien hoe het moest. Hij laat het jou ook zien, Winnie. Is dat niet aardig?'

'Gaat hij voor iedereen koken?'

Eithne knikte. Neville had haar eigenlijk een dineetje à deux voorgesteld dat ze dan in de achterste salon zouden nuttigen, maar ze had hem verteld dat ze altijd met haar zoon en de huurders in de voorkamer at.

'Maar je privacy dan?' had hij gevraagd.

'Het zou zonde zijn ze erbuiten te laten. Ze hebben al zo weinig in hun leven.'

Hij had naar haar geglimlacht, een glimlach die haar tot op het bot had doen smelten. 'Wat ben je toch teerhartig.'

Ze wilde eigenlijk alleen maar dat haar zoon erbij zou zijn. Voor zover ze wist had Ralph de slager niet meer gezien sinds dat incident in de achterkamer. Mr. Turks naam was sindsdien niet meer tussen hen gevallen. Er waren nu twee maanden voorbijgegaan, lang genoeg om die pijnlijke scène te begraven en te vergeten. Ze was in die periode bijzonder lief voor haar zoon geweest; ze had veel tijd aan hem besteed, hem geholpen met het ordenen van zijn postzegelcollectie en was zelfs meegegaan naar zijn boekhoudlessen in Vauxhall. Het werd tijd dat hij Neville weer ontmoette, onder gunstigere omstandigheden. Ralph moest toch wel gecharmeerd zijn van een man die eten voor hem kookte? En ze zouden

79

tijd hebben om te praten, in de beschaafde context van een maaltijd. Hij zou Neville leren kennen en gaan inzien wat een voortreffelijke man het was en hoeveel ze hem verschuldigd waren.

Ze wilde Neville bovendien bij haar in huis hebben, bij haar aan tafel. Ze verlangde er vurig naar. Ze wilde hem tussen haar vertrouwde spullen zien zitten, de schok voelen dat hij daar zomaar zou zitten, etend van haar servies. Ze wilde dat hij in haar wereld zou komen en de kamer zou veranderen met zijn aanwezigheid. Hoe zou hij zich tegenover de huurders gedragen? Wat zouden ze van hem vinden? Wat zou zíj van hem vinden?

'Laat het maar aan mij over,' zei Neville. 'Jij mag geen sikkepit uitvoeren.'

Hij was klokslag zes uur gearriveerd. Winnie was de hele middag bezig geweest met het schoonmaken van de keuken en het schuren van de pannen, alsof de koningin op bezoek kwam. Neville had inderdaad iets van een vorst; hij werd vergezeld door een van de jongens uit de winkel die als een page de spullen van zijn meester droeg. Neville bleef staan om de keuken te inspecteren. Eithne sloeg in verwarring haar ogen neer; hij kwam zowel vreemd als intens vertrouwd op haar over. Zijn dikke zwarte haar glansde in het lamplicht; hij droeg een tweedjasje en een gele choker. Zijn aanwezigheid vulde de kamer; ze voelde zich broos en klein door hem en haar armen hingen nutteloos langs haar lichaam.

'Kan ik je ergens mee helpen?' vroeg ze.

Maar Neville monsterde het fornuis. Hij schudde verwonderd zijn hoofd, alsof hij naar een monument uit de oudheid keek. 'Niet te geloven dat je nog steeds op zo'n ding kookt.'

'Hij doet het prima,' zei ze. 'En nogmaals bedankt voor de kolen.'

Ze voelde zich geremd door Winnies aanwezigheid. Deze

man... Ze had naast hem gezeten in de chique taxi met hun dijen tegen elkaar; ze had zijn lichaam tegen het hare voelen drukken toen ze de foxtrot dansten. Zijn adem had haar gezicht beroerd.

Maar vandaag was Neville kordaat, een man met een missie. Hij deed zijn jasje uit, bond zijn schort voor en rolde zijn mouwen op. Eithne wierp een blik op zijn armen. Ze waren zwaar gespierd en met haar bedekt. Ze keek naar zijn sterke handen. Hij zou me kunnen wurgen, dacht ze: hij zou me als een lappenpop kunnen wurgen.

'Aberdeen Angus,' zei hij, terwijl hij een in een doek gewikkeld en met bloed bevlekt pakket tevoorschijn haalde. 'Dit zijn lendebiefstukken, die hebben meer smaak dan de haas. Ze komen van een vijf jaar oude stier uit de beste weide in Craigievar, iets beters kun je niet krijgen. De leverancier is een goede vriend van me, heeft het voor me apart gehouden. Het geheim schuilt 'm in het ophangen.' Hij haalde de doek eraf. Zoals hij daar stond in zijn schort, leek Neville heel even op een klein jongetje: uitdagend, maar toch ook eigenaardig weerloos. Eithne was ontroerd en wilde haar armen om hem heen slaan en zeggen: *Je hoeft me niet te imponeren, liefste. Voor jou doe ik alles.*

Ze sloeg haar hand voor haar mond. Heel even vreesde ze dat ze hardop had gepraat.

'Ik heb het gemarineerd.' Neville tikte tegen de zijkant van z'n neus. 'M'n geheime recept. Jeneverbes, azijn, gemengde kruiden, port.'

'Nu is het geen geheim meer,' zei ze.

Hij grinnikte. 'Aha, maar het is óns geheim.'

Haar hart sloeg over. Met een ruk draaide ze zich om naar Winnie, die er sukkelig bij stond. 'Winnie, heb je de stoelen gecontroleerd? Misschien heb je er nog meer nodig.' Ze wendde zich naar Neville. 'Iedereen is er. Je verdient alle lof. Zelfs de Spooners eten mee.'

'Mr. Spooner niet,' zei Winnie.

'Wat is er aan de hand met Mr. Spooner?' vroeg Neville.

'Joost mag het weten!' Eithne lachte hardvochtig. Winnie wierp haar een boze blik toe maar die negeerde ze. 'Haast je naar boven en controleer de tafel, Winnie.'

Winnie verroerde zich niet. Eithne dacht: wat mankeert dat meisje?

Winnie stond stil. Ze voelde de warmte tussen haar benen sijpelen. Ze had het kunnen weten door die buikpijn die ze vanmorgen had. En nu lekte er een straaltje bloed langs de binnenkant van haar dij.

Het probleem was dat haar dot lappen op de keukenkast lag. Ze hadden te drogen gehangen op het rek voor het fornuis, maar ze had ze snel weggehaald voor Mr. Turk kwam. Hoe kon ze ze halen zonder dat Mrs. Clay begreep wat de reden was? Maar als ze de hele stapel wasgoed zou halen zou Mr. Turk misschien zien dat er zes onderbroeken van Mrs. Clay bij waren. Het zou hoe dan ook gênant kunnen worden. Winnie was in veel opzichten een openhartig meisje maar wat dit betrof was ze verschrikkelijk verlegen. Het kwam doordat ze al vroeg geen moeder meer had en was opgegroeid in een huis vol jongens.

'Winnie!'

Mrs. Clay keek haar doordringend aan. Winnie spurtte naar de keukenkast. Ze greep de stapel wasgoed en haastte zich weg.

Ralph kwam laat en ging zonder iets te zeggen zitten. In de salon hing een feestelijke sfeer. Buiten was het nog licht, maar de kaarsen in de kandelaber waren aangestoken, acht stuks maar liefst en allemaal gloednieuw. Op tafel lag een schoon tafelkleed en zelfs de servetten waren gewassen en gestreken – gestreken – voor ze opgerold in hun ringen waren gestoken.

De keukengeuren waren bijkans bedwelmend; Brutus stond met slierten kwijl aan zijn bek op de drempel.

Er hing romantiek in de lucht. Zelfs Mrs. O'Malley, die op z'n best verward was, begon een verband tussen de aanwezigheid van de slager en het goede humeur van haar hospita te vermoeden. 'Het is lente!' riep Mrs. Clay, toen haar naar de reden voor het diner werd gevraagd. 'Wordt het geen tijd om eens iets te vieren?'

Er waren pogingen ondernomen om zich voor deze gelegenheid mooi aan te kleden. Mrs. O'Malley droeg haar hoed, alsof ze meteen op de tram zou stappen. Lettie droeg linten in het haar en haar moeder, die normaliter een grijze muis was, droeg een turkooizen blouse met kleine plooitjes waar Winnie die ochtend drie kwartier op had staan strijken. Alleen Ralph en Alwyne hadden geen poging ondernomen zichzelf op te doffen. Mrs. Clay kwam met een kam op haar zoon af maar hij dook met een boze blik weg. 'Kom hier!' siste ze, maar toen hoorden ze Mr. Turks voetstappen op de trap en was ze weer gaan zitten.

Mr. Turk en Winnie droegen het diner: een schotel vol lendenbiefstukken in een krachtige, bruine jus; gekookte erwtjes en worteltjes, een schotel nieuwe aardappels die glansden van de boter – soppend in boter, ze verdronken erin.

'Ik ruik iets heel lekkers,' zei Alwyne, die op zijn stoel naar voren leunde. Hij had zijn servet onder zijn kin gestopt; het katoen was sneeuwwit onder z'n dichte, donkere baard.

'Ik zal jullie een geheimpje verklappen,' zei Mr. Turk. Hij draaide zich om en knipoogde naar Mrs. Clay. 'De kookkunst van mevrouw hier niet te na gesproken...'

'Kookkunst!' giechelde Mrs. O'Malley.

'Je moet je vlees dichtschroeien om de sappen te bewaren,' zei hij. 'Hete pan, heet vet. Braad het aan beide kanten aan tot het gloeiend heet is. Zo verdomd heet dat het vocht dat je erbij doet gaat borrelen en inkookt.'

Niemand luisterde. Alle ogen waren op het voedsel gefixeerd. Winnie begon het uit te serveren.

'En doe me het genoegen een glas eersteklas bourgogne met me te drinken,' zei Mr. Turk, 'die mij is geleverd door Berry Brothers and Rudd, uit St James' Street in Mayfair.' Hij pakte een reeds ontkurkte fles van het buffet die daar had staan ademen. 'Glazen, Ralph?' Hij was in een opperbeste stemming.

Eithne keek als gebiologeerd naar hem. Dit alles deed hij voor haar. En hij was ook een fantastische kok, wie had dat gedacht? Jeneverbessen, toe maar! Marinade! Tot nu toe had ze nog nooit een man ontmoet die wist wat een marinade was. Ze wist dat eigenlijk zelf ook niet. Ze kon zich evenmin voorstellen dat een man uit haar kennissenkring, laat staan een man die zo mannelijk was als Neville Turk, een schort voor zou binden om een maaltijd in elkaar te draaien voor het bonte gezelschap dat zich onder haar dak bevond. Eithne voelde zo'n krachtige golf van verlangen door zich heen gaan dat haar adem ervan stokte. En kijk, iedereen vond hem aardig! Zelfs haar zoon was opgestaan en deed wat hem was opgedragen; alles zou goed komen.

Ralph deed de wandkast open en haalde de glazen eruit. Winnie zette voor iedereen een bord neer. Toen ze bij Ralphs stoel aankwam, zei hij: 'Voor mij geen vlees, Winnie.'

'Wat?' Ze bleef staan, met het bord in haar hand.

'Voor mij geen vlees. Ik ben vegetariër.'

Er viel een stilte.

'Wát ben je?' vroeg Eithne.

'Het menselijk spijsverteringsstelsel is niet bedoeld voor vlees eten,' zei Ralph, terwijl hij de glazen neerzette. 'Vleesetende dieren, zoals leeuwen en katten, hebben een kort darmkanaal, maar drie keer de lengte van hun lichaam. Dat is omdat vlees snel bederft en als de producten van dat bederf lang in het lichaam blijven vergiftigen ze de bloedsomloop.'

Mrs. O'Malley boog zich naar Lettie. 'Waar heeft hij het over, pop?'

'Zo krijg je een snelle uitdrijving van rottingsbacteriën van ontbindend vlees,' zei Ralph.

'Doe niet zo walgelijk!' snauwde Eithne.

Mrs. Spooner had een bord opgepakt en liep naar de deur. 'Ik breng Mr. Spooner even zijn eten,' zei ze.

'Mensen echter hebben een darmkanaal zoals herbivoren – koeien, zebra's, paarden,' vervolgde Ralph, terwijl hij ging zitten. 'Hun darmkanaal is twaalf keer zo lang als hun lichaam. Dat is voor de langzame vertering van plantaardig materiaal, dat niet bederft en gaat rotten.'

Mrs. O'Malley legde haar vork neer. 'Ik voel me niet goed,' zei ze.

'Hoe kom je aan al die nonsens?' vroeg Eithne.

'Van Alwyne.'

'Hij laat zich er blijkbaar niet door weerhouden,' antwoordde ze, terwijl ze naar Alwyne Flyte keek die kalmpjes zat te eten.

'Hij vroeg me ernaar en ik vertelde het hem.' Alwyne praatte met volle mond. 'Een paar van mijn wat progressievere vrienden in Bolton hebben vlees afgezworen.'

'Dat heb jij in elk geval niet gedaan en wij ook niet. Doe niet zo stom, Ralph, en eet je bord leeg. Mr. Turk heeft zich voor ons uitgesloofd.' Ze wendde zich tot Mr. Turk. 'Het spijt me, Neville.'

Neville. Er trok een rimpeling rond de tafel. Ralph prikte kalm een aardappel aan z'n vork en stak hem in z'n mond.

Winnie voelde mee met Ralph, met wie ze ondraaglijk veel medelijden had en die ze wilde beschermen. Maar die jongen maakte je razend! Hoe kon hij de maaltijd zo bederven? En hij zat daar maar stijfjes te eten, als een kapelaan.

'Gelukkig maar dat ze niet allemaal zoals jij zijn, vriend,' zei Mr. Turk. 'Anders zou ik zonder werk zitten.'

Eithne lachte schril.

'Maar daarmee zijn deze niet verklaard, of wel soms?' Alwyne draaide zich naar Ralph en ontblootte zijn tanden. Er was een stukje vlees tussen blijven zitten. Hij tikte tegen de puntige tanden onder zijn snor. 'Het verklaart de snijtanden niet.'

'Wat heb je daarop te zeggen, vriend?' vroeg Mr. Turk. Zijn vrolijke stemming leek niet te zijn aangetast.

'Het is vreselijk om levende dieren te slachten,' zei Ralph.

'Ralph!' siste zijn moeder.

Mrs. O'Malley liet een boer en begon met haar lepel weer erwtjes naar binnen te schuiven. Mrs. Spooner kwam terug, schimmig als altijd, en glipte naar haar plaatsje aan de tafel.

'Mijn man wil u heel hartelijk bedanken,' zei ze tegen Mr. Turk.

'Wat mankeert hem?' vroeg de slager. 'Is-ie ziek of zo?'

Niemand zei iets. Letties ogen schoten naar haar moeder.

'Hij is niet helemaal zichzelf, Mr. Turk,' zei Mrs. Spooner. 'Niet helemaal in orde.'

'Wie wil er nog wat aardappelen?' vroeg Eithne opgewekt.

Mrs. O'Malley depte haar lippen met haar servet. 'Zou ik mogen vragen of iemand die extra biefstuk nog wil opeten?'

'Pak hem toch gewoon!' zei Mr. Turk. 'Dat zie ik graag bij een vrouw.'

Mrs. O'Malley giechelde en hield haar bord bij. De slager legde het vlees erop. De hond hield al haar bewegingen scherp in de gaten; zijn staart bonkte op het tapijt. Zelfs de poes was verschenen; ze sprong op het buffet en bleef daar naar hun borden zitten loeren.

'Ik hoop echt dat u nog eens komt,' zei Mrs. O'Malley. 'Ik ben vooral dol op gegrilde kip, mocht u dat lukken. Ik heb sinds november geen kip meer gezien.'

'Met alle plezier, Mrs. O'Malley,' zei Mr. Turk. 'Er gaat niets boven een lekker stukje kip, dat vind ik ook.'

Alwyne richtte zich tot de slager. 'En wat vind je lekkerder, makker? De poot of de borst?'

Met een ruk draaide Ralph zijn hoofd om. Hij staarde Alwyne met wijd opengesperde ogen aan. Mr. Turk bleef onverstoorbaar. Hij grinnikte naar de blinde man. 'Als het een lekker sappig kippetje is, dat goed in het vlees zit, dan ga ik voor de borst.'

Het woord bleef in de lucht hangen. Winnie keek naar Alwyne. Hoe kon hij dat nu zeggen? Zijn bril flikkerde in het kaarslicht toen hij luisterend naar het antwoord zijn hoofd opzij neeg. Die man had er plezier in!

Buiten begon het te schemeren. Mr. Turk betrok Mrs. O'Malley bij het gesprek; hij flirtte met haar, wat haar onnozel deed glimlachen. Lettie gaf een stukje vlees aan de hond. Winnie kreeg geen hap meer door haar keel. *Borst.* Keek Alwyne met zijn blinde ogen naar haar toen hij dat woord zei? Hij kon, godzijdank, niet zien dat ze bloosde. Hij leek op een of andere manier zo *alwetend.* Alsof hij wist dat ze voor zijn neus dat ene had gedaan.

En toch was het opwindend. Winnie wilde het nog een keer doen, ze wilde hem prikkelen. Ze voelde een hevig verlangen om in haar stoel omlaag te zakken en haar voet uit te strekken – die uit te strekken en haar teen tussen zijn benen te duwen. Dan moest je zijn gezicht eens zien! Je moest eens zien hoe z'n brillenglazen flikkerden als hij woest om zich heen keek, op zoek naar de schuldige! Winnie voelde weer die puls van macht. Je moest eens zien wie de bediende en wie de meester was! *Arbeiders aller landen, verenigt u!* – en zij was maar een hitje.

Winnie verstijfde. Het bloed sijpelde uit haar, ze voelde de vochtigheid onder haar billen. En ze zat op de mooiste stoel, de stoel die van Mrs. Clays moeder was geweest. Winnie had hem uit de achterkamer gehaald om het aantal te completeren.

Winnie werd nog roder. Ze spoorde hen in gedachten aan de maaltijd te beëindigen. Mrs. O'Malley was nog altijd in de weer met haar tweede biefstuk. Mrs. Spooner nam kleine slokjes van haar wijn en rekte het zo lang mogelijk. Die arme vrouw had al zo weinig verzetjes, maar haar geaffecteerde gedrag maakte Winnie ongeduldig. *Schiet op!* Alwyne schoof met zijn vork over zijn bord, op jacht naar de laatste dwalende wortel, maar niemand schoot hem te hulp. En Mrs. O'Malley had nu problemen met haar kunstgebit. Lettie was de enige die rusteloos was; ze zat te draaien op haar stoel en trok gekke bekken naar de hond, die met zijn ogen op haar gezicht gefixeerd naast haar zat.

Eindelijk waren ze klaar met eten. Winnie maakte zich klaar om op te staan.

Mrs. Clay wendde zich naar haar zoon. 'Ralph, ruim de tafel af.'

Winnie schoof haar stoel achteruit.

'Nee, Winnie!' zei Mrs. Clay. 'Laat hem het maar doen.'

'Maar mevrouw...'

'Blijf zitten. Ik zal hem wel helpen.' Mrs. Clay stond met een kwade blik naar haar zoon op en begon de borden op te stapelen. Winnie begreep natuurlijk waarom ze dit deed. Ze wilde haar zoon in de keuken een uitbrander geven.

'Dit is ook voor jou een feestje,' zei ze glimlachend tegen Winnie. Ze wilde Mr. Turk ongetwijfeld ook laten zien hoe vriendelijk ze haar dienstbode behandelde. Voor Winnie was het een kwelling. Het bloed lekte door op de stoel, dat voelde ze. Hij was met geel fluweel bekleed! Ze moest als een haas naar haar kamer om een nieuwe dot in haar broekje te proppen, snapte Mrs. Clay dat dan niet? Ze kon hier geen minuut langer blijven zitten.

Winnie stond op.

'Nee!' zei Mrs. Clay, terwijl ze met haar vinger zwaaide. 'Je bent nu vrij, *schatje*.' Schatje? 'Blijf zitten en maak het Mr. Turk naar de zin.'

'O, ik heb het uitstekend naar m'n zin,' zei hij met een brede glimlach naar Mrs. Clay. Ze stond in de deuropening in de gloed van het kaarslicht. Ze glimlachte naar hem en wel zo stralend dat Winnie eventjes haar ogen dichtkneep, alsof ze in de zon keek.

De hond zat midden in het bloemperk z'n behoefte te doen.

'Ik ga met Mr. Turk trouwen,' zei Eithne tegen haar zoon. Ze stonden in het parkje bij de rivier. 'Ik ga met Neville trouwen. Hij heeft me gisteravond gevraagd, nadat jij naar bed was gegaan, en ik heb ja gezegd.'

Brutus zat ineengedoken tussen de narcissen. De drol verscheen en viel in een krul op de grond. Hij werd gevolgd door een tweede. De stank waaide omhoog naar Ralphs neusgaten. Hij was ze de vorige avond vergeten te vertellen over het krachtige effect van vlees in de darm. Het darmkanaal van een hond kon het nog wel aan maar in dat van een mens leidde het tot chronische constipatie.

'Zeg iets, lieverd.'

Het park was grotendeels op de schop gegaan om groente te telen. Er was een hek neergezet dat de bloemperken van de patriottische kool moest scheiden maar in werkelijkheid was er tussen de twee nauwelijks verschil te zien. Overleven was voor iedereen een worsteling. Bovendien was het hek op een aantal plaatsen omgegooid. Het hele veldje was platgetrapt door honden en kinderen. De tuinman was allang verdwenen; de kolen hadden er de hele winter gestaan en de exemplaren die niet waren gestolen, waren aan het rotten.

'Hij zal nooit de plaats van je vader innemen,' zei ze, 'dat zou hij ook niet willen. Maar hij is een fantastische man, Ralph, hij wil voor ons zorgen.'

'Brutus!' gilde Ralph. De hond was naar de rivier gelopen. Ralph stak twee vingers in zijn mond en floot. Zijn moeder schrok. 'Dat heeft Boyce me geleerd,' zei hij.

Opeens wilde hij heel graag dat hij bij zijn vriend was. Het deed er niet toe waar Boyce was; Ralph was niet gek, hij wist dat er iets vreselijks met hem kon zijn gebeurd. Maar waar hij ook was, Ralph wilde bij hem zijn. Boyce zou hem uit deze toestand hebben gered. Ze zouden samen zijn. Hij dacht: ik hou zo veel van je dat ik je kleine pakjes suiker niet heb opgegeten.

'Hij wil van je houden als je hem de kans geeft,' zei zijn moeder.

Brutus kwam aangesprongen. Ralph knielde. 'Wie is mijn grote vriend?' Hij sloot zijn ogen en voelde de tong van de hond over zijn gezicht lebberen.

Winnie deed een tweede poging om de vlek weg te krijgen. Ze was aan het schrobben met carbolzeep en heet water met een paar druppels bleek. Dit was natuurlijk riskant. Ze liep het gevaar dat de vage, roestkleurige plek vervangen zou worden door een lichte, gebleekte plek, maar Winnie probeerde dit te voorkomen door de hele zitting te schrobben. Als het even meezat, zou niemand het merken als die daardoor in zijn geheel wat bleker geel zou worden.

Mrs. Clay was uit met Ralph. Bij het ontbijt was de sfeer gespannen geweest. Terwijl Winnie geknield de stoel zat te schrobben, peinsde ze over de aard van de liefde. Waarom had ze bijvoorbeeld meer van Dulcie gehouden dan van andere paarden? Waarom was uitgerekend die oude grijze merrie het object van haar toewijding geworden? Winnie hield van alle paarden, ze was ermee opgegroeid, maar Dulcie raakte haar diep in haar hart. Als Dulcie haar hoofd uit de emmer optilde, haar neus bespikkeld met zemelen – als ze haar hoofd omdraaide en met opgestoken oortjes en grote, vochtige ogen vol herkenning naar Winnie keek – dan sprong Winnies hart op en kon ze nauwelijks ademen van liefde.

Waar was Dulcie nu? Hoe redde ze zich, zo ver van huis,

ver van alles wat haar vertrouwd was? Er was vier jaar verstreken sinds ze haar hadden meegenomen. Ze hadden de paarden met een touw in een rij aan elkaar gebonden en ze uit het dorp weggevoerd. Een paar volbloeden dachten dat ze op jacht gingen en waren onrustig geworden. In het hele dorp hadden de mensen hun deuren gesloten; ze konden het niet aanzien.

Het geklepper was langzaam weggestorven. Dulcie was niet eens beslagen; ze deed allang geen werk meer. Het geluid van hun hoeven stierf weg en het dorp was stil. De deuren bleven dicht. Niemand had ooit nog over de paarden gepraat.

Winnie veegde haar ogen af met haar schort. Bij de gedachte aan Dulcie schoot ze altijd vol. Ze leunde naar achteren op haar hurken. De zitting was doordrenkt, het fluweel stond in samengeplakte piekjes overeind. Ze zou straks pas weten of de vlek verdwenen was.

De voordeur ging open. Winnie sprong overeind en liep naar de andere kant van de kamer. Ze knielde en begon een denkbeeldige vlek op het tapijt te schrobben.

Ze hoorde Ralphs voetstappen de trap op gaan, naar zijn kamer. De hond kwam achter hem aan. Mrs. Clay kwam binnen en zette haar hoed af.

'O, Winnie,' zei ze. 'Ach gottegot.'

Met een zucht liet ze zich op de stoel vallen.

Winnie versteende. De stoel was nat. Maar Mrs. Clay was te verstrooid om het te merken.

'Hij moet hem aardig vinden,' zei ze. 'Hij zál hem aardig vinden, het kost alleen wat tijd. Jíj vindt hem toch aardig, Winnie? Heb je ooit zo'n gul iemand ontmoet? Waren die pralines van gisterenavond niet heerlijk? Hij had ze uit Parijs laten komen. Hij wil voor ons allemaal zorgen, weet je. O, ik hou zo veel van hem dat ik het bijna niet kan verdragen, Winnie, je hebt geen idee! Het voelt... het voelt alsof mijn zware ketenen veranderd zijn in madelievenkransjes. Ik kan het niet beschrijven. Ik besterf het haast van geluk!'

Mrs. Clay stond op uit de stoel en rende de kamer uit. Winnie zag een vochtige plek achter op haar rok.

4

De koe draagt haar kalf negen maanden en de liefde en zorg die ze haar nageslacht betoont is in zijn tederheid en intensiteit menselijker dan die van elk ander dier, en haar angst als ze het hoort loeien en niet in staat is het met haar opgezwollen uiers te bereiken, is vaak pijnlijk om te zien, en als het kalf is gestorven of per ongeluk gedood, weigert zij in haar verdriet vaak melk te geven. De fokker neemt in zulke gevallen zijn toevlucht tot het villen van het kadaver, waarna hij de huid met hooi opvult, de beeltenis voor haar neerlegt en haar zorgzaamheid benut door haar te melken terwijl ze de huid met haar tong likt.

Mrs. Beeton's Book of Household Management

Het huwelijk vond halverwege mei plaats. Toen het eenmaal was besloten, leek het zinloos de dingen uit te stellen. Bovendien kon Neville niet wachten om haar te bezitten. Hij was geobsedeerd door de gedachte aan Eithnes naakte lichaam onder haar rok. Hij stond de hele dag tijdens het zagen en hakken aan haar uiteenwijkende dijen te denken, aan de heerlijke vochtigheid ertussen die op zijn vinger wachtte. Hij zou hem naar binnen laten glijden en voelen hoe ze sneller ging ademen. Langzaam, heel langzaam zou hij zijn vinger in zijn mond stoppen en haar sappen opzuigen terwijl ze zich kreunend tegen hem aan duwde en haar gezicht tegen hem aan wreef, met haar haar verward in zijn neus en tussen zijn tanden. Terwijl hij een kip in stukken stond te snijden stelde hij zich voor dat Eithne daar op de plank lag met haar hoofd naar achteren geworpen en haar benen gespreid. Zijn lid werd hard onder zijn bloederige schort. En ondertussen maakte hij grapjes met de klanten en riep hij bestellingen naar zijn hulp. De hele dag en tijdens zijn lange, slapeloze nachten danste haar gezicht voor hem: haar lieve, bekoorlijke mond; haar mooie ogen en hoge jukbeenderen; haar zachte bruine haar dat bevrijd van zijn spelden wild om haar schouders hing. Eithne Clay gedroeg zich gedistingeerd maar hij liet zich niet voor de gek houden.

Ik ken je beter dan je jezelf kent, schat.

Maar voor hij haar kon vastpakken moest er eerst getrouwd worden. Het werd een bescheiden gebeurtenis, als blijk van respect. Ze was tenslotte een weduwe en de mensen zouden denken dat ze nog steeds in de rouw was. En het was oorlog; een groot feest zou ongepast worden geacht. De meeste huwelijken waren haastige aangelegenheden die werden voltrokken tijdens een kortstondig verlof van de bruidegom; daarna verdween hij weer en liet hij zijn geliefde achter als een fatsoenlijke vrouw. De kans was groot dat ze hem nooit meer terug zou zien. Ze had alleen maar de foto van een jongeman in uniform die ze nauwelijks had gekend.

Dergelijke omstandigheden golden natuurlijk niet voor Neville, maar je moest er toch rekening mee houden dat er een oorlog aan de gang was, een oorlog die zo tot het dagelijks leven was gaan behoren dat je je niet kon voorstellen dat hij ooit zou ophouden. Hij drong elk huis binnen; niemand was immuun. Zelfs de premier had zijn zoon verloren.

Het werd dus een eenvoudige ceremonie met na afloop een bescheiden bruiloftsontbijt op Palmerston Road. Neville had koude vleesschotels, een kist champagne en twee chagrijnige serveersters meegebracht. Winnie had sandwiches gemaakt. De lucht was vervuld van de zware, muffe geur van

tuberozen. In de achterkamer stonden vreemden dicht op-
eengepakt. De hond wrong zich snuffelend tussen hen door,
op zoek naar een vertrouwd stel benen. Er waren maar weinig buren uitgenodigd, omdat Eithne niet vertrouwelijk met
hen omging. De gasten waren van Neville: gezette, minzame
mannen met hun echtgenotes, mannen met een horlogeketting bungelend op hun buik, mannen die aanzien genoten in
de gemeenschap.

'Dat zijn de vrijmetselaars,' fluisterde Winnie tegen Ralph,
terwijl ze zijn hand greep. 'Let op als ze iemand de hand
schudden. Ze doen zó met hun vinger.'

Ralph trok zijn hand terug. 'Hou op!' Haar vinger, die in
zijn handpalm bewoog, voelde eigenaardig naakt aan, als iets
wat onder een steen lag te kronkelen.

Winnie giechelde. Ze was vrij en had al twee glazen champagne op.

'Dat is een hooggeplaatste politieman,' fluisterde ze, 'en dat
is Mr. Zus-of-zo, die reuze belangrijk is, hij heeft in Woolwich een fabriek waar de meisjes geel worden van de explosieven, mijn vriendin Elsie werkt er, haar gezicht is zo geel als
custardvla. En daar heb je nog zo'n hotemetoot. Hij heeft een
groothandel op de Borough Market. Zijn dochter heeft een
horrelvoet.'

Ralph keek vol bewondering naar Winnie. Bedienden wisten meer dan wie dan ook en toch zag hij Winnie nooit op
straat roddelen. Het lekte bij hen binnen via een soort os-
mose, dat ding wat planten deden. Zijn vader had hem erover
verteld.

'En ze zeggen dat de burgemeester komt.' Winnie ging
zachter praten, alsof ze in de kerk waren. 'Hij komt een heil-
dronk op hen uitbrengen.'

'De burgemeester van Londen?'

'Een van hen. Het kan die van Southwark zijn. Mr. Din-
ges.'

'O ja,' sprak een stem, 'Mr. Turk heeft zijn vinger in heel wat pappotten.'

Ze draaiden zich om. Alwyne Flyte stond naast hen. Hij moest op de tast zijn weg door de menigte hebben gevonden. Ze konden de schimmel op zijn jasje ruiken.

'Maar wie maalt erom?' zei hij in de rondte gebarend. 'Dit zootje zal weldra uitgestorven zijn.'

'Sst!' siste Winnie. 'Straks horen ze u nog.'

'Ik vind ze er bepaald niet uitgestorven uitzien,' zei Ralph.

'O ja, als de tijd rijp is, gaan zij als eersten voor de bijl. Je zult het zien.'

Ralph werd tegen Winnies zij aan geduwd. De kamer was zo vol dat ze zich niet konden verplaatsen. Ze voelden zich heel even een groepje samenzweerders die waren ingesloten door de stijve, ruisende tournures van de echtgenotes. De met veren overladen hoeden waren een kwelling; de randen botsten steeds tegen hun gezichten. Het was heel warm.

Alwyne zei: 'Vertel eens wat Mrs. Clay aan heeft, pardon, Mrs. Turk. Ik wil wedden dat ze hier de best geklede vrouw is.'

Winnie knikte. 'En de langste.'

Eithne had haar hoed afgezet. Ze konden haar net zien aan de andere kant van de kamer.

'Ze ziet er beeldig uit,' zei Winnie. 'Ze draagt haar crème-kleurige japon, hij is afgezet met kant en hij heeft een dun blauw streepje.'

Maar degene die erin zat, had de blik van een slaapwandelaar. Dat was Winnie wel vaker opgevallen bij bruiden. Ze voelde een steek van jaloezie. Wat moest het heerlijk zijn om lief te hebben en op jouw beurt liefgehad te worden! Haar mevrouw was een betoverd land binnengegaan waarvan de grenzen gesloten waren. Ze was weggeglipt van Winnie, ze was weggeglipt van hen allemaal en leefde al in de toekomst waarin zij een marginalere, minder noodzakelijke rol zouden spelen. Al haar aandacht zou voortaan op haar echtgenoot zijn gericht. De pasgehuwden zouden een week op huwelijksreis gaan naar Brighton en daarna zou Mr. Turk als heer des huizes bij hen intrekken. De pakken van Mr. Clay waren al uit de kast gehaald en aan een verre verwant gegeven. Winnie was een en al onrust.

'Er staan ons problemen te wachten,' zei Alwyne.

Winnie schrok. Misschien had die blinde een zesde zintuig. Ze konden beslist beter horen; hun gehoor werd scherper ter compensatie van het verloren zicht. Alwyne merkte altijd dingen op waar Winnie aan had gedacht.

'Je zult het zien,' zei Alwyne.

Ralph gaf geen antwoord. Hij was de afgelopen weken heel stil geweest. Zijn uitbarsting aan het diner had zich niet herhaald maar hij was blijven weigeren vlees te eten, wat in de keuken voor een paar problemen had gezorgd. Maar Mrs. Clay – Mrs. Turk – had er niets over gezegd en van haar kaasrantsoen klonterige gele sauzen gemaakt die ze over zijn groenten goot. Moederliefde was iets heel moois.

Winnie dronk haar glas leeg. Het voelde vreemd om niet te helpen. Lettie wurmde zich tussen de lichamen door, op zoek naar eten. Winnie voelde een vlaag van genegenheid voor de huurders. Ze zouden het huis een week voor zichzelf hebben en zij zou voor ze moeten zorgen. Mrs. Turk had haar uitgebreide instructies gegeven.

Op dat moment bemerkten ze beroering in de kamer.

'Mr. Harbottle is gearriveerd,' fluisterde Winnie. 'Hij is de eigenaar van de juwelierszaak, hij is een vriend van de burgemeester.'

De gasten werden stil, in afwachting. De mannen gingen in de houding staan; dames veegden kruimeltjes van hun boezem.

Maar de grote man kwam niet opdagen. Mr. Harbottle boog zich naar Mr. Turk en fluisterde iets in zijn oor. Mr.

97

Turks gezicht werd rood van ergernis; hij draaide zich om en mompelde iets tegen zijn bruid.

Het nieuws verspreidde zich razendsnel. De burgemeester kwam niet omdat zijn zwager zichzelf had doodgeschoten. Met het bedroefde genoegen van mensen die slecht nieuws brengen, vertelde Mr. Harbottle de gasten met sonore stem de details. Het bleek dat de man gewond was geraakt bij Gallipoli. Hij had zich die ochtend door z'n hoofd geschoten met zijn dienstrevolver.

Mr. Turks stem klonk luid en duidelijk door de geschokte stilte. Hij sprak tegen de gasten die bij hem stonden en deed een poging tot een grapje.

'Wist hij niet dat ik vandaag ging trouwen?' ronkte hij. 'Die kerel denkt warempel alleen aan zichzelf. Hij had tot morgen kunnen wachten.'

Eithne staarde haar echtgenoot aan. Iemand giechelde nerveus. Er viel even een opgelaten stilte en toen begonnen de mensen weer te praten op de geforceerde manier die op een ongelukkig moment volgt.

Alwyne Flyte boog zijn hoofd. Zijn schouders schudden.

'O Alwyne!' zei Winnie. Ze voelde diep medelijden met hem. Die arme man; besefte dan niemand in de kamer wat hij had doorgemaakt? Hoe kon Mr. Turk zoiets zeggen? Het was gênant.

Lettie wrong zich langs hen heen met een schotel met sandwiches. Winnie griste er eentje vanaf. Ze pakte Alwynes hand, plukte zijn vingers open en legde de sandwich erin.

'Met ei en zuur,' zei ze. Teder sloot ze zijn vingers eromheen. 'Ik vind het vreselijk. Mr. Turk had dat niet mogen zeggen.'

Alwyne hief zijn hoofd op. Op dat moment besefte Winnie dat hij schudde van het lachen. Ze stond perplex. Hij veegde met zijn vrije hand zijn ogen af waarbij zijn bril verschoof.

'Die man verdient een medaille,' grinnikte hij. 'Zo'n reusachtige lompheid is absoluut heroïsch.'

'Mrs. Clay ziet er niet zo tevreden uit,' zei Winnie.

Alwyne beet in zijn sandwich. 'Ze zal hem wel niet om zijn ziel hebben getrouwd.'

Winnie versteende. Hoe kon hij dat zeggen waar de jongen bij was? Wat een grove, suggestieve opmerking, hij zou zich moeten schamen! Ze keek bezorgd naar Ralph.

Maar Ralph knikte instemmend. 'Ik geloof dat hij heel rijk is. Hoe komt een man aan zoveel geld als hij gewoon slager is?'

Het gevaar was geweken. Winnie ontspande zich. Ze realiseerde zich echter dat ze nat was van het zweet; het drupte onder haar oksels en tussen haar borsten. Het leven was veel eenvoudiger als ze gewoon aan het werk was – gewoon de dienstmeid was die haar werk deed.

Alwyne wendde zich tot haar. Hij sprak met zijn mond vol. 'Denk je dat je nog wat champagne voor me kunt versieren?'

Winnie wist niet hoe het was gebeurd. Als ze terugdacht aan die avond, moest ze de rest van haar leven blozen van schaamte en een soort stom onbegrip.

Ze was natuurlijk dronken. Alwyne ook. De gasten waren allang naar huis en de norse serveersters hadden de glazen opgeruimd en zelfs al afgewassen in de keuken, zo leek het. Zij waren ook weg. Iedereen was weg. Ralph was naar bed. De huurders waren naar bed.

Alle huurders, behalve Alwyne.

Alwyne en zij waren in de achterkamer gebleven, als twee stukken drijfhout nadat het tij zich had teruggetrokken. Ze zaten aan weerskanten van de haard, die Winnie voor de zomer had afgesloten met een stuk golfkarton. De kamer deinde zachtjes om hen heen.

'Ze zullen nu wel in het Ship Hotel zijn,' zei ze.

Alwyne knikte.

'In Brighton.'

De klok sloeg elf uur. Ze zwegen en stelden zich ongetwijfeld hetzelfde voor: een groot tweepersoonsbed; kleren verspreid over de vloer. Het was heel benauwd; Winnie had het raam opengezet maar in de kamer bleef het drukkend.

'Ben je wel eens in Brighton geweest?' vroeg ze.

'Nee.'

'Ik ook niet.' Ze voelde een vlaag van zelfmedelijden en daarna een diepere golf van verdriet om Alwyne. Hij zou Brighton nu nooit meer zien. Er waren twee pieren, ze had de foto's gezien, en een promenade. Alwyne zou de rest van zijn leven in het duister doorbrengen. Wat was oorlog toch wreed. En hij maakte niet alleen fysiek slachtoffers. Alleen zij wist wat er boven in de kamer van de Spooners gebeurde.

'Er zal behoorlijk wat afgeknuffeld worden als ze straks thuiskomen,' zei Alwyne. Hij reikte naar de fles; Winnie duwde die zijn kant op.

'Ben je ooit getrouwd geweest?' vroeg ze.

Hij schudde zijn hoofd. 'Nooit het juiste meisje gevonden.'

'Zou ze een communist moeten zijn?'

'Dat is nu puur theoretisch.'

'Wat bedoel je?'

'Laten we eerlijk zijn, Winnie. Welk meisje wil nu zo'n man als ik?'

'O, ik weet het niet, hoor. Er zijn zo weinig jongens over dat meisjes genoegen nemen met de eerste de beste.'

Winnie bloosde. Alwyne barstte in lachen uit.

'Het spijt me, sir, ik...'

'Noem me geen sir!'

'Ik ben een beetje teut.'

'Ik hou van je, Winnie. Weet je? Je bent de enige die mij voor waanzin behoedt.'

Winnie was stomverbaasd. Maar hij sprak zo natuurlijk dat ze zich niet geneerde. Alwyne had haar altijd familiair behandeld. Dat vond ze nu wel leuk. Ze begon hem zelfs aardig te vinden.

Alwyne schoof de fles over de tafel. 'Kom, neem er nog eentje. Morgen is het zondag.' Hij grinnikte. 'Trouwens, als de kat van huis is...'

Winnie keek naar zijn volle rode lippen die waren genesteld in de warboel van zijn baard. Ze schonk zichzelf nog een glas in en morste daarbij wat champagne op tafel. Wie kon het iets schelen? Zij niet en Alwyne kon toch niks zien. Ze voelde een onbekommerde lach opwellen.

'En hoe zit het met jou, Winnie? Heb jij een lief?'

'O, nee.' De lach spoelde weg. 'Met mij zal nooit iemand trouwen.'

Winnie haalde diep adem. 'Weet je nog dat je vroeg hoe mijn lichaam eruitzag?'

Hij knikte.

'Wil je het echt weten?'

'Ja.'

'Ik zie eruit als een paard. Lelijker dan een paard. Ik hou van paarden. Ik bedoel dat ik...' Ze stopte even. Ze wist dat het er allemaal uit zou komen rollen maar het was niet tegen te houden. Zoals het moment waarop je weet dat je gaat braken.

'Archie was de slagersjongen en ik was verkikkerd op hem,' flapte ze eruit. 'Ik dacht dat hij mij ook leuk vond. Hij kwam altijd even met me praten in de keuken. Hij had rood haar en een glimlach die alles verlichtte, hij gaf me het gevoel dat ik bijzonder was. Ik dacht dat hij m'n ware Jakob was.' Winnie stopte.

'Wat gebeurde er?' vroeg hij zachtjes. 'Wat gebeurde er met die Archie?'

'Op een dag liep ik buiten, ik liep onder de brug door waar ze altijd voetballen en daar stond hij opeens, mijn hart sloeg over. En hij stopte, ze stopten allemaal.'

'Ga verder.'

Ik dacht dat hij zoiets als *hallo Winnie* zou gaan zeggen, maar hij keek naar de andere jongens en die keken naar hem en toen begonnen ze dat geluid te maken.' Winnie zweeg even.

'Welk geluid?'

'Een soort briesend geluid, het geluid dat paarden maken als ze een ander paard zien. Een hinnikend geluid. "Wihinnie, Wihinnie," zei hij; hij maakte me belachelijk en hij spoorde de andere jongens aan.' Winnie begon te huilen. 'En toen viel het kwartje. Ik voelde hoe m'n benen het begaven, dat kwam door de schrik, en toen ik weer op m'n kamer was keek ik in de spiegel en ik wist dat hij gelijk had. Ik had mezelf nooit echt goed bekeken. Ik weet dat dat gek klinkt, maar het is echt zo. Het was net zoals in dat bijbelverhaal, als Eva merkt dat ze geen kleren aan heeft. De schellen vielen me van de ogen. Hij had gelijk en niemand zou ooit van me houden omdat ik lelijk ben. Ik heb een groot, lang gezicht, niet zoals een paard, paarden zijn mooi; het is gewoon een groot lang gezicht en ik heb een enorme kaak als een kolenschep, ik zie eruit als een man, en ik weet dat er vreselijke dingen op de wereld zijn maar dit is míjn ding en ik zit er voorgoed aan vast.'

Ze zat te snikken. Alwyne drukte zijn sigaret uit.

'Niet huilen.' Hij stond op en liep op de tast rond de tafel. Hij stond wat wankel op zijn benen. 'Niet huilen, alsjeblieft.' Hij tastte naar haar, voelde haar schouder en pakte haar hand. 'Kom eens naast me zitten.'

Hij hielp haar overeind. Ook Winnie kon amper op haar benen staan. Haar hoofd tolde. Ze liepen de kamer door, elkaar ondersteunend als invaliden, en lieten zich neervallen op de sofa.

'Je hebt een heel mooie stem,' zei hij. 'Ik vind het heerlijk als je me voorleest. Je hebt een mooie stem en een mooie ziel, en dat betekent dat je een mooi mens bent, in de belangrijkste opzichten. Mag ik je haar aanraken?'

'Wacht even.' Winnie frummelde aan haar spelden. Haar handen deden niet goed wat ze wilde. Ze kreeg de spelden uiteindelijk los en liet ze op de grond vallen. Haar haar viel over haar schouders. 'Mijn haar is eigenlijk best mooi,' zei ze. 'Het is bruin, maar lichtbruin.'

Zijn gezicht kwam dicht bij haar. Ze rook de tabak in zijn adem. Het wond haar op: zijn mannelijkheid, het vreemde. Hij duwde zijn neus in haar haar en snoof de geur op. Toen hij uitademde verspreidde de warmte zich door haar lichaam. Ze begon te beven.

'Je ruikt zo jong,' mompelde hij. Zou hij haar zweet kunnen ruiken? Zij wel. Hij streelde haar haar met zijn hand. Zijn dij drukte tegen de hare.

'Ik zou dit niet moeten doen,' fluisterde ze.

'O, jawel, juist wel.' Zijn stem was laag en verleidelijk. 'Dat weet je toch, Winnie?' Hij hypnotiseerde haar – zijn handen, zijn adem, de druk van zijn lichaam.

'Je hebt dit vast heel vaak gedaan,' zei ze.

Hij glimlachte. 'Ik dacht het wel.' Hij haalde zijn schouders op. 'Maar al redelijk lang niet meer.'

'Het is zonde,' zei ze. 'Als je jezelf een beetje opknapte, zou je best knap zijn.'

Alwyne begon te lachen. Hij wiep zijn hoofd naar achteren en begon machteloos te schudden.

'Ik bedoelde niet...'

'Je bent me d'r eentje, Winnie!'

Winnie lachte beverig. Ze moest wel dronken zijn om zoiets te zeggen. Maar Alwyne leek het niet erg te vinden. En het was in feite ook waar. Hij was best oud, hij moest bijna veertig zijn. Maar ergens onder het wilde zwarte haar en die weerbarstige baard zag hij er zo edel uit als een sjeik. En hij was van haar! Deze volwassen man was van haar.

En het kwam door haar lichaam dat hij nu zo schor ademde, want hij zat nu tegen haar aan gedrukt en zijn handen gleden over haar schouders en haar armen. Zijn handen beef-
den ook. Hij deed zijn bril af en liet hem op de grond vallen.
Zijn ogen waren gesloten en hij bracht haar tot leven met zijn
handen, als de rimpels die zich verspreidden als ze haar vinger in een vijver stak.

'Wacht,' fluisterde ze. Winnie maakte zichzelf los en stommelde naar de deur. Ze deed hem dicht en duwde een stoel
onder de klink. Ze had intussen een helder moment. Ze dacht:
ik zal Mrs. Clay bewijzen dat ik het ook kan. Ze is echt niet de
enige, zij met dat Ship Hotel van haar.

Ze dacht: ik ga het doen omdat de Duitsers ons morgen
aan flarden kunnen knallen en ik dan niet zal weten hoe het
voelt. Die stomme Archie kan de pot op.

Ze dacht: hij is dan wel blind, maar alleen een blinde zal
me ooit willen nemen en ik kan hem een pleziertje bezorgen,
dat is toch het minste na alles wat hij voor mijn vaderland
heeft opgeofferd. Ben ik hem dat niet verschuldigd? Het is
zelfs m'n plícht.

Dit alles stuiterde door haar hoofd; het maakte haar duizelig. Winnie slingerde terug naar de sofa; ze stootte de tafel om
maar dat kon haar niet schelen want Alwyne wachtte op haar
met uitgestrekte armen. Ze knielde tussen zijn benen, die zich
voor haar spreidden. Hij trok haar naar zich toe. Ze voelde
hoe ze een drempel overging; daarachter lag een lege ruimte.
Ze voelde zichzelf vallen en hij nam haar met zich mee.

Ze kusten. Zijn lippen waren zacht en vol; het was alsof je
een bes in een meidoornhaag vond. Winnie hield haar lippen
op elkaar maar ineens was zijn tong in haar mond en ze gaf
zich over; ze drukte zich tegen hem aan en voelde hoe z'n vingers aan de knoopjes voor op haar jurk frunnikten.

Hij is blind! Hij kan niet zien hoe lelijk ik ben. Maar ze voelde zich niet lelijk, ze voelde zich mooi, zijn handen maak-

ten haar mooi, ze had geen zin hem met de knoopjes te helpen. Ze kiepten om, op de vloer, en Alwyne trok haar rok en haar onderrok routineus omhoog, o ja, hij zal dat vaak genoeg hebben gedaan, en zijn vingers tastten in haar onderbroek. Winnie hapte naar lucht. Ze kneep haar ogen dicht en voegde zich bij hem in zijn blindheid. Ze wist natuurlijk hoe het ging; ze had de hengst van lord Elbourne de merries zien dekken, maar het was toch nog een schok, dat grote ding dat zo hard als een deegroller tussen haar benen porde. Zo'n oude man, wiens lichaam zacht was van het vele zitten, en dan toch zo'n stevig ding.

'O, lieve lieve, Winnie,' steunde hij en hij duwde hem naar binnen.

Winnie gaf een gil.

De hond moest het hebben gehoord. Ver weg, in de andere wereld die ze achter zich had gelaten, hoorde Winnie hem aan de deur krabben in een poging binnen te komen.

Hun kamer had uitzicht op zee. De manager was een vriend van Neville en had voor hen de beste suite van het hotel gereserveerd. Hij had twee ramen, omhuld door glanzende gestreepte gordijnen die opzij werden gehouden door kwasten zo groot als ananassen. Alles rook nieuw. Het rook naar andermans verantwoordelijkheid. Hij had een eigen badkamer waar Eithne wanneer ze maar wilde in en uit kon lopen – zij, die een leven lang op ijskoude trappen had staan wachten op de klik van de deur. Als ze zin had, kon ze er naakt in en uit lopen en na pakweg een dag had ze haar gêne verloren. Hij had een roze marmeren wastafel die dooraderd was als vlees. Er hingen dikke witte handdoeken over een radiator die dag en nacht warme lucht afgaf, zelfs in mei. Het bad was zo groot dat ze er samen in konden, wat ze ook deden; ze zeepten elkaar in en dronken thee uit kopjes die op de rand balanceerden. Ze leerden elkaars lichaam stukje voor stukje kennen.

Ze kamde het haar op Nevilles benen met het nagelborsteltje, eerst parallelle lijnen en daarna dubbel gearceerd zoals bij een schets.

Neville was haar echtgenoot. Ze moest weer helemaal opnieuw aan het woord wennen, aan de nieuwe smaak ervan in haar mond, aan zijn krachtige, dwingende lichaam dat haar bezat. Soms trokken ze zich tijdens het vrijen opeens terug en bekeken ze elkaar vol verwondering.

'Je bent de vrouw van m'n leven,' zei hij. 'Je bent de vrouw op wie ik heb gewacht.' Hij streelde haar borsten. 'Zal ik je eens wat vertellen? De gedachte aan deze twee hield me uit m'n slaap.'

'Zijn ze het wachten waard geweest?' vroeg ze. 'Wil je je geld niet terug?'

Buiten regende het; de zee en de hemel versmolten tot een grijze massa, maar het kon hen niet schelen. Ze ondernamen zelden actie om uit te gaan. Bedwelmd als ze waren, werden ze al moe bij de gedachte aan aankleden.

'Ik wil met je pronken,' zei hij. 'Ik wil hun laten zien wat ik heb. Ik wil je meenemen naar de Palace Pier en hun gezichten zien,' zei hij terwijl hij terugviel in de kussens en haar meetrok. Ze lieten de maaltijd op de kamer serveren, het was hun eigen kleine wereldje waar de tijd stilstond en dat losgesneden was van het verleden.

Toen Eithne zich haar eerste huwelijk probeerde te herinneren, glipte het haar door de vingers, alsof ze naar voorntjes greep. Hoe was dat in die eerste dagen met Paul geweest? O ja, ze had van hem gehouden; ze herinnerde zich de tederheid maar er was geen gretigheid geweest zoals nu, geen hartstocht die haar de adem benam. Ze had van hem gehouden op een moederlijke, beschermende manier; hij was zo'n gevoelig mens. Te goed voor deze wereld, dacht ze nu, want ze was de wrijvingen en teleurstellingen allang vergeten.

Ver weg, buiten het raam, ver weg door die ondoordringbare mist had de oorlog Paul opgeëist en hij werd langzaamaan zo vreemd voor haar alsof ze elkaar nooit hadden ontmoet. Hij was al weg geweest tijdens zijn korte verlof. En nu had deze stier van een man, haar minnaar, haar *minnaar*, haar echtgenoot, het zicht geblokkeerd. Eithne had geen energie om achter hem te kijken; Neville zoog haar in zich op en ze was verloren.

Ze praatten als ze 's middags naakt op bed lagen, zwetend in de warmte. Ze kon zich later weinig herinneren van wat ze hadden gezegd. Ze vertelde hem over haar Ierse moeder, die van poëzie hield en jong was gestorven, en haar vader, die verzekeringen verkocht. Neville tuurde naar haar terwijl ze praatte; hij streek haar wenkbrauwen glad met zijn duim, volgde de aderen op haar pols, inspecteerde haar. Ze vond het heerlijk als hij haar van top tot teen bekeek. Ze herinnerde zich die eerste dag in haar keuken, toen hij met een scheef hoofd toekeek hoe ze zichzelf voor schut zette met de worstjes.

'Ik kon je niet uitstaan,' zei ze. 'Ik nam me voor nooit meer naar je winkel te gaan.'

'Maar dat deed je wel.'

'Het was sterker dan ik.'

'Hoe lang duurde het? Twee dagen, als ik me niet vergis.'

Ze gaf hem een por met haar elleboog. Hij rolde haar om en beet in haar schouder.

Het was vooral Neville die praatte. Hij vertelde haar over zijn kijk op de toekomst. Als de oorlog was afgelopen, zou het leven nooit meer worden zoals het was geweest, zei hij. De wereld was voorgoed veranderd. Hoe spannend Eithne dit ook vond, ze kon het zich toch niet helemaal voorstellen. Ze kon om te beginnen niet geloven dat er ooit een eind zou komen aan de oorlog. Het was zoals chronische bronchitis; hoe kon je je dan voorstellen dat je ooit weer gezond zou zijn? Ze kon zich ook niet voorstellen dat er iets zou veranderen. Haar leven, dat werd begrensd door de vier muren van haar huis, was zo toegespitst op de strijd om te overleven, de dagelijkse sleur en onbeduidende beslissingen, dat er niets anders mogelijk leek te zijn; ze had er simpelweg de energie niet voor gehad. Maar Neville had de deur opengegooid en de frisse lucht stroomde binnen. 'Er liggen straks grote kansen voor mensen die ze weten te pakken,' zei hij. 'Je zult het zien.'

Eithne had geen flauw idee van zijn plannen, toen nog niet. Ze lag gewoon naar hem te kijken hoe hij tegen de kussens leunde: een machtig dier dat haar was komen redden. Hij was van haar, hij was hier. Ze werd overspoeld door dankbaarheid. *Mijn zware ketenen zijn veranderd in madelievenkransjes.* Haar moeder had haar dat voorgelezen, uit een gedicht.

Op de vierde dag gingen ze in bad, kleedden zich aan en liepen naar beneden voor het avondeten. Eithne had pap in haar benen en moest zich aan de leuning vasthouden. In de lobby viel haar blik op een stel mannen. Ze wisten het. Ze gaf een dierlijke geur af. Ze besefte met een kramp van schuld dat ze sinds zaterdag niet meer aan Ralph had gedacht.

Neville bestelde champagne in de bar. Eithne begon te ontdekken dat ze goed tegen drank kon; nog iets wat Neville in haar bewonderde. 'Ik hou wel van een vrouw die tegen een glaasje kan,' zei hij. 'Je hebt niks benepens, lief.'

Aan het tafeltje naast hen zaten drie jonge mannen bier te drinken. Ze keken naar Eithne met een onverholen goedkeuring die even vreemd was als hun uniformen. Neville knoopte een gesprek met hen aan. Het bleken Amerikaanse militairen te zijn die net waren aangekomen en en route naar Frankrijk waren. Amerika had onlangs een groot aantal troepen ter versterking gestuurd. Deze jongens waren blond en hadden frisse gezichten; het waren grote, zwaar gespierde kerels. Ze blaakten van zelfvertrouwen en leken van een andere soort te zijn dan de Britse soldaten die van het front terugkeerden.

'Nu wij er zijn zullen we de Hun een flink pak slaag geven,' zei Clarence, de langste van het stel. Hij had net zoals Ralph afhangende schouders en een uitstekende adamsappel.

'Generaal Pershing weet van aanpakken, dus jullie hoeven je geen zorgen meer te maken.'

Neville bestelde een fles champagne voor ze en bracht een toast op hen uit. Clarence studeerde voor architect. Hij vertelde dat hij na terugkeer in New York zou gaan werken, de mooiste stad ter wereld, de stad van de toekomst. 'Er staan daar gebouwen van vijftien, twintig verdiepingen hoog, schitterende gebouwen met stalen frames. Nu ze het spoor op Park Avenue hebben overdekt, moet je eens zien wat daar verrijst.' Hij zei dat er serviceflats met eetkamers waren, waar mensen permanent woonden, en vrijgezellenflats die geen keukens hadden omdat iedereen in restaurants at. Ze hadden portiers die de pakjes aannamen. Er waren grote hotels die lobby's vol winkeltjes hadden.

Neville stak een sigaar op. Hij was niet van plan zich te laten aftroeven door deze Yankee-snotneuzen. 'Zulk soort gebouwen heb je ook in Londen.'

'Waar dan?' vroeg Eithne.

'Er staan hele blokken met flats,' zei hij. 'Victoria, St John's Wood. Ze hebben een portier. Als de oorlog voorbij is, gaan we dat soort dingen bouwen. De bedienden zullen niet meer terugkomen nu ze van het leven hebben geproefd. De mensen zullen voor zichzelf moeten gaan zorgen, liefste; de oorlog heeft het als Humpty Dumpty gebroken en het is niet meer te plakken.'

'Dat zegt Alwyne ook altijd.' Eithne wendde zich naar de Amerikanen. 'Hij is mijn huurder, hij is een communist, of een anarchist of iets dergelijks. Hij overlaadt mijn dienstmeisje met allerlei onzin.'

'Het is nu ieder voor zich,' zei Neville, rook uitblazend. 'Het gaat niet om je afkomst, maar om wat je presteert. Er kan geld worden verdiend, een hoop geld voor mensen die bereid zijn hun nek uit te steken. 'Jullie zijn niet de enigen...' – en hij priemde met zijn sigaar in hun richting – 'die in een land van mogelijkheden leven, potdorie, excusez le mot.'

Eithne knabbelde aan een kaasstengel en keek naar haar man. Wat zag hij er volwassen uit, hoe ervaren en mannelijk vergeleken bij die frisgeboende jongens wie god weet wat te wachten stond! Ze vond het al opwindend dat ze met hem in gezelschap was, dat ze waren opgestaan uit hun omwoelde bed, uit hun geheime leven, om in het openbaar naast deze jongens te gaan zitten, terwijl de geur van gebraad door de eetzaal dreef. Neville schepte een beetje op en probeerde de anderen af te troeven maar Eithne vond het niet erg, ze zou hem alles vergeven omdat ze wist dat hij haar na het eten mee naar boven zou nemen en haar rok op zou sjorren en haar zo'n genot zou bezorgen dat ze dacht dat ze bezweek.

'Dit is mijn verloofde,' zei Clarence.

Eithne schrok; haar gedachten waren heel ergens anders geweest. De Amerikaan gaf haar een foto.

'Ze heet Emily,' zei hij. 'We staan hier samen voor het Astoria Hotel, in New York. We hebben net onze verloving gevierd.'

Eithne bekeek de foto. Emily was een alledaags wezentje. Ze hing aan Clarence' arm, trots dat ze hem had. Hun enthousiaste gezichten troffen Eithne in haar hart. 'Ze woont in Brooklyn Heights, haar vader handelt in bont,' zei Clarence.

Eithne zou zich vele maanden later deze woorden herinneren. Maar nu voelde ze alleen maar een kameraadschappelijke band met het stel. Ook zij hadden de liefde gevonden. Ze was natuurlijk blij voor hen maar meende met een zekere achteloze laatdunkendheid dat hun gloed vergeleken bij haar eigen brandende oven wel iets bescheidens moest zijn.

Het kwam niet in haar op dat die jongen misschien niet zou terugkomen om zijn bruid te halen. Of dat de zelf ontworpen gebouwen waarvan hij droomde misschien nooit zouden verrijzen in zijn geliefde stad. Er zouden andere gebouwen oprijzen, de ene verdieping na de andere, tot hoog in de hemel, maar geen ervan zou van Clarence zijn.

Als de kat van huis is. Het was de vreemdste week van Winnies leven. Want het gebeurde niet maar één keer, dat met Alwyne Flyte. Hij sloop 's nachts naar haar kamer. Hij was op zijn pantoffels geruisloos als een kat: geen gestommel, geen botsingen met het meubilair. Hij ging nu al een jaar op de tast door het huis en zijn blindemansvingers kenden elke centimeter ervan. En hij had geen kaars nodig, die argwaan kon wekken; voor hem was het altijd middernacht.

Winnie had hem in haar macht. Ze genoot niet echt, als hij zo kreunend en steunend op haar lag; hij was verrassend zwaar en het bed was eigenlijk te klein voor hen tweeën. Maar Alwyne wilde het doen en ze was hem graag ter wille. Bovendien was het best fijn en als hij zijn lippen rond haar tepel sloot en hij als een baby bij haar zoog en zijn baard over haar huid raspte, voelde ze soms een zich verspreidende warmte die in de verte leek op de sensatie die ze zelf kon opwekken als ze alleen was.

Haar diepste genot kwam echter van het genot dat ze hem bezorgde. Het was voor haar zo simpel om haar benen te spreiden, en moest je zien wat er gebeurde: een volwassen man – een *intellectueel* – werd totaal machteloos. Ze wist dat ze zich verdorven zou moeten voelen. Het was een zonde, dat was haar in de kerk vaak genoeg verteld, maar de arme man was verminkt. De echte zonde, de grote zonde, was datgene wat het had veroorzaakt. Zelfs terwijl ze in bed lagen, werden mannen en paarden aan flarden geschoten – onschuldige paarden die gewoon zouden moeten staan grazen. Hoe kon het, nu de wereld op zijn kop stond, dan erg zijn dat ze een van de slachtoffers een gelukzalig moment bezorgde?

Nu haar mevrouw van huis was, had Winnie bovendien een bedwelmend gevoel van vrijheid. Ze moest natuurlijk harder werken – koken, schoonmaken – maar dat kon haar niet schelen. Het was een opluchting om het alleen te kunnen doen, zonder achterdochtige blikken. Ze was een praktische jonge vrouw: *wat niet weet, wat niet deert.* Ze ervoer vreemd genoeg slechts een licht schuldgevoel. Deze week, deze kloof tussen het ene leven en het volgende, was al zo eigenaardig geweest dat de nachtelijke bezoeken van Alwyne nauwelijks vreemder leken dan de rest. Soms voelde ze zelfs een band met Mrs. Turk, omdat ze allebei een soort huwelijksreis maakten; de gedachte vond ze zo grappig dat ze abrupt moest stoppen met schrobben.

Ze voelde zich alleen ongemakkelijk door Ralph. Tot nu toe hadden ze geen geheimen voor elkaar gehad. Ralph was een serieuze, aparte jongen, die jong voor zijn leeftijd was. Als hij erachter kwam, zou hij tot in zijn diepste vezels geschokt zijn. Het leek ook eigenlijk wel schokkend, nu Winnie erover nadacht. Maar het was zo vreemd dat ze overdag nauwelijks kon geloven dat het echt gebeurde. Alwynes gedrag was niet veranderd; hij bleef onverstoorbaar zichzelf: te familiair, intimiderend, haar plagend met de maaltijden die in afwezigheid van Mr. Turk weer de oude, magere, zwaar te verteren kost waren geworden. Er was niemand die een verandering tussen haar en Alwyne was opgevallen, maar waarom zouden ze ook? De huurders leefden elk in hun eigen kleine wereldje en Winnie was hun dankbaar dat ze zo met zichzelf bezig waren.

Ralph was echter een andere zaak en ze merkte dat ze hem meed. Ze gaf hem klusjes die hij in zijn eentje kon doen: het schrobben van de trap voor het huis, mankementen repareren, boodschappen doen. Ze vroeg ook geen hulp van hem bij de grote schoonmaak van Mrs. Turks slaapkamer, een enorme operatie die ze in haar eentje uitvoerde: het houtwerk soppen, de tapijten kloppen, het matras op het grote koperen bed keren ter voorbereiding op de pasgehuwden. Het was een enorme operatie en ze had geen tijd om na te denken over de ophanden zijnde komst van Mr. Turk en hoe hun leven zou veranderen als hij zich had genesteld. Ze wilde alleen maar indruk op hem maken met de grondigheid van haar schoonmaakwerk. Haar toekomst hing ervan af. Waar moest ze naartoe als hij haar dumpte?

Dus hield ze amper op toen Alwyne de deur opentikte met zijn stok. 'Wat wil je?' vroeg ze.

Alwyne ging tikkend door de kamer en tastte naar het bed. Hij ging op het matras van Mrs. Turk zitten. Heel even dacht Winnie mal genoeg dat hij haar zou vragen naast hem te komen zitten.

'Wanneer komen ze terug?' vroeg hij.

'Vrijdag. Overmorgen.'

'Zou je me de eer willen doen met me uit te gaan, nu we het rijk nog voor ons alleen hebben?'

Winnie liet bijna haar blikje boenwas vallen. 'Waarheen?'

'Ga mee naar de Albion. Laat me je op een drankje trakteren.'

De volgende ochtend, die donderdag, scheen de zon. Het was zo'n frisse zomerdag die aanvoelde als de geboorte van de wereld. Buiten golfde de zee als zijde.

Eithne en Neville waren ontwaakt uit hun bedwelmde dagen en namen een bad en kleedden zich aan. Die ochtend scheen hun huwelijk hun toe als een prachtig iets, als een geschenk dat hun even vrijelijk werd gegeven als het zonlicht. Ze knielde aan zijn voeten om zijn veters te strikken. Ze miste zijn huid nu al en tilde een broekspijp op om haar lippen tegen zijn kuit te drukken.

'Ik ben stapelgek op je,' zei ze. 'Ik ben zo dwaas als een borstel.'

'Een borstel?' Neville trok haar lachend overeind. 'Wat is er dwaas aan een borstel?'

Ze wist het niet, het kon haar ook niet schelen.

Hij stelde voor een tramritje over de boulevard te maken, tot Hove. Het was hun laatste dag en ze waren in een sprankelende stemming. Hij hees haar op zijn rug en maakte een rondje door de kamer.

'Zin in een pot alikruiken?' vroeg hij. 'Wil je het bloemenhorloge zien?'

Er werd op de deur geklopt. Eithne gleed snel van zijn rug af en streek haar rok glad. Een van de piccolo's kwam de kamer binnen. Hij had een envelop in zijn hand.

'Wat is dat?' Eithnes hart stond stil. Er was iets met Ralph gebeurd! Haar huis was afgebrand! Het was allemaal haar straf voor dat ze zo gelukkig was.

De jongen gaf de envelop aan Neville. 'Dit vonden we in de bar, sir,' zei hij. 'Iemand die aan uw tafeltje zat, had hem daar laten liggen.'

Neville maakte de envelop open en trok de foto van Clarence en Emily te voorschijn.

'Die is niet van ons,' zei hij. 'Hij is van die Amerikaanse soldaat.'

Maar de soldaten waren al vertrokken. Ze zouden nu wel onderweg zijn naar Frankrijk.

'Hij heeft zijn liefje vergeten!' riep Eithne. 'Hij kan niet zonder haar de oorlog in.'

'Dat heeft-ie anders wel gedaan,' zei Neville.

'We moeten hem opsporen.'

'Hoe?' Ze wisten zijn achternaam niet. Ze wisten niet in welk regiment hij zat.

'Wat kunnen we doen?' vroeg ze.

'Niets.' Neville haalde zijn schouders op.

'Het is onze zorg niet.'

Eithne keek naar haar man. 'Het is zeker jouw zorg niet omdat jij daar niet bent? Jíj hoeft niet te vechten.'

Er viel een stilte. Op de boulevard passeerde met rinkelende bel een tram.

Eithne dacht: hoe kon ik dat nu zeggen? Ze draaide zich om. 'Die arme jongen,' mompelde ze.

De stemming was bedorven. Eithne dacht: zonet was ik het been van deze man aan het kussen. Ze gaf de foto terug aan de piccolo en zei dat hij hem bij de balie moest bewaren, voor het geval Clarence zou terugkomen.

'Bewaar hem goed,' gebood ze hem. 'Beloof me dat je hem goed bewaart.'

De jongen ging weg en trok de deur met een klik achter zich dicht.

Eithne keek haar man niet aan. De energie was uit haar weggevloeid. Ze wilde opeens naar huis. Ze liep naar het raam en keek naar buiten.

'Er is storm op komst,' zei ze.

'Wat voor storm?'

'Luister, ik kan de donder horen,' zei ze.

'Dat is geen onweer, liefste,' zei Neville. 'Dat zijn de kanonnen.'

Ralph en Winnie deden zwijgend de afwas. Na een tijdje vroeg hij: 'Wanneer komen ze terug?'

'Morgen,' zei Winnie. 'Jij hebt dan les.'

'Hoe zit het met zijn spullen?'

'Die komen ook morgen.'

'Heeft hij meubels en zo?'

'Ik weet het niet.' Ze draaide zich naar hem toe. 'Luister, schat, ik maak dit wel af. Ga naar boven en leg het tafelkleed neer voor het ontbijt, dan ben je klaar. Lekker slapen, mooie dromen.'

Ze wachtte op Ralphs 'laat de Zandman nu maar komen', maar hij vertrok zonder iets te zeggen. Ze hoorde hem langzaam de trap op gaan, als een oude man. O god, en nu was het háár beurt om hem te verraden.

Winnie deed haar schort af en bekeek zichzelf in de spiegel. Het was nog licht buiten, maar de bijkeuken verkeerde in een permanente schemer. Ze keek wat beter en kneep in haar wangen. Het leek stom dat ze zich mooi maakte voor een man die haar niet kon zien, maar er waren ook nog andere mensen. Ze deed haar kralenketting om en zette haar hoed op.

Boven sloeg de klok negen uur en ze hoorde de voordeur dichtslaan achter Alwyne, die uitging, stipt als altijd. Ze hadden afgesproken dat ze elkaar onder de spoorbrug zouden treffen, hun enige erkenning van het clandestiene karakter van de afgelopen week. Winnie stopte even. Buiten het *pong-pong* van de lekkende kraan was er geen enkel geluid. Ze zou zich niet schuldig moeten voelen; ze had nu immers geen dienst. Ze had Ralph verteld dat ze met een vriendin had afgesproken. Zelfs als hij de hond zou gaan uitlaten en haar met Alwyne zou zien, zou dat niet zo raar zijn.

Winnie ging naar buiten. Ze beklom de stenen trap en stapte de straat op. De hemel was gestreept met windveren. Het was een prachtige zomerdag geweest, hoewel ze er weinig van had gezien. De lucht was zacht; er kringelde geur op van de struik die zich uit een spleet in de kelder van de buren had geworsteld.

Alwyne liep een stuk voor haar. Ze hoorde het *tik-tik* van zijn stok; het echode toen hij door de spoortunnel liep. Hij wachtte in stilte op haar. Hij stond voor de doelpaal die Archie al die jaren geleden op het metselwerk had gekalkt, met zijn hoofd scheef alsof er elk moment een bal door de lucht kon komen zoeven, geschopt door de fantoomvoet van een jongen die allang was verdwenen. Wi-innie, Wi-innie... Toen Winnie aan Archie, haar kwelgeest, dacht, voelde ze een kramp van zelfmedelijden. Ze dacht: veel beter kan ik niet verwachten, een glas port met een blinde man die niet kan zien hoe lelijk ik ben.

Winnie was een gevoelig meisje. Ze haalde Alwyne in en

nam zijn arm. Voor één avond waren ze een stel, dat uitging. Voor omstanders was ze ongetwijfeld een aardige jonge vrouw die een tragisch oorlogsslachtoffer hielp. Ze wist wel beter. Zij wist iets wat zij niet wisten, iets waar ze van zouden opkijken.

'Vertel me wat je ziet,' zei Alwyne.

'We lopen langs de winkels,' zei ze. 'Ze hebben hun luiken dicht omdat ze nu gesloten zijn.' Zachtjes ging ze verder: 'Ze zeggen dat Mr. Bunting, de groenteboer, een Duitse spion is, ze zeggen dat hij een radiozender op zijn dak heeft, maar dat is niet zo, hij houdt daar alleen maar duiven.' Ze liepen langs de grote winkel van Mr. Turk, waar de stoep glom van het dweilen; ze liepen door de steegjes, langs de binnenplaatsen, waar de lakens als spoken aan de lijn hingen en je dag en nacht baby's hoorde huilen. Vanuit hun deuropening keken vrouwen hen na; ze hurkten alsof ze zich ontlastten, maar dat vertelde Winnie niet aan Alwyne; het zou te grof klinken.

'We lopen nu door Dock Lane,' zei ze. 'Er woont hier een man, Mr. Purse. Hij heeft granaatscherven in zijn been en om de paar weken zakt er wat van omlaag, wat dan bij z'n voet eruit komt. De kinderen mogen er voor een halve penny naar kijken.'

Alwyne gierde van het lachen. 'Ik hou van je, Winnie,' zei hij, terwijl hij in haar arm kneep. 'Je bent uniek, wist je dat?'

'Ik ben niemand,' zei ze.

'Dat mag je niet zeggen! Weet je wiens schuld het is? Onze ellendige maatschappij, die jou vertelt dat je een niemand bent, dat je onzichtbaar bent. Maar voor mij ben je niet onzichtbaar. Ik ben blind, ik heb geen vooroordelen. En weet je wat ik zie? Een bijzondere, lieve en slimme jonge vrouw die me weer laat leven.'

Winnie was even te overdonderd om iets te zeggen. Ze waren bij de rivier aangekomen. Ze nam Alwyne bij de hand en leidde hem naar de kade.

'Ruik je dat?' vroeg ze. 'Ruik je de zee?'

Het water glinsterde in de ondergaande zon. Dit was even mooi als Brighton. Het licht ebde weg en er trokken zich wolken samen. Ze hoorden het gerommel van de donder.

'Toen ik klein was,' zei ze, 'dacht ik dat de donder het geluid was van God die in de hemel meubels verschoof.'

Alwyne draaide zich naar haar om. 'Mijn lieve schat,' zei hij en hij kuste haar. Hij had dit nog nooit in het openbaar gedaan, maar er was niemand in de buurt die hen kon zien. Winnie proefde zijn vertrouwde geur van tabak en baard, maar op zijn huid rook ze het zilte van de zee.

'Ik vraag me af of zíj dit doen, daar in Brighton,' fluisterde ze.

'Ik vertrouw die man niet,' zei Alwyne abrupt en hij week terug.

'Wat bedoel je?'

'Geloof me.'

Alwyne wilde verder niks zeggen. Winnie wou dat hij terugkwam en haar opnieuw zou kussen, weer zo onstuimig dat ze er een schok van kreeg, maar hij tik-tikte zich een weg over de keien. Ze haalde hem in en ze liepen verder naar de pub, waar het geluid van een pianola naar buiten kwam drijven. Er passeerde een schuit die het water deed deinen. Het was eb; kleine golfjes klotsten op de oever en verplaatsten het afval: sinaasappelschillen, botten, van alles en nog wat. Ze klotsten heen en weer, omkranst door schuim, in het wijkende licht.

In de pub was de rook te snijden. Alwyne bestelde een glas port voor haar en een pint licht bier voor zichzelf. Hij grabbelde naar de munten in zijn portefeuille, maar Winnie schoot hem niet te hulp, hij had zijn trots. Bovendien had er tegen die tijd al iemand anders betaald. Alwyne met zijn witte stok werd met respect bejegend. Een groepje dronken soldaten maakte de weg voor hen vrij en vond een plaatsje voor hen.

Een van de jongens trok er een stoel bij en ging zitten. Hij zei dat hij kanonnier in het Leicesters was en een week verlof had. In zijn ogen lag de wezenloze blik die Winnie inmiddels herkende. Ze had die bij Mr. Clay gezien.

'Wanneer ga je naar huis?' vroeg ze.

Hij schudde zijn hoofd. 'Ik blijf hier. Ik vermaak me hier uitstekend.'

'En je moeder dan?' vroeg ze. De port was haar direct naar het hoofd gestegen. 'En je liefje dan?'

Hij haalde zijn schouders op. 'De vorige keer dat ik naar huis ging, zei mijn moeder: *moet je zien hoe je erbij loopt. Je zit onder de luis.*' Hij stak twee sigaretten op en stopte er een tussen Alwynes vingers. 'Ze kunnen de pot op.'

Alwyne begon over de oorlog te praten. Hij zei dat het een daad van massale waanzin was die de arbeidersklasse zou wakker schudden uit zijn lange slavernij. Als hij voorbij was, zou er een schitterende nieuwe wereld ontwaken. Winnie had dat natuurlijk allemaal al eens eerder gehoord. Maar je moest niet te streng oordelen; door de oorlog waren duizenden mannen zoals Alwyne enigszins de kluts kwijt, de arme drommels. Haar gedachten waren veel dringender, want ze moest zojuist aan een van haar eerdere zorgen denken. Hoe moest het met Ralphs suiker?

St Jude sloeg elf uur toen ze naar huis liepen, met Alwyne als een dode last aan haar arm. De vensters waren donker. Winnie was opeens zo moe dat ze nauwelijks de deur open kreeg. De liefdesverklaring aan de rivier leek nu opeens nietszeggend, een hoop nonsens. Morgen zou Mr. Turk aankomen en die zou een kop thee willen.

Hij was een man die verwachtte dat er in zijn behoeften werd voorzien. Het was haar taak om voor hem te zorgen en als haar dat niet lukte, zou ze eruit vliegen. Ze zou weinig steun krijgen van Mrs. Clay – Mrs. Turk. Het was duidelijk waar háár loyaliteit lag. Winnie had zich het vuur uit de sloffen gelopen om het huis klaar te maken voor haar nieuwe meester, maar al die moeite kon teniet worden gedaan door dat gevalletje met de suiker. Het probleem was dat hun rantsoen al vier dagen op was en er was geen kruimeltje van het spul meer in huis. Geen kruimeltje, behalve in Ralphs geheime voorraad.

Winnie wist waar hij die had verborgen; ze kende zijn kamer door en door. Ze wist ook dat de kleine puntzakjes suiker een cadeautje van Boyce waren. De plaatsen waar Boyce ze vandaan had – de Criterion, de Zanzibar – riepen Boyce' vrijpostige afscheidsgroeten zo levendig op dat Winnie bijna zijn stem kon horen. *Trusten, Winnipeg, niets doen wat ik ook niet zou doen.* Als Ralph 's middags weg was, zou het gemakkelijk zijn er maar een paar te pakken.

Wat stak daar nu voor kwaad in? En nu ze erover nadacht, zou Ralph bovendien wíllen dat ze ze pakte. Ze hielden van elkaar, ze hadden alles voor elkaar over en Ralph zou het vreselijk vinden als haar baantje op de tocht kwam te staan door een beetje suiker.

Winnie bleef onder aan de trap even staan. De poes drukte zich tegen haar rok.

'Ontvangt u nog bezoek?' fluisterde Alwyne in haar oor.

Winnie gaf geen antwoord. Of hij nu naar boven ging, naar zijn eigen bed of naar beneden, naar het hare, leek nauwelijks van belang. Het ware verraad had niets met Alwyne te maken en ze voelde een steek in haar hart.

Ralph liet zichzelf binnen in het huis. Het was half vijf, zijn gebruikelijke tijd van aankomst. Brutus sprong met kwispelende staart tegen hem op, wat hij altijd deed. Op honden kun je vertrouwen, ze veranderen nooit, en dat was een van hun beste eigenschappen.

Ralph stond stil en luisterde. Uit de keuken klonk het zachte gekletter van pannen. Boven kon hij het gemompel van stemmen horen. Hij spande zich in om het te verstaan. Het klonk als zijn moeder, die tegen Mrs. O'Malley praatte. '... orkest...' hoorde hij. '...West Pier...' Mrs. O'Malley moest uit haar kamer zijn gekropen om het nieuws over de grote wijde wereld te horen. Haar moeder moest uit haar slaapkamer zijn gekomen, waar ze aan het uitpakken was, om op de overloop een praatje met de oude vrouw te maken. De meeste gesprekken in het huis vonden plaats op de trap.

Ralph keek naar de kapstok. Er hing geen vreemde jas. Hij wierp een blik in de salon. De tafel, het buffet, de piano, de foto's... alles was zoals het altijd was geweest. Een dwaas moment dacht Ralph dat het allemaal een droom was geweest. Zijn moeder was thuisgekomen van een welverdiende vakantie en het leven zou gewoon weer z'n gangetje gaan.

Daarna dacht hij: ze hebben ruziegemaakt! Ze gingen naar Brighton en daar kwam ze tot bezinning en het was afgelopen nog voor het goed en wel was begonnen. Het was een waanzinnige verliefdheid geweest, het soort gekte dat Boyce had gevoeld voor de roodharige dochter van de stoffeerder voor wie hij had gewerkt, die een brutaal nest bleek te zijn. *De schellen vielen me van de ogen*, had hij gezegd. *Wat ben ik een uilskuiken geweest! Wat een reusachtige, eersteklas sukkel!*

'Ralph, schat van me!' Zijn moeder kwam de trap af gerend. Ze sloeg haar armen om hem heen. 'Ik heb je gemist.'

'Wat ruik ik?'

'Lekker, hè?' Ze wierp haar hoofd naar achteren, zodat hij aan haar hals kon snuffelen. 'Rozenolie.'

'Waar is Mr. Turk?'

'Neville, schat. Hij is in de winkel.' Ze gaf hem iets wat in papier was ingepakt. 'Het is een zuurstok.' Ralph haalde een lange, roze stok tevoorschijn. 'Er staan van onder tot boven woordjes op,' zei ze.

Ze leidde hem naar de achterkamer en liet zich op een stoel vallen. 'Vertel eens hoe jij het hebt gehad en wat je hebt gedaan.'

'Ik heb het prima gehad,' zei hij. 'Wat is er met je neus gebeurd?'

Haar neus was felrood. Er zaten velletjes op. 'Ik heb in de zon gezeten,' lachte ze. 'Het was gisteren zulk mooi weer, hier ook? Ik ben zelfs gaan pootjebaden. Brighton is heel mooi. Ik zal je er ooit mee naartoe nemen.'

Maar Ralph luisterde niet. Hij staarde naar de muur. 'Wat doet dat daar?'

'Wat?'

'Dat.'

Aan de muur boven een bijzettafel hing een kastje met glazen deurtjes. Het hing op de plaats waar eerst het schilderij *Een hertenbok in het nauw* hing. In het kastje stond een verzameling zilveren bekers.

'O, die zijn van Neville. Hij was ooit bokskampioen, weet je. Dit was het enige plekje dat we konden vinden.'

Op de vloer lag een klein bergje steenstof, waar iemand in de muur had staan boren. Ralph draaide zijn hoofd weg om de rest van de kamer te inspecteren. De foto van zijn vader stond nog altijd op de schouw. Maar de kamer voelde niet meer hetzelfde. Niet met dat ding daar, dat zijn poederachtige excretie op hun tapijt had laten vallen.

Zijn moeder tikte op de stoel naast haar. 'Kom zitten en vertel me je nieuwtjes. Zullen we een kopje thee drinken? Ik zal Winnie roepen. Ze blijkt zelfs wat suiker voor ons op de kop te hebben getikt.'

'Heb je Brutus uitgelaten?' vroeg Ralph.

Ze schudde haar hoofd.

'Dan zal ik het doen.' Ralph liep de gang in en pakte de lijn van de tafel. 'Hij zal wel op springen staan.'

Ralph kon niet slapen. Het was erg benauwd; hij had het raam opengezet, maar zijn kamer voelde nog steeds verstikkend aan. Hij schopte de deken van zich af en lag nu alleen onder het laken, met z'n armen en benen uitgestrekt als een zeester. In de kamer naast hem hoorde hij het zilveren geklingel van zijn moeders klokje. Middernacht. Het gedempte gebonk en gemompel was opgehouden, maar hij voelde die twee daar liggen, aan de andere kant van de dubbele deuren. Het was de eerste nacht dat Mr. Turk bij zijn moeder in bed lag. Ralph kon hem bijna horen ademen.

Brutus had een nachtmerrie. Hij lag op het kleed zacht te janken en met z'n poten te trekken. Ralph voelde zich heel eenzaam als zijn hond in zijn eigen geheime wereld verdween. Er lag een bot op de vloer. Dat had Mr. Turk aan Brutus gegeven, samen met een hele doos voorraden die hij mee naar huis had gebracht en aan Winnie had gegeven om in de provisiekast te zetten. Blikjes ananas, peren, sardines – hoe kwam hij aan al die dingen? Bij het eten waren er flessen donker bier op tafel verschenen. Ralph had er niet van gedronken maar hij was heel beleefd geweest. Hij had Mr. Turk zelfs gevraagd of hij een aangename treinreis had gehad.

De gordijnen waren open. Buiten scheen een volle maan; boven de zwarte klip van het viaduct kon Ralph de melkachtige gloed zien. Waarom kwam de maan elke avond op een andere plaats op? Waarom hing hij nu eens laag in de lucht en dan de volgende nacht, op dezelfde tijd, weer hoog boven hem? Er was niemand aan wie Ralph het kon vragen. Zijn moeder en Winnie zouden geen idee hebben. Zijn vader zou het antwoord hebben geweten, maar zijn vader was dood. Ralphs moeder zei dat hij in de hemel was maar Ralph had het vermoeden dat die niet bestond. Hij wist dat eigenlijk vrijwel zeker. Het was een kwestie van tijd voor het wetenschappelijk werd bewezen. Over hoogstens een jaar of twintig, dertig zouden de mensen onomstotelijk bewijs hebben dat God een verzinsel was om mensen gerust te stellen. *Verlos ons van het kwaad.* Nou, dat had Hij mooi niet gedaan.

Nee, God zat niet in de mensen; Hij zat alleen in de natuur. God zat in de slakkenhuizen die Ralph met zijn vader had verzameld: hun tere wereldjes, het wonder dat ze waren. God had ze allemaal een andere kleur gegeven, uit liefde. Ralph had de huisjes in zijn rariteitenkabinet gerangschikt. Dat hing aan de muur en was een kistje met een glazen voorkant vol vogelnestjes, schedeltjes en stenen pijpjes die hij bij de rivier had gevonden. De slakkenhuizen hadden een eigen plankje. Wat waren ze toch mooi vergeleken bij de grote, zweterige mensen met hun rode gezichten en bierkegel!

De hond gromde. Ralph werd zich bewust van een geluid. Het kwam uit de aangrenzende kamer.

Hij versteende. Eerst was het geluid zacht, zo zacht dat alleen de hond het had bespeurd. Ralph deed zijn handen tegen zijn oren. Hij lag verstijfd, biddend dat het zou ophouden. Hij opende en sloot zijn benen als een schaar in een wanhopige poging zichzelf af te leiden, zoals hij deed als hij moest gaan spugen. Hij perste het kussen tegen zijn gezicht en probeerde het weg te drukken, maar hij kon het ritmische gekraak van de veren van het bed in de kamer naast hem nog steeds horen.

Het bloed stroomde naar zijn gezicht. Hij stapte uit bed en sloop naar de deur. Hij moest ontsnappen. Hij zou naar Boycies kamer gaan, waar het bed opgemaakt was. Die was twee verdiepingen hoger, boven in het huis. Daar zou hij niks horen.

Ralph sloop de trap op en passeerde de eerste overloop. Het maanlicht stroomde door het raam naar binnen en de vloerplanken baadden in het licht. Hij draaide de knop van Boyce' deur open en ging naar binnen.

Ralphs blik verstarde. Heel even dacht hij dat hij een rommelkamer was binnengegaan. Boycies slaapkamer was van de vloer tot aan het plafond volgestouwd met meubels: tafels, stoelen, een hangkast, een ladekast. Er was geen ruimte meer over. Het maanlicht zette de meubels in een spookachtig licht; het scheen op het geboende mahonie. Iemand had op Boycies bed een houten dekenkist gezet, zo groot als een lijkkist.

'Maar het is Boycies kamer!'
    'Neville moest zijn spullen toch ergens zetten...'
    'Je had die kamer voor Boyce vrijgehouden.'
    'Hij had zijn woning verhuurd en hij moest zijn spullen eruit halen. Bovendien is dit nu zijn huis.'
    'Je zei dat je hem vrijhield voor Boyce.'
    Ze zaten op Ralphs bed. Eithne nam Ralphs hand in de hare. Ze zei heel ernstig tegen hem: 'Boyce komt niet terug.'
    'Misschien wel. Hij is vermoedelijk verdwaald en zwerft nu ergens rond. Hij is misschien gevangengenomen.'
    Eithne keek naar haar zoon. Vanaf de trap klonk het sjisjsjisj van Winnies bezem. 'Ralph, hij is dood. Ik heb een brief van zijn moeder gekregen.'
    'Wanneer?'
    'Vier maanden geleden.'
    Ralph staarde haar aan. 'Waarom heb je me dat niet verteld?'
    'Er was nooit een geschikt moment. Ik vond dat je al genoeg op je bordje had. Ik dacht dat het je zou afleiden van je examen.'
    Ralph keek haar kwaad aan. 'Dat examen kan me geen bal schelen!'
    'Ralph!'
    'Ik haat het.'
    'Wil je geen volwassen man worden, met een mannenbaan?'
    'Waarom?'
    'Hoe bedoel je, waarom?'
    Ralphs ogen glinsterden door de tranen. 'Wat heeft het mijn vader opgeleverd?'

Er viel een stilte. Buiten de deur was Winnie aan het neuriën, ofwel omdat ze hun stemmen wilde smoren of omdat ze zich nergens om bekommerde. Hoe dan ook, Eithne was jaloers op haar. Het was pas elf uur 's ochtends en ze wilde terug in bed kruipen.

'Ik moet Winnie helpen.' Ze stond op. 'Genoeg onzin gekletst. Je moet beneden aardappelen gaan schillen. Over een uurtje komt Neville thuis voor het warme eten.'

'Komt hij thuis wárm eten?'

Eithne keek haar zoon aan. 'Ralph, dit is zijn thuis. Ik ben zijn vrouw. Hij staat om vijf uur op, hij werkt alle uren die God hem geeft en hij verwacht een warme maaltijd tussen de middag. Er is veel waar we hem dankbaar voor moeten zijn, je hebt geen idee.' Ze zag voor het eerst een stel puisten op Ralphs kin. 'Het zal vanaf nu anders worden, maar het komt allemaal goed als iedereen maar z'n best doet. Ik vertrouw op je, kameraadje van me. Ik heb altijd op je vertrouwd en niets kan dat ooit veranderen.' Ze glimlachte vrolijk. 'Laten we naar de film gaan, wij met z'n tweetjes. We gaan volgende week, maandag of dinsdag, wanneer je maar wilt. We kunnen een ijsje gaan eten!'

Ralph keek haar aan met een koude glimlach, zoals een leraar naar een stoute leerling kijkt. Wat zag hij er al groot uit, zoals hij daar ineengedoken op zijn bed zat. Eithnes hart kromp ineen.

'We kunnen naar de speelhal gaan,' zei ze. 'Ik heb nu heel veel geld, we kunnen alles doen wat je wilt.'

Zijn gezicht klaarde een klein beetje op. Heel even was er een flits van hun oude band.

Eithne ging de kamer uit en deed de deur achter zich dicht. Ze botste bijna tegen Alwyne op, die als een schim op de trap stond. Die man leek overal waar ze kwam in de weg te staan.

'Wat wil je?' snauwde ze.

'Niets. Ik was op zoek naar Winnie.'

'Nou, daar is ze.' Eithne wees omlaag naar de hal, waar Winnie opnieuw de strook stof rond het handvat van de bezem wikkelde. Dat was een tijdje geleden gespleten. 'Beneden,' zei ze, zich realiserend dat hij niet kon zien.

Eithne ging naar haar slaapkamer en deed de deur dicht. Eindelijk was ze alleen. Opeens kon ze er niet meer tegen. Ze viel op haar knieën naast het bed en drukte haar neus in de omgewoelde lakens. Ze haalde diep adem en rook haar echtgenoot, ze dronk hem op.

5

Ik kwam langs een man uit Cornwall, die vanaf z'n schouders tot z'n middel was opengereten door granaatscherven, z'n maag lag in een plas bloed naast hem op de grond. Toen ik bij hem kwam, zei hij: 'Schiet me dood', geen enkele menselijke hulp zou hem nog kunnen redden. Hij stierf nog voor we een revolver konden trekken. Hij zei alleen maar 'moeder'.

Soldaat Harry Patch, Cornwall's Light Infantry

Neville was bezeten van zijn vrouw. *Ik aanbid u met mijn lichaam.* Hij had gedacht dat zijn honger wel zou afnemen als hij haar eenmaal bezat, maar die was alleen maar groter geworden. Hij aanbad elke centimeter van die vrouw: haar zware borsten, haar ronde buik, het ruwe bosje schaamhaar waarin hij als een varken op zoek naar truffels rondwroette. Op weg naar Smithfield, op de vroege, beparelde zomerochtend, drukte hij zijn hand tegen zijn neus en rook hij haar geur aan zijn vingers. Eithne was zijn wonder, zijn verbluffende buitenkansje. Hij had geen idee hoe haar man was gesneuveld, ze had er niet over gepraat, maar het was sterker dan Neville: hij prees de Duitse granaat die dit verrukkelijke wezen in zijn armen had gedreven.

Hij hield van haar loomheid, hij vergaf haar zelfs haar slordigheid. Ze was te edel om als een sloof te werken; ze was voorbestemd om een prinses te worden, om vertroeteld en aanbeden te worden en hij was haar komen redden.

Want Neville had plannen. Eithne zat op een waardevol object en het was zijn taak haar te helpen het te exploiteren. Hij vertelde haar in die eerste weken nog niet over de volle omvang van zijn plannen, want een vrouw moest geleidelijk worden verleid. Eithne had een explosief temperament; hij was haar uitbarsting in het Café Royal nog niet vergeten. Ze was van nature reuze loyaal en dat bewonderde hij in haar. Nu was hij haar echtgenoot, hij nam aan dat ze hetzelfde zou doen namens hem. Nee, hij moest haar stap voor stap overhalen; hij moest de voordelen voor haar schetsen en haar het gevoel geven dat zij tot hetzelfde besluit zou zijn gekomen als ze maar op het idee was gekomen. Het was tenslotte allemaal in haar voordeel.

Maar wat was ze teerhartig! Toen Neville het huurboek inspecteerde, was hij onthutst toen hij zag hoe armzalig weinig de huurders betaalden.

'Heb je nooit van inflatie gehoord, liefste?' zei hij. 'De prijs van het brood is verdubbeld.'

'Ik weet dat die is verdubbeld. Ik koop brood.'

Mrs. O'Malley, de oudste bewoonster van het huis, had de afgelopen drie jaar steeds dezelfde huur betaald. 'Ze moet hebben gedacht dat het eeuwig Kerstmis was,' zei Neville.

'De arme schat. Ze weet niet eens wanneer het Kerstmis is.'

De Spooners liepen vijf maanden achter. 'Heb je dat al die tijd maar geaccepteerd?'

'Wat kan ik doen? Moet ik ze dan op straat zetten? Zijn medicijnen zijn heel duur, zij ondersteunt twee van haar zusters en hun kinderen. Ze werkt negen uur per dag, ze doet haar best. Hoe kan ik hun om geld vragen nu hij er zo slecht aan toe is?' Ze keek hem boos aan en duwde haar haar naar achteren. 'Ze zijn mij trouw gebleven en ik blijf hen trouw.'

Eithnes koppigheid betoverde hem, want hij was opnieuw verliefd. Neville gaf deze strijd op; er was genoeg tijd om het later op te lossen.

Ze weigerde ook een huishoudster in dienst te nemen.

'Ik betaal haar loon,' zei hij. 'Zo kan het niet langer. Ik wil mijn vrouw niet op haar handen en knieën zien kruipen.'

'Winnie zou het vreselijk vinden om bevelen van een vreemde te krijgen. Waarom maken we háár geen huishoudster en nemen we een dienstmeisje om haar te helpen?'

Neville moest voorzichtig te werk gaan. De waarheid was dat Winnies werk een hoop te wensen overliet. Neville had de kamers van de huurders nog niet geïnspecteerd, want hun bewoners leken permanent aanwezig te zijn, maar de gemeenschappelijke vertrekken verkeerden in een belabberde toestand. De tapijten waren smerig, het behang zat vol vlekken; er hing rag rond de lampenhouders. In de badkamer was het linoleum gaan krullen en de ketting van de spoelbak was gebroken en vervangen door een stukje touw. Zelfs in de zomer hing er een muffe lucht, alsof de ramen nooit opengingen. De keuken was een nog treuriger verhaal. Maar Neville hield zijn mond. De jaren dat hij met zijn moeder leefde hadden hem de kunst van de diplomatie bijgebracht.

En zoals alle diplomaten beschikte Neville over een onopvallend soort listigheid. Hij vermoedde dat er wel eens wat weerstand kon zijn tegen zijn grote plan voor het huis. Dus liet hij op een dag in juni een object bezorgen.

Toen hij terugkwam van zijn werk, trof hij in de hal Winnie en haar mevrouw aan die ernaar stonden te kijken.

'Het is een stofzuiger,' zei hij. 'Mr. Hoover's Electric Suction Sweeper.'

Op een stok was een motor waar borstels aan zaten gemonteerd. Er hing een slappe zak van stof aan die aan een steuntje was vastgehaakt. De twee vrouwen stonden er een eindje vandaan, alsof hij zou kunnen ontploffen.

'Nooit meer rugpijn!' zei hij. 'Dit kereltje doet het werk voor jullie. Hij is uitgevonden door een Amerikaan en die kunnen er wat van.'

Winnie kwam een stapje naderbij; ze raakte hem aan met haar vinger. 'Hoe werkt hij?'

'Op elektriciteit.'

'Maar we hebben geen elektriciteit,' zei Eithne.

'Dat was mij ook opgevallen, liefste.' Hij knipoogde naar haar. 'Anders dan sommige mensen ben ik niet blind. Ik heb een goede vriend in de bouw die het voor een schappelijk prijsje wil aanleggen. Heel schappelijk. Ik heb wat van hem te goed.'

'Wat moet-ie aanleggen?'

'Elektriciteit. Dit is de twintigste eeuw, mijn lieveling. We kunnen niet in het duister rond blijven darren.'

Eithne staarde hem met grote ogen aan. Zijn oog viel op haar borsten, waar haar blouse strak omheen spande. Ze droeg de gittenketting die hij tijdens hun huwelijksreis voor haar had gekocht.

'Hoe moet het met de rommel?' vroeg ze. 'Hoe moet het met de huurders? Wie gaat het betalen?'

'Daar hoef jij je knappe hoofdje niet over te breken.'

'Hoe zit het met de eigenaar? Wat zal hij ervan zeggen?'

Neville glimlachte. 'Hij staat voor je.'

Er viel een stilte. Op straat liet de voddenman zijn bel rinkelen.

Eithne fluisterde: 'Wat zei je daar?'

'Morgen krijg je een brief. Het is allemaal in kannen en kruiken.'

'Heb jij het huis gekocht?'

Neville knikte. Hij voelde een warmte in zijn kruis, een golf van macht.

'Waarom heb je me dat niet verteld?'

'Ik wou je verrassen.'

De deur ging open en Mrs. Spooner verscheen; ze kwam thuis van haar werk. Ze keek naar de drie mensen die rond de stofzuiger stonden. Ze gingen opzij en zij schoot langs hen, waarbij ze een achterwaartse blik op de machine wierp alsof die haar achterna zou komen.

Winnie zei: 'Hoe moet ik dat ding de trap op en af zeulen?'

Eithne stond nog steeds naar haar man te kijken. 'Hoe ben je aan het geld gekomen?'

Neville tikte tegen de zijkant van zijn neus. 'Laten we zeggen dat hij er maar al te graag van af wilde. Het zat onder de bruinrot.'

Haar ogen werden nog groter. 'Nee toch! Echt waar?'

Neville grinnikte. 'Dat heeft de taxateur hun verteld.'

'Welke taxateur?'

Nevilles glimlach werd nog breder.

'Ik heb geen taxateur gezien,' zei Eithne.

In de stilte sloeg de klok zes uur. Winnie verdween naar de keuken. Man en vrouw stonden met z'n tweeën in de gang.

'Ah,' zei Eithne.

Het was heel benauwd; Eithnes gezicht glom van het vocht.

Neville stelde zich voor hoe het tussen haar borsten druppelde.

'Het is dus van ons,' zei ze.

Neville knikte.

Eindelijk – ten langen leste – glimlachte Eithne. Neville voelde het voltage ervan, als een elektrische schok. Haar ogen glinsterden.

'Nou, nou,' zei ze. 'Je hebt het wel voor elkaar, hè?'

Hij fluisterde in haar haar. 'En wanneer krijg ik m'n beloning?'

'Later.'

Maar Neville drukte zich tegen haar aan, duwde haar de

gang door. Hij werkte haar de achterkamer binnen en deed de deur dicht. Deze kamer werd nu alleen door hen gebruikt; Neville had de huurders verboden er nog te komen. Maar de jongen zou binnen kunnen komen. Neville duwde zijn vrouw tegen de deur. Hij frommelde onder haar rokken en gooide ze omhoog.

'Dit kan niet,' fluisterde ze. Maar nu stootte hij zijn hand omhoog tussen haar benen. Wat was ze vochtig door de zijde van haar broekje heen!

Eithnes benen werden slap. Neville moest haar overeind houden om te voorkomen dat ze op de vloer gleed. Ze hielp hem en stapte bevend uit haar broekje door het met haar ene voet van de andere te trekken.

'Ik wil dat je deze van nu af aan niet meer draagt,' fluisterde hij schor in haar haar. 'Begrepen?' Hij schopte het ondergoed opzij.

Ze knikte zonder iets te zeggen. Hij frummelde aan de knopen van zijn broek, die hij een voor een openwrikte.

'Ik wil aan je denken zoals je zonder broekje rondloopt, waarbij ik de enige ben die het weet,' mompelde hij. 'Ook buiten. Ik wil me je voorstellen op straat, met niks eronder.' Hij lachte zachtjes. 'Bovendien ben ik nu eigenaar. Ik wil toegang tot mijn bezit.'

Ze waren allebei even lang; met zijn broek op zijn enkels plantte hij zich in positie en drong bij haar binnen.

Eithne huiverde; ze hield zijn blote billen vast en drukte hem dieper in zich. Ver weg rinkelde de bel voor het avondeten. Hij stootte op en neer, hard. Eithnes hoofd stuitte tegen de deur. Hij omvatte het met een van zijn handen terwijl hij haar met de andere overeind hield want haar benen voelden aan als boter.

Eithne keek langs Nevilles hoofd. Op de schouw stond de foto van Paul in het uniform van het Middlesex Regiment. En opeens stond ze te snikken – heftige, droge snikken. Ze deinde met ze mee, trillend als een dier en toen schreeuwde ze, en Neville moest zijn hand tegen haar mond drukken om haar stil te houden.

Op maandag kwamen de werklui om de elektriciteit aan te leggen. Winnie had de vloeren met stoflakens bedekt, in afwachting van de invasie. Ze waren gewapend met hamers en boren en droegen grote spoelen draad. Waar had Mr. Turk hen gerekruteerd? Het was een raadsel hoe hij midden in de oorlog met een knip van zijn vingers vier sterke mannen kon optrommelen.

De huurders waren natuurlijk gewaarschuwd. 'Wat gebeurt er als er brand uitbreekt? Dan worden we allemaal geroosterd,' jammerde Mrs. O'Malley.

Neville verzekerde haar dat het volkomen veilig was. Het was zelfs zo dat de kans op een ontploffing groter was bij gas.

Maar toen de mannen arriveerden dacht Mrs. O'Malley dat het Duitsers waren. Ze sloot zich op in haar kamer en zong met haar hoge, krakende stem *Lieder* van Schubert. *Aus diesem Felsen starr und wild, soll mein Gebet zu dir hinwehen,* zong ze. 'Niet schieten! Ik ben een vriend van de Kaiser!'

De Spooners vonden het ook maar niets. Ze zaten ineengedoken op hun kamer als hazen die de drijvers horen naderen. Eithne ergerde zich aan hun gedrag. Beseften ze niet dat ze had voorkomen dat ze wellicht op straat werden gezet, nog afgezien van haar generositeit met betrekking tot de huur? Paul was altijd aardig voor hen geweest en het was in zijn nagedachtenis dat ze hen tegemoetkwam, ook al maakte hun aanwezigheid een inbreuk op haar privacy nu ze een getrouwde vrouw was en gestoord kon worden door een timide klopje op de deur. Soms verlangde ze ernaar dat het huis leeg zou zijn. Ze stelde zich voor hoe Neville en zij beneden naakt en lachend rondrenden en het bad deelden met de deur open, zoals ze tijdens die magische dagen in Brighton hadden gedaan.

Maar nu verkeerde het huis in chaos; overal lag stof, er klonk gehamer en geboor en het verontrustende gekraak van gasleidingen die van de muren werden getrokken, en er moesten eindeloos veel kopjes thee worden gezet. De werklieden beloofden dat de huurders er zo min mogelijk ongemak van zouden ondervinden, dat ze een kamer in een dag klaar konden hebben als ze maar vrij hun gang konden gaan.

'Wat zullen we met mijn man doen?' fluisterde Mrs. Spooner. Eithne stelde voor om hem een dagje in de salon te zetten, maar één blik op het gezicht van Mrs. Spooner volstond om te weten dat dit volstrekt onmogelijk was. Mrs. O'Malley bracht redding.

'We moeten elkaar in deze gevaarlijke tijden steunen. Zo zal ik mijn plicht doen.' Ze bood Mr. Spooner haar kamer aan voor zolang het werk duurde. Hij zou ten slotte tegen de avond weer gewoon in zijn eigen bed liggen.

Eithne was geroerd door deze geest van saamhorigheid. Het was een blijk dat de huurders haar man waardeerden. Als ze maar een greintje verstand hadden, waren ze nu hard op weg om van hem te gaan houden. Neville vulde hun buikjes elke avond met vlees, hij had hen gered net zoals hij haar had gered, en nu redde hij het verwaarloosde huis; hij trok de grauwsluier van het verleden weg en bracht licht in hun leven. Ze zouden binnen een week een knop kunnen omdraaien en – tada! – alles zou zijn verlicht.

De werklui hadden bovendien nog een taak. Ze moesten de dubbele deuren verwijderen die de twee kamers op de eerste verdieping verbonden en er een muur voor in de plaats zetten. Dit was natuurlijk in overleg met Ralph gebeurd. Moeder en zoon wisten beiden de reden maar geen van hen noemde die. De afsluiting zou hun beiden wat privacy opleveren.

Ralph had er met een schouderophalen mee ingestemd.

Hij had de afgelopen weken nauwelijks met zijn moeder gepraat, er was te veel afleiding. Hoewel hij hardnekkig vegetariër bleef, was hij beleefd geweest tegen Mr. Turk en had hij geen verdere tekenen van rebellie vertoond. Ze kwamen elkaar eigenlijk nauwelijks tegen. De slager verliet het huis lang voor iemand wakker was en 's avonds at Ralph samen met de huurders in de salon, terwijl Eithne en haar echtgenoot een uurtje later in de achterkamer aten. Dit nieuwe regime was tijdens de eerste week van hun huwelijk geopperd door Neville. Ralph was uitgenodigd om samen met hen te eten, maar tot opluchting van zijn moeder – ja, dat gaf ze toe – had hij geweigerd. Deze regeling beviel iedereen.

Eithne was gelukkig, ondanks het stof. De werklieden floten, stommelden de trappen op en af, droegen zakken kalk voor de scheidingsmuur. Wat was dat een verandering, zo'n huis vol gezonde jonge mannen! Ze leken in haar ogen van een andere soort te zijn dan haar gebrekkige huurders en haar bleke, ernstige zoon. De werklui flirtten met haar, ze banjerden rond op hun grote schoenen en plasten als paarden zo krachtig in de buiten-wc. Zulke jonge kerels had ze in geen jaren gezien. Ze vervulden haar met hoop.

Ze daagde hen in stilte uit te raden dat ze naakt was onder haar rokken. De zon blikkerde aan de hemel; Londen was in de greep van een hittegolf, maar wat voelde ze zich vrij, zo onbelemmerd!

Ze glimlachte naar hen als ze thee dronken, blozend door haar geheim. *Ik wil toegang tot mijn bezit.* 's Avonds zat ze in de achterkamer, bladerend door een armaturencatalogus. Intussen kroop de hand van haar echtgenoot onder haar rok en tastte die omhoog als een blind ding, tot de catalogus op de grond plofte.

Winnie was afgepeigerd. Dood- en doodmoe was ze door haar poging enige orde te scheppen in de drukkende warmte. Het huis was een maalstroom van activiteit. Dit soort dingen gebeurde als Mr. Turk thuis was: hij was net een tank, die dwars door alles wat op zijn pad kwam heen denderde en puin achterliet. De buitenwereld was al tijden net zoals de oorlog in een soort patstelling overgegaan. Er werd niets gedaan omdat er niemand was om het te doen. In de straat was een kapotte ruit waar al vier jaar niets aan was gedaan, sinds iemand had ontdekt dat Henry Tong een dienstweigeraar was en een steen door z'n raam had gegooid. Henry Tong was allang verdwenen, zoals zoveel vertrouwde gezichten. Maar dat was de enige verandering in de buurt geweest. De winkels ploeterden voort met hun uitgedunde personeel; de mensen ploeterden voort en leefden van dag tot dag. Te midden van deze apathie was Mr. Turk een opzwepende kracht. Winnie herinnerde zich zijn overname van de naburige winkels, het leger van werklui en de lichten die 's avonds schitterden.

Hoe kreeg hij het allemaal voor elkaar? Alwyne suggereerde dat Mr. Turk kapitalen aan de oorlog had verdiend, maar wist hij ook hoe?

Alwyne Flyte en zij hadden hun relatie voortgezet. Na de komst van de pasgehuwden waren ze aanvankelijk wat voorzichtiger geweest, maar ze ontdekten al snel dat Mr. en Mrs. Turk alleen maar oog voor elkaar hadden, wat de kans op ontdekking nihil maakte. Alwyne lag tegen haar aan gedrukt in bed en zei dat Mr. Turk het type man was dat hij verachtte.

'Hij is een plutocraat vermomd als arbeider,' zei hij. 'Die zijn het ergst.'

'Hij behandelt me anders best goed,' zei Winnie.

'Kun je nooit eens over de grenzen van je eigen kleine wereld kijken?'

'Hoor wie het zegt,' zei ze. 'Jij en je muggenzifterij. Wie maakte zich vanochtend zo druk om de marmelade?' Ze konden inmiddels op deze manier met elkaar praten. Winnie had hem ten slotte op z'n onwaardigst meegemaakt; ze had allang alle respect voor hem verloren. In dat opzicht had Alwyne haar inderdaad bevrijd. Hij kon de pot op met al dat geklets over klassen. 'Ik vertrouw hem, ook al doe jij dat niet. Volgens mij ben je jaloers.'

Alwyne lachte. 'Op die aartslomperik?' Hij nam een trekje van zijn sigaret; het rode puntje gloeide in het donker. Hij had haar aangespoord te gaan roken, als bescherming tegen de griep, maar Winnie had het een keer geprobeerd en dat was een ervaring die ze liever niet herhaalde.

Ze gingen gedurende die weken heel hecht met elkaar om. Tussen hen in lag de onuitgesproken erkenning dat niemand anders hen wilde hebben. Dat was de harde waarheid. Zelfs de werklui, toch een ras dat bekendstaat om zijn interesse in de andere sekse, behandelden Winnie met een broederlijke guitigheid die even ontmoedigend als vertrouwd was. Het was nu eenmaal zo dat niemand lelijke mensen serieus nam. Ze schonken hun niet de volle aandacht, hun ogen schoten altijd naar anderen. En als die persoon een bediende was, had ze al helemaal geen kans.

Maar Alwyne was anders en Winnie zou hem altijd dankbaar blijven. Hij luisterde naar haar. Misschien omdat er naar hem ook nooit iemand luisterde. Het was haar opgevallen dat blinde mensen als zwakzinnigen worden behandeld. En toch was Alwyne intelligenter dan dat hele zootje bij elkaar.

'Hij is een bullebak,' zei Alwyne.

Winnie draaide zich in het duister naar hem toe. Ze wilde eindelijk haar hart luchten. Ze wilde hem vertellen hoe Elsie, haar vriendin die in het Woolworth Arsenal werkte, hoe zelfs Elsie haar in de oorlog tussen de seksen eerder als een vertrouweling dan als een medestrijdster behandelde. Elsie ging er terecht van uit dat Winnie niet meetelde. Zelfs Elsie had een vriendje en ze was zo geel als een kanarie. Ze werden zelfs kanaries genoemd. En haar pony was rood geworden.

'Mijn sergeant-majoor was precies zoals hij,' zei Alwyne. 'Een armetierig tirannetje.'

Dit trok Winnies aandacht. Alwyne sprak nooit over de oorlog. 'Wat deed hij dan?'

'Dat wil je niet weten, schatje.'

'Toch wel.'

'Laten we het erop houden dat oorlog een mens reduceert tot zijn essentie. Daar kunnen we dankbaar voor zijn, want het is het enige goede dat uit deze ellende kan voortkomen.' Alwyne liet een vreugdeloos lachje horen. 'Wie zal er nu nog bevelen gehoorzamen nu ze gezien hebben hoe hun eigen officier z'n hachje redde, hoe hij omelet zat te eten in een dorp dat zij niet mochten binnengaan nadat ze twee weken tot aan hun middel in de modder aan het front hadden gestaan? Nu ze gezien hebben hoe hun kameraden aan flarden werden geschoten? Dat is het enige wat me nog een beetje hoop geeft in deze hele ellendige klotetoestand.'

Winnie vergaf hem de grove taal; de oorlog maakte mensen ruw. Er viel een stilte. Weldra zou de dageraad aanbreken; het was half juni en de nachten waren al bijna voorbij voor ze goed en wel waren begonnen. Alwyne moest weer terug naar boven.

'Je kunt de geest niet meer in de fles terugstoppen,' zei hij, terwijl hij zijn sigaret in de haard knipte. 'Nu niet meer.'

'Wat heb jij in de oorlog gedaan?' vroeg ze.

'Brancardier. Ik wilde niet in dienst, ik wilde geen mensen doden.'

'Zelfs geen Duitsers?'

'Zelfs geen Duitsers. We zijn allemaal geïndoctrineerd, zie je. Jíj bent geïndoctrineerd; het hoort bij het systeem.'

Hij praatte verder maar Winnie luisterde niet meer. Ze werd doodmoe van zijn colleges. Ze was afgepeigerd en ze gaf eerlijk gezegd geen bal om indoctrinatie, wat dat ook mocht wezen. De simpele waarheid was dat ze haar ziel zou verkopen om uit te kunnen slapen. Wat Alwynes sergeant-majoor ook had gedaan, wat voor vreselijks dat ook mocht zijn geweest, zíj zou het doen als het betekende dat ze zich om zes uur nog eens kon omdraaien om verder te slapen. Ze mochten haar in de boeien slaan en voor de krijgsraad slepen, maar het zou haar, om met Alwyne te spreken, geen ene ellendige kloot kunnen schelen.

Het werk was halverwege de zomer klaar. Al de kamers en zelfs de trappen hadden leidingen gekregen voor de elektriciteit. Neville organiseerde een bijeenkomst in de salon, in de avondschemer. Hij wendde zich naar Lettie en wees op de koperen schakelaar naast de deur.

'Aan jou de eer, dametje,' zei hij.

Lettie kon er maar net bij. Ze duwde de schakelaar omlaag; de kamer baadde in het licht. Ze klapte in haar handen van enthousiasme. De volwassenen doken knipperend met de ogen ineen. Wat was het fel! Ineens werden hoekjes die ze nog nooit hadden gezien genadeloos blootgesteld.

'Lieve hemel,' zei Eithne. 'Moet je al dat rag zien.'

Van de oude gasleidingen waren alleen nog kleine houten rondjes over. Er liep een nieuwe, omhulde draad over de muur naar het plafond waar de lamp hing te schijnen in zijn glazen koepeltje. Neville knipte de twee tafellampen met hun kapjes met franje aan. Nu kwam aan het licht hoe smerig de kamer eruitzag!

Winnie dacht: dat zal een hoop werk worden. De salon was tot op dat moment een van de donkerste kamers van het huis geweest. Nu zag ze dat de kroonlijst zwart was van het roet. Ze voelde zich net zoals het meubilair blootgesteld, alsof ze naakt was. Alsof iedereen opeens kon zien wat er met Alwyne aan de gang was.

Alwyne zat in een wolk van sigarettenrook. Hij leek onbewogen, maar dat was nauwelijks een verrassing. Mrs. O'Malley knipperde met haar ogen, als een konijn dat betrapt wordt door een lantaarn.

'Weet u zeker dat het geen kwaad kan?' vroeg ze.

Over het gezicht van de slager trok een grimas van ergernis. Eithne zag het. 'Nou, ik vind het heel mooi,' zei ze monter.

'Fijn dat tenminste iemand dankbaar is,' zei Mr. Turk, terwijl hij met zijn hand over zijn snor streek.

Eithne liep naar de schouw en bekeek zichzelf in de spiegel. 'Lieve help,' zei ze. 'Ik krijg rimpels.'

Ralph inspecteerde later op zijn kamer zijn gezicht in het felle licht van de lamp boven zijn spiegel. Ook hij werd onaangenaam verrast. Op zijn kin leek een explosie van pukkels te hebben plaatsgevonden. Ze waren hem wel eerder opgevallen, toen hij zich probeerde te scheren, maar hij had ze nooit in zo'n meedogenloos licht gezien. Hij bekeek ze gefascineerd. De grootste, die roze waren en uitstaken, leken op tepels; sommige hadden een gelige klodder op de punt.

Boyce had ook een paar pukkels gehad, maar dat had de meisjes niet afgeschrikt. Ralph dacht terug aan Boycie met zijn groen geruite jasje en gele overjas; zijn voeten in lederen dansschoenen gestoken, klaar voor de campagne en de verovering. Wat een vent! Hij had geen enkel probleem op dat gebied. Hij had Ralph een geheimpje verklapt!

'Maak ze aan het lachen,' zei hij. 'Laat ze een limerick horen en je zit safe.'

Ik ken thuis een liefelijk meidje
die heeft ze niet echt op een rijtje,
want als de Zep overgaat
komt ze steevast op straat
In een zwart negligeetje van zijde.

Die nacht had Ralph een natte droom. Hij werd wakker, gloeiend van schaamte. Het laken was nat en kleverig. Wat zou Winnie ervan denken als ze het kwam verschonen? Erger nog, als zijn moeder haar hielp? Deze ongelukjes kwamen met steeds grotere regelmaat voor – om precies te zijn drie keer sinds de laatste wasdag. Drie plus één betekende vier vlekken, Ralph voelde met zijn vinger de harde plekjes waar de vlekken waren opgedroogd.

Aangezien Ralph op zijn rug sliep, was alleen het bovenlaken besmet. In de kamer naast hem sloeg de klok drie uur. Het geluid was tegenwoordig nauwelijks hoorbaar door de onlangs opgetrokken muur. Maar het zette hem wel tot actie aan. Hij zou een schoon laken uit de kast beneden halen en het bezoedelde vervangen. 's Ochtends zou hij het vuile laken in de wasmand proppen en niemand zou het merken.

Ralph stapte uit bed en sloop naar de deur. Intussen herinnerde hij zich zijn droom. Hij had van Winnie gedroomd. Ze stond voorovergebogen, met haar rok opgehesen – nee, mocht-ie niet aan denken. Hij deed blozend de deur open en tastte naar de lichtschakelaar, de gloednieuwe schakelaar die ergens op de muur zat. Hij liet zijn hand over het oppervlak glijden en uiteindelijk vond hij hem. Hij knipte hem aan.

De trap werd overstroomd door licht, verblindend, fel licht. Halverwege de trap versteende een gedaante.

Het was Alwyne, op weg omhoog. Hij keek naar Ralph, Ralph keek naar hem. Heel even leek het alsof hun blikken elkaar kruisten. Dat was natuurlijk niet zo; Alwynes ogen schoten heen en weer waarbij het wit zichtbaar werd.

'Wie is daar?' siste Alwyne.

'Ik ben het maar,' fluisterde Ralph. Zijn hart bonkte. Ook Alwyne leek geschrokken. Dat moest door het onnatuurlijke licht komen. Alwyne kon door zijn oogleden licht voelen; dat had hij Ralph verteld toen die hem vroeg waarom hij de lamp in zijn kamer aandeed. *Ik ben bang voor het donker*, had hij gezegd. Geen wonder, dacht Ralph, na alles wat die arme man heeft moeten doorstaan.

'Ik ben net naar de badkamer geweest,' fluisterde Alwyne.

'Dat weet ik,' zei Ralph. 'Ik hoor je voortdurend.'

Alwyne was even stil. Toen zei hij: 'Mag ik binnenkomen?'

Ralph deed het licht in zijn slaapkamer aan. Alwyne deed de deur achter zich dicht. Hij liep op de tast naar het bed en ging zitten.

'Wat bedoel je daarmee, dat je me voortdurend hoort?' vroeg Alwyne.

'Ik weet waarom je moet,' zei Ralph.

Alwyne hief zijn hoofd met een ruk omhoog. 'Waar naartoe?' snauwde hij.

Ralph bloosde. 'Je weet best wat ik bedoel.'

'Nee, dat weet ik niet, jongeman.'

Ze waren aan het fluisteren, maar Ralph begon nog zachter te praten. 'Naar het toilet.'

Er viel een stilte.

Ralph zei: 'Het komt zeker door de constipatie?'

Alwyne zakte weer wat in elkaar. Hij begon te trillen. De man giechelde. Dat verbaasde Ralph niet; de kwestie van toiletten en wat men daar deed was één grote bron van gêne. Het viel hem op dat Alwynes zwarte, woeste haar bovenop wat dun begon te worden, hoewel hij het lang had laten worden. De hoofdhuid schemerde erdoorheen. Ralph werd door medelijden overspoeld. Nu ze elektrisch licht hadden, werd er van alles onthuld.

'Je hebt me er zelf over verteld,' zei Ralph. 'Het bindende effect van rottend vlees. Daarom eet ik geen vlees meer.'

Alwyne hief zijn hoofd op. 'M'n beste jongen. Ik ben bijzonder op je gesteld.' Hij veegde met zijn mouw zijn natte ogen af. 'Dat weet je toch wel, hè?'

Waar kwam dat nu opeens vandaan? Ralph keek naar de man die daar in zijn vuile kamerjas en pantoffels op zijn bed zat. De nieuwe muur achter hem was roomwit geschilderd; ze hadden geen bijpassend behang kunnen vinden. Ralph wilde er dingen aan gaan ophangen, als hij dingen daarvoor kon bedenken.

'Het is niet gemakkelijk voor je geweest, hè?' zei Alwyne.

Ralph knikte. 'Ik weet niet of ik wel zo blij ben met dat elektrische licht.' Hij dacht: Mrs. O'Malley denkt dat het gaat ontploffen, de Spooners willen niks zien, Alwyne kan sowieso niet zien en ik vind het niks omdat het m'n puisten zo duidelijk maakt. 'M'n moeder zegt dat het haar oud maakt.'

'Je moeder is een heel mooie vrouw.'

'Hoe weet jij dat?'

'Winnie...' Hij stopte. 'Mensen hebben haar voor me beschreven. Je zult wel veel van haar houden.'

Ralph knikte. Toen besefte hij voor de honderdste keer dat Alwyne hem niet kon zien. 'Inderdaad.'

Alwyne mijmerde: *'In 't geile zweet van een vet-druipend bed, daar hoerig broeien, likken, slobberen, boven de zwijnenstal!'*

Ralph versteende. 'Hoe weet je dat?'

'Wat?'

Hij wist van Ralphs laken! Maar hoe kon dat? Ralph zweeg verward.

Alwyne zei: 'Ken je *Hamlet*?'

'Een beetje. Niet echt.'

'Laat de opgeblazen koning u opnieuw in bed lokken; u in uw wangen knijpen; met wulpse vingers, u zijn muisje noemen, en geef hem, voor een paar spekvette kussen, of voor vervloekt gekrieuwel in uw nek, gerust heel het verhaal.* Hamlet was een jonge man die in een vergelijkbaar parket als het jouwe zat.'

'Was hij ook vegetariër?'

---

* In de vertaling van Gerrit Komrij.

Alwyne gniffelde. 'Nou, er werd genoeg bloed vergoten. Genoeg om voorgoed vlees af te zweren.'

Ralph had geen idee waar Alwyne het over had. Hij had van begin af aan z'n twijfels over hem gehad.

'Ik neem aan dat je niet bekend bent met de werken van dokter Freud,' zei Alwyne. 'Hij zegt een paar interessante dingen over zonen en moeders. Best explosief materiaal, als je de moeite neemt hem te lezen.'

Ralph voelde zich plotseling slaperig. Hij wou dat die kerel hem met rust liet zodat hij het laken kon gaan halen. Het probleem met Alwyne was dat hij te veel praatte. Ralph kon het hem niet kwalijk nemen. Hij kon immers verder niets anders doen.

Ralph stond op. 'Ik denk dat ik naar het toilet ga,' zei hij.

Dat hielp. Ook Alwyne stond op. Hij raakte Ralphs arm aan. 'Dit kunnen we maar beter onder ons houden. De toestand van mijn ingewanden zal niemand interesseren. Begrepen?'

Het feit dat Mr. Turk nu het huis bezat en er plannen mee had, zorgde voor enige onrust onder de huurders. Ze waren aan zijn genade overgeleverd, en wie kon zeggen wat de toekomst brengen zou? Tot voor kort hadden ze zich veilig gevoeld in hun zieltogende omgeving. Er was al onrust genoeg in de wereld, je hoefde de krant er maar op na te slaan. Er vond een groot offensief plaats aan de Somme, wat, als hun geheugen hen niet bedroog, precies dezelfde plaats was als waar de geallieerden vier jaar eerder hadden gevochten, en al die mannen waren voor niets gesneuveld. Je kon je maar het beste gedeisd houden.

Maar Mr. Turk had nog meer plannen. De installatie van de elektriciteit was al enerverend genoeg geweest. Mrs. O'Malley, die bang was dat het uit de contactdoos in haar plint zou komen lekken, had de gaatjes dichtgestopt met brokjes niervetpudding. Het geraas van de stofzuiger die de trap op kwam en tegen haar deur bonkte was even beangstigend als een naderende tank. En waarom was zijn zak zo opgezwollen? Wat had hij verslonden dat hij zo opgeblazen was?

Ze waren vooral overrompeld door het tempo van Mr. Turks plannen. Want in de week erna werd er een telefoon geïnstalleerd. Winnie was in de kelder de wekelijkse was aan het doen. Dat was een omslachtige onderneming die haar de hele dag kostte: vuur maken, de koperen ketel met water vullen, het aan de kook brengen, de kleren slaan, ze over het wasbord wrijven en ze vervolgens droog wringen door de mangel en ze te drogen hangen op de rekken in de keuken, want in de tuin zouden ze onder het kolenstof komen te zitten. Dan moest er ook nog worden gestreken, wat vaak tot de volgende dag doorging. Soms wasten de huurders hun eigen intieme stukken, die ze dan voor hun haard te drogen hingen, maar er bleven nog altijd armen vol over, ondanks de welkome ontdekking dat Mr. Turk zijn kleding naar de wasserij stuurde, wellicht omdat hij twijfelde aan de hygiënische normen van het huishouden.

Winnie was dus geen getuige van alle opwinding in de gang. Bovendien had ze andere dingen aan haar hoofd. Waar waren Mrs. Turks onderboeken in hemelsnaam gebleven? Winnie stond op intieme voet met de lichamen van boven. Elke week stond ze op hun meest private excreties te schrobben tot haar handen rood waren. Bloedvlekken waren nog het koppigst; hoewel Mrs. Turk lappendotten droeg, waren die allesbehalve efficiënt en haar menstruatie was Winnie even vertrouwd en regelmatig als die van haar zelf. De toestand van ander ondergoed, vooral dat van de mannelijke leden van het huishouden, liet soms veel te wensen over. Verder had je de vlekken van maaltijden: jus, thee en rode bietjes, de ergste van allemaal. Zelfs de lakens, die ze naar de wasserij bracht, droegen de sporen van wat er onder hen was gebeurd. Winnie was vertrouwd met Ralphs vlekken; ze was tenslotte opgegroeid met drie broers. De lakens van Mr. Spooner, die immers permanent in bed lag, verdroegen geen nadere inspectie. En de lakens van haar meester en mevrouw droegen de maar al te zichtbare bewijzen van hun hartstochtelijke echtelijke relatie. Ze kende elk kledingstuk, elke lap beddengoed. Dus waar waren de onderbroeken van Mrs. Turk?

Er hadden zeven exemplaren op de hoop moeten liggen, maar voor zover Winnie zich kon herinneren had ze ze in geen weken gezien. Mr. Turk had voor zijn vrouw twee chique zijden broekjes gekocht, afgezet met kant, maar zelfs deze leken verdwenen te zijn. Winnie had heel even de dwaze gedachte gehad dat iemand ze uit de waskist had gestolen. Haar verdenking ging uit naar Alwyne. Het had iets groezeligs, zoals hij door het huis sloop; hij deed haar denken aan Mr. Snape, de rattenvanger uit haar dorp, die naar verluidt aan de zadels van damesfietsen snuffelde. Er verdween damesondergoed van de waslijnen en toen Mr. Snape werd opgeroepen door de marine, hielden de diefstallen op.

Winnie verwierp deze gedachte als ontrouw en ook onlogisch. Alwyne had geen behoefte aan perverse seksuele praktijken, nu zij zelf beschikbaar was om zijn lust te bevredigen. Zou een blinde trouwens louter op de tast kunnen uitmaken welk broekje van wie was?

Toen kwam Winnie op het voor de hand liggende idee om in Mrs. Turks slaapkamer te gaan kijken. Ze veegde haar handen af aan haar schort en liep naar boven.

In de gang trof ze Mrs. Turk, Lettie en Mrs. O'Malley samengedromd rond de tafel aan. Er stond een object op.

'Moet je onze telefoon zien, Winnie,' zei Mrs. Turk. 'De man is nog maar net weg.'

Winnie had het geluid van een werkman gehoord, maar ze was achter in de weer geweest. De trap kraakte toen Alwyne naar beneden kwam.

'Wat heeft dit te betekenen?' vroeg hij.

'We hebben een telefoon,' zei Mrs. Turk.

'Hij heet een *candlestick*-telefoon,' zei Lettie.

'Hoe weet jij dat?' vroeg Mrs. Turk.

'Dat zei die man.'

Het was een hoge, zwarte, glimmende cilinder, met een mondstuk bovenop. Aan de haak hing een trompetvormig oorstuk. Over de tafel kronkelde bruin snoer. Op de nabije muur was zijn bel bevestigd: een houten kistje met twee koperen koepeltjes erop, betepeld als twee borstjes.

Ze hadden natuurlijk wel eerder een telefoon gezien; het was alleen maar een schokkend gezicht om hem in hun eigen huis te hebben. Hij stond daar als een periscoop die hen met de onderwereld verbond. Winnie had het gevoel dat ze, als ze naar voren zou leunen, miljoenen mensen zou kunnen horen die geheimpjes tegen elkaar fluisterden.

'Ik weet niemand om op te bellen,' zei Mrs. Turk. 'Niemand die ik ken heeft er een.'

Er viel een stilte. Ze had iets gezegd wat voor hen allemaal gold. Voor zover Winnie wist, hadden maar twee mensen in haar dorp een telefoon: de dokter en lord Elbourne.

Ze keken naar het object dat klaarstond om hen van dienst te zijn. Dat er niemand was die ze konden bellen, gaf hun het gevoel geen vrienden te hebben. Dat leek natuurlijk een contradictie aangezien het ding was uitgevonden om hen met anderen te verbinden.

'U kunt hem altijd gebruiken om iets te bestellen,' zei Alwyne tegen Mrs. Turk. 'Ik weet iets! U zou de slager kunnen bellen.'

'Maar die woont hier.'

Alwyne gniffelde. 'Het was een grapje.'

'O.' Mrs. Turk duwde haar haar naar achteren. 'Hij heeft er natuurlijk een in de winkel. Hij heeft er hier ook een nodig; hij heeft allemaal belangrijke zaken te regelen. Ik denk dat wij hem ook wel zullen gaan gebruiken als we er eenmaal aan gewend zijn. Ik weet zeker dat binnenkort iedereen er een heeft.' Ze glimlachte vrolijk. 'Ik vind het reuze spannend.'

'Hoe dicht moet ik m'n mond erbij houden?' vroeg Mrs. O'Malley. 'Moet ik ervoor betalen?'

'Voor telefoontjes? Dat denk ik wel. Vraag het maar aan Mr. Turk. Die is nu de baas.' Ze liep naar de keldertrap. 'Ik moet het eten gaan voorbereiden.'

Winnie zag haar kans schoon. Ze haastte zich naar boven. Ondertussen dacht ze: het is een mooie boel. Het elektrische licht laat me zien hoe lelijk ik ben en de telefoon maakt me duidelijk dat ik niemand heb om mee te praten. En dat noemen ze dan vooruitgang.

Ze ging de slaapkamer binnen, opende Mrs. Turks kast en trok de bovenste la open. Die zat zoals gewoonlijk tot de rand toe vol met ondergoed van haar mevrouw.

Winnie ging rechtop staan. Er was maar één antwoord mogelijk. Mrs. Turk droeg geen onderbroeken. Maar waarom niet? Was het het warme weer?

In de gang ging de telefoon. Winnie versteende. Het was verrassend hard – een aanhoudende, rinkelende dubbele toon.

Winnie holde de trap af maar Lettie was haar voor. Ze plaatste nonchalant, alsof ze het elke dag deed, de trompet tegen haar oor en sprak in het mondstuk.

'Goedemiddag, u spreekt met Letitia Spooner.'

Mrs. Turk, die uit de keuken aan was komen snellen, keek haar aan. 'Hoe weet je wat je moet doen?' fluisterde ze.

Lettie draaide zich naar haar om. 'Die man heeft het ons laten zien. Lette u niet op?'

Wat een onverschrokken kind! De wereld lag nu echt aan hun voeten. 'Letitia Spooner van Palmerston Road 45.' Winnie en haar mevrouw staarden naar het meisje, dat door de telefoon sprak alsof ze dat haar hele leven al had gedaan. 'Kan

149

ik u ergens mee van dienst zijn?'

Ze hoorden een krakende stem, als de krassende klauwtjes van een muis.

'Wie is het?' siste Mrs. Turk. 'Het is Mr. Turk. Hij zegt dat hij om zes uur thuiskomt en dat we dan naar het raam moeten komen. Hij heeft een verrassing.'

Ralph zou zich die dag z'n hele leven herinneren. Er waren twee belangrijke dingen gebeurd. De automobiel kwam en hij rookte zijn eerste sigaret.

Alles was die middag scherp uitgelicht, alsof de zon al voor Ralph het belang van die woensdag kende. Hij liep langs de rivier naar huis. De pakhuizen aan de overkant leken zo dichtbij dat hij ze zou kunnen aanraken. De azijnfabriek in Silver Street wierp een messcherpe schaduw. Hij liep Back Lane in, langs de huizen waarin stemmen galmden waarvan de woorden hem ontgingen. Toen hij uit de tunnel kwam, viel het hem op dat er een nieuw affiche op de zijkant van zijn huis was geplakt: DOKTER FAIRBURNS BREUKBAND. NOOIT MEER LIESBREUKEN. Wat was een breukband in godsnaam? En een liesbreuk? Alles leek glashelder maar toch mysterieus, alsof de volwassenen hem iets wilden vertellen wat hij nog niet begreep.

Alwyne zat in de salon naar een grammofoonplaat te luisteren. De platenspeler was naar de voorkamer verplaatst als zoenoffer voor de huurders nu ze niet meer in de achterkamer mochten komen. De tafel was gedekt voor het avondeten.

'Haydns strijkkwartet in d-klein,' zei Alwyne. 'Zijn kamermuziek is jammerlijk ondergewaardeerd.'

Door mij in ieder geval wel, dacht Ralph. Hij hoorde liever Boyce' liedjes uit het Hippodrome, *A Little of What You Fancy* en *Jolly Good Luck to the Girl Who Loves a Soldier*.

'Heb je de telefoon gezien?' vroeg Alwyne. 'Als we griep

krijgen, kunnen we nu tenminste een dokter strikken voor de rest van de wereld dat doet.'

De griep raasde blijkbaar over Europa, alsof de mannen al niet genoeg ellende hadden. In Londen begonnen de mensen inmiddels bij bosjes neer te vallen.

'Maar ik hoef me geen zorgen te maken,' zei Alwyne. 'Roken is de beste bescherming. Dat doodt de bacteriën, snap je. Jij zou er ook mee moeten beginnen, jongeman.' Hij bood het pakje aan. 'Geen beter moment dan nu.'

'Ik kan het niet doen,' zei Ralph. 'Mijn moeder...'

'Ik denk dat je moeder liever heeft dat je blijft leven. Ze is nu trouwens toch op haar kamer, om zich mooi te maken voor mannie. Kom op, ik doe je de duivel toch niet aan?'

Alwyne had eigenlijk iets van een duivel: de zwarte bogen van zijn wenkbrauwen; de verleidende stem. Hij lispelde ook een beetje, wat zijn woorden vetter en op een of andere manier ook suggestiever maakte.

Trouwens, waarom niet? Ralph voelde een vlaag van rebellie. Hij nam een sigaret; stak hem aan en inhaleerde.

Z'n keel sloeg dicht. Een schroeiende pijn blokkeerde zijn longen. Hij sloeg half verstikt dubbel. Alwyne grinnikte.

'Houd vol, m'n vriend. Je krijgt het op den duur wel onder de knie.'

Ralph hoorde door zijn tranen heen het geluid van een automotor. Je hoorde die maar zelden voor zijn huis, dat twee straten van de hoofdweg verwijderd ietwat achteraf lag. Er klonk een claxon.

Boven gaf zijn moeder een gil.

Ralph drukte zijn sigaret uit. Hij had de kamer in een ommezien verlaten. Zijn moeder stormde de trap af terwijl ze haar blouse dichtknoopte.

'Moeder!' riep hij.

Ze greep zijn arm. 'Ralph! Kom hier!'

'Is alles goed met je?'

'Kom eens kijken!'

De hond blafte. Ze trok Ralph de gang door en zwaaide de deur open.

Ze stond stil en fluisterde: 'Allemachtig.'

Er stond een automobiel voor hun deur geparkeerd. Daarin zat Mr. Turk, met een leren pet op en een motorbril. Hij toeterde nog eens. Overal in de straat gingen deuren open en kwamen mensen naar buiten.

Brutus sprong naar buiten en begon in een band te happen. Mr. Turk deed zijn bril af en keek naar zijn vrouw.

'Nou, m'n lief?'

Hij leunde opzij en deed het portier van de passagier open. Eithne vloog op haar kousenvoeten over de stoep, sprong in de auto en sloeg haar armen om hem heen.

Ralph kromp ineen, alsof hij geslagen werd. Hoe kon zijn moeder dat doen, voor het oog van alle buren? Ze kuste die vent op zijn lippen! *Een paar spekvette kussen.*

Hij voelde een hand op zijn arm. 'Vanwaar al die opwinding?' Alwyne was buitengekomen en stond nu naast hem.

'Mr. Turk zit in een automobiel,' zei Ralph. 'Die is min of meer paars en de kap is omlaag. Hij lijkt buitengewoon tevreden met zichzelf.'

De automobiel braakte wolken benzinedamp uit vanuit zijn onderstel. In die nevel dook Mrs. Spooner op, die thuiskwam van haar werk. Haar gezicht was grijs van vermoeidheid; in de rook zag ze eruit als een geest. Ze keek omhoog naar het bovenste raam, zoals ze altijd deed als ze het huis naderde.

'Mrs. Spooner,' riep Eithne. 'Kijk eens wat Mr. Turk heeft gekocht! Hij zegt dat dit een Wolseley is.'

Mrs. Spooner moest zichzelf even vermannen. Ze draaide zich langzaam om om naar de automobiel te kijken.

'Ga uw dochter halen!' riep Neville. 'Ik had een welkomstcomité verwacht.'

Z'n gezicht was roze van triomf zoals hij daar zat, met een arm om de schouders van zijn vrouw geslagen.

'Spring erin, jongeman!' riep hij naar Ralph. 'We gaan een ritje maken.' Ralph worstelde met tegenstrijdige gevoelens. Aan de ene kant was het onmiskenbaar spannend. Hij had nog nooit in een automobiel gezeten. Misschien mocht hij van Mr. Turk achter het stuur zitten en sturen!

Winnie en Mrs. O'Malley kwamen naar buiten en drongen hem en passant opzij. Ze hapten naar adem. Lettie wurmde zich langs hen; met een snelle blik op haar moeder rende ze naar de auto en sprong achterin. Ralph besefte ietwat verrast hoezeer de afgelopen twee maanden het meisje hadden veranderd. Eerst zag ze eruit alsof ze half uitgehongerd was. Nu was ze dikker geworden; haar gezicht was roze van gezondheid. Ze praatte zelfs meer. Dat wonder was door het voedsel van Mr. Turk tot stand gebracht. En Ralph maar denken dat híj voor hen had kunnen zorgen. Wat was hij misleid geweest, hoe beklagenswaardig kinderlijk om te denken dat híj de man in huis kon zijn geweest.

'Er kan er nog eentje bij!' riep Mr. Turk.

Er had zich nu een kleine menigte gevormd. Kleine jongetjes op blote voeten vergaapten zich aan de automobiel. Ze keken naar zijn geboende flanken, zijn glimmende chroom. Zelfs Mr. Crocker, de man wiens nachthemd omhoog was gekropen op de avond dat de Zep verscheen, was zijn huis uit gekomen om te kijken.

Mrs. Spooner keek omhoog. Ondanks alle rumoer had ze met haar zesde zintuig een geluid gehoord. Ralph keek ook omhoog. Op de bovenste verdieping was het schuifraam omhooggeduwd. Het witte gezicht van Mr. Spooner verscheen voor het venster. Op het gezicht van zijn vrouw brak een glimlach door. En dat alles voor een automobiel! Ook Ralphs hart klopte sneller. Hij was gewoon zo mooi, zo níeuw. Naast hem zagen de huizen er vermoeid uit.

Alwyne leunde naar voren. 'Weet je welke dag het is?'

Ralph dacht even na. 'De achtentwintigste juni.'

Op dat moment sprong de hond in de automobiel en ging op de achterbank zitten. Hij keek verwachtingsvol, alsof hij dit soort dingen dagelijks deed. Lettie sloeg haar arm om hem heen.

'Weet je nog wat er vier jaar geleden op deze dag gebeurde?' mompelde Alwyne.

Ralph was confuus. 'Wat?'

'Een man, Gavrilo Princip geheten, schoot aartshertog Franz Ferdinand neer terwijl hij in zijn automobiel zat. En ook z'n vrouw. Daar weet je toch wel van?'

'Reken maar,' loog Ralph.

Alwyne grinnikte. 'Daar is deze hele ellende door begonnen.'

6

De behandeling van het personeel is van het allerhoogste belang, zowel voor de mevrouw als voor de bedienden zelf. De laatsten richten hun aandacht natuurlijk op het hoofd van het huis, en als ze bemerken dat hun mevrouw zich beheerst en zich naar hoogstaande en correcte beginselen gedraagt, zullen zij niet nalaten haar te respecteren. Als er ook blijk wordt gegeven van de welwillende wens hun welzijn te verhogen, terwijl tegelijkertijd een gestadige uitvoering van hun plichten wordt afgedwongen, dan zal hun respect niet gespeend zijn van genegenheid en zullen zij des te meer verlangend zijn om haar gunst te blijven verdienen.

Mrs. Beeton's Book of Household Management

In de weken die volgden vond er een transformatie plaats. Mrs. Turk werd een modieuze vrouw. Er kwam een kleermaker aan huis die haar voorzag van nieuwe japonnen: japonnen van changeant zijde, nachtblauw of diepgroen, afgezet met okergeel galon dat paste bij de kastanjekleurige gloed in haar haar. De blouses werden afgeleverd in dozen met een lint eromheen; kanten blouses in vele lagen vloeipapier. Er verschenen exemplaren van *Weldon's Ladies Journal*; als ze die uit had, gaf ze ze aan Winnie, die ze in haar kamertje verzamelde. Mr. Turk kwam haar ophalen in zijn automobiel en reed met haar naar West End, naar warenhuizen waarvan de namen even exotisch waren als de sterren aan de hemel: Debenham and Freebody, Swan and Edgar. Ze kwam terug met hoeden op en met glacéhandschoenen zo zacht als een babyhuidje.

's Avonds vertrokken ze met z'n tweeën naar officiële feesten: banketten in de raadhuizen van de stad, waar ze met wethouders babbelden, of diners met plaatselijke notabelen in het Clarendon Hotel. Ze bracht de menukaarten mee naar huis: kwartels in aspic, kreeft thermidor. 'Ze kunnen je op ideeën brengen voor het avondeten,' zei ze, terwijl ze een halve pirouette maakte en zichzelf in de spiegel bekeek.

De dagen dat ze haar mouwen opstroopte en Winnie met het huishoudelijke werk hielp, waren voorbij. De intimiteit die ze tijdens haar jaren als weduwe hadden gehad, was vrijwel verdwenen; ze was nu een getrouwde vrouw en had iets geslotens over zich alsof ze een geheim bewaakte dat Winnie nooit te horen zou krijgen. Ze sprak soms zelfs streng tegen Winnie en liet, rekening houdend met Mr. Turk, haar vingers over de bovenrand van de fotolijstjes gaan en gaf haar uitbranders. Winnie miste die dagen van weleer; ondanks de ontberingen hadden haar mevrouw en zij samen de schouders eronder gezet. Tijdens haar eerste huwelijk hadden ze samen een band gehad: een gedeelde, onuitgesproken ergernis over haar lieve maar incapabele echtgenoot wiens bestaan nu nog slechts een vage herinnering was.

En het werk was zwaarder geworden. Alwyne klaagde dat Winnie geen tijd had om hem voor te lezen, maar de dag was gewoon niet lang genoeg. Zelfs het strijken nam nu bijna de hele ochtend in beslag: alle plissé en vouwtjes, de elegante plooien en het kant, de rijen piepkleine knoopjes. Op een avond was Winnie zo moe dat ze tijdens het bidden in slaap viel en 's morgens geknield voor haar bed wakker werd met haar hoofd op de deken. Ze had de hele dag een stijve nek.

Ze wilde eerst Jezus de schuld in de schoenen schuiven maar Hij was eerlijk gezegd allang uit haar leven verdwenen en ze bad alleen maar voor de vorm. Hij verdween op de dag dat ze de paarden meenamen. Tijdens eerdere verdrietige perioden – zelfs tijdens haar moeders laatste ziekte – was Jezus bij haar gebleven en had Hij haar hand vastgehouden. Maar nu leek Hij voorgoed verdwenen. Winnie had dit aan niemand verteld, zelfs niet aan Alwyne, die er als rechtgeaard atheïst ongetwijfeld blij mee zou zijn. 'Het christendom is een complot,' zei hij. 'Het is ingesteld om jullie arbeiders eronder te houden, in het belachelijke geloof dat iedereen in het volgende leven gelukkig zal zijn als je in dit maar je mond houdt.'

Misschien begonnen zijn ideeën door te sijpelen. Want er begon zich in Winnie een lichte ontevredenheid te roeren. Ze was gewend aan de wensen van de huurders, hoe vreemd die soms ook waren, en had altijd haar uiterste best gedaan om hen te helpen, vooral Mrs. Spooner, die het zo zwaar had. Hun gewoonten waren haar zelfs zo vertrouwd dat Winnie zelden met belgerinkel naar boven werd geroepen. Maar als ze SALON zag rinkelen, voelde ze een steek van irritatie. Mr. en Mrs. Turk waren de grootste en gezondste volwassenen in het huis. Konden ze niet zelf komen halen wat ze wilden?

Alwyne zei dat het er in de loopgraven net zo aan toe ging. Zijn eenheid was in opstand gekomen tegen hun bevelvoerend officier, een laffe sukkel, en de barricaden waren geslecht. 'Als de oorlog voorbij is, zal de strijd beginnen,' zei hij, zwaaiend met zijn nicotinegele vinger. In feite was die al begonnen. Winnies vriendin Lily werkte in een kousenfabriek aan Whitechapel Road. Ze was vroeger dodelijk verlegen, maar ze had gestaakt vanwege haar loon en was nu veranderd in een militante meid.

Deze afkalving van Winnies trouw was alarmerend. Ze weet het aan Mr. Turk. Ondanks zijn joviale, montere gedrag gaf hij haar een ongemakkelijk gevoel. *Ik vertrouw hem niet*, had Alwyne gezegd en Winnie was het eigenlijk wel met hem eens. Het was wel zeker dat hij nog meer plannen met het huis had. Ze had hem de kamers zien opnemen met de speculatieve blik die ze bij lord Elbourne had gezien toen een handelaar hem een nieuw jachtpaard bracht. Er broeide iets. Ze voelde zich slecht op haar gemak op een manier die ze nooit had ervaren toen Mr. Clay nog de baas was. Mr. Turk kon haar ontslaan en meer personeel aannemen; hij kon de boel verkopen en haar op straat zetten. De vier muren waren minder veilig dan ze eruitzagen en ze was geheel in zijn macht. Soms benijdde ze Lily en zelfs Elsie, met haar kanariegezicht. Ze werkten hard voor hun twaalf shilling per week, maar om zes uur stonden ze buiten, zo vrij als een vogel.

Winnie dacht hieraan toen ze op een dag tegen het einde van juli voor hen drieën het avondeten opdiende. Mr. Turk had het over een Amerikaanse soldaat die ze in Brighton hadden ontmoet.

'Hij was een slimme jongen,' zei Mr. Turk, terwijl zijn ogen naar Ralph schoten. 'Weet je wat hij had? Een hoop energie.'

'Ik wou dat hij z'n foto niet was vergeten,' zei Mrs. Turk. 'Ik hoop dat alles goed met hem is.' Ze wendde zich tot Ralph. 'Hij deed me aan jou denken.'

Mr. Turk fronste. 'Die kerel had toch meer pit, vond je niet?' Hij schepte de aardappels op zijn bord. 'Die jongen zal het ver schoppen, let maar eens op.'

'Als hij het overleeft,' zei Mrs. Turk.

Ralph schraapte zijn keel. Hij draaide zich naar zijn stiefvader. 'Waarom hebt u geen dienst genomen?' vroeg hij.

Er viel een stilte. Winnie liet bijna de dekschaal vallen.

'Ralph!' siste zijn moeder.

De ogen van Mr. Turk schitterden. 'Het geeft niet, m'n lieve. Volstrekt normale vraag.' Hij richtte zich tot Ralph. 'Ik heb een Bewijs van Vrijstelling, jongeman. Wil je het zien?'

Ralph bloosde. De plekken op zijn kin gloeiden roder dan rood.

'Wil je het zien?' Mr. Turk stond op, z'n stoel schraapte naar achteren. 'Ik ga het onmiddellijk halen.'

'Neville!' zei Mrs. Turk. 'Ga zitten.'

'Die knaap gelooft me niet.'

'Natuurlijk wel!' Ze wendde zich tot haar zoon. 'Wat bezielt je om zoiets te vragen?'

Ralph slikte. Z'n adamsappel ging omhoog en omlaag. 'Ik vroeg het alleen maar,' mompelde hij.

Neville ging weer zitten. 'Ik ben niet beledigd.'

Hij wierp een blik naar Ralph.

Mrs. Turk wendde zich naar Winnie. 'Er zijn heel veel mensen die niet zijn opgeroepen. Bijvoorbeeld twee van jouw broers, is het niet, Winnie?'

Winnie knikte. 'Ze hebben een beroep dat hen van militaire dienst vrijstelt.'

'Precies,' zei ze. 'Ze werken op een boerderij. En Neville werkt in een winkel. Hij léídt een winkel.'

Winnie liep naar Ralph. Ze voelde zich ellendig, alsof ze hem had verraden. Ze wilde zeggen *Jij hebt gevraagd wat niemand anders durfde te vragen*. Ralph nam wat knolraappuree. Hij deed alsof het hem niks kon schelen maar ze zag dat zijn hals rood werd.

Mr. Turk propte zijn servet in zijn boord en begon te eten. Als hij een stukje varkensvlees in zijn mond stopte, schoten zijn ogen de tafel rond. Winnie dacht: hij is net een varken. Roze gezicht, kleine varkensoogjes. Behalve dan dat ze dol was op varkens.

Het was zondagmiddag. Het huis doezelde in de drukkende warmte. De volgende dag zou Ralphs eindexamen zijn: Boekhouden voor Gevorderden Niveau 3. Hij probeerde zich te concentreren maar de cijfertjes dansten over de bladzijde. Wat had het voor zin dingen op te tellen? Het sloeg toch allemaal nergens op. Mr. Turk had gezegd dat Ralph bij hem in de winkel kon komen werken. Hij mocht bij de kassa zitten en het geld aannemen. Ralph piekerde er niet over. Hij wilde voor dertig shilling per week op een kantoor gaan werken en het loon aan zijn moeder geven. 'Je bent m'n kameraadje,' zou ze dan zeggen. Hij zou op de leuning van haar stoel zitten en haar haar strelen. 's Avonds zouden ze elk in hun eigen bed liggen, met de deur op een kier. Ze zou '*Lekker slapen, mooie dromen*', zeggen en hij zou '*Laat de Zandman nu maar komen*' antwoorden, terwijl de poes zwaar op zijn benen lag en de hond naast hem op vloer, trekkend met zijn poten omdat hij in zijn slaap achter konijnen aan joeg. De volgende dag zouden ze sandwiches inpakken en de trein naar Box Hill nemen, waar Brutus achter echte konijnen aan kon gaan en Ralph slakkenhuizen zou rapen en zijn moeder deelgenoot zou maken van hun schoonheid, de schoonheid die ze nooit had weten te waarderen toen zijn vader nog leefde. Alle liefde van hun vader voor hen zou in één vlaag terugkomen.

Ralph miste zijn vader ineens zo hevig dat zijn adem ervan stokte. Hoe had zijn vader hem kunnen overleveren aan de genade van die bedrieger, die met zijn dikke dijen uit elkaar geplant aan tafel zat? Zijn vader was voor hen gestorven terwijl deze man veilig thuisbleef om weerloze dieren aan stukken te hakken en de winst met zijn met bloed besmeurde vingers op te tellen.

Ralph was blij dat hij Mr. Turk op dit onderwerp had aangesproken. Hij had beslist schichtig gekeken. Een Bewijs van Vrijstelling, je grootje! Ralph had nog nooit van zo'n ding gehoord. Hij vond het alleen jammer dat Alwyne er niet bij was geweest om getuige te zijn van zijn triomf. Alwyne had een hekel aan opgeblazen plutocraten en zei dat ze weldra uitgestorven zouden zijn. Er was een wet voor rijken en een wet voor armen, maar de gebeurtenissen in de wereld maakten in rap tempo een einde aan deze ongelijke toestand. De arbeiders zouden zegevieren, net zoals in Rusland. Mr. Turk kon natuurlijk zelf als een werkman worden beschouwd, maar Alwyne zou daar wel een oplossing voor weten. Ralph had alle vertrouwen in hem.

Hij was in de afgelopen weken wat dichter bij Alwyne komen te staan. Alwyne, veteraan van één oorlog, begreep dat er in het huis nog een ander soort strijd woedde, een stille, bloedeloze strijd, die energie opzoog als de stofzuiger. Hij etterde in de benauwde kamers. Ralph vermoedde dat ook Winnie aan zijn kant stond, maar ze hadden elkaar de laatste tijd nauwelijks gesproken. Vanwege zijn studie voor het eindexamen had hij haar minder vaak kunnen helpen dan eigenlijk moest. En toen hij haar een keer sprak, leek ze afwezig.

Ze had ongetwijfeld net zo'n grote hekel aan Mr. Turk als hij, maar ze zou dat nooit bekennen uit onzekerheid over haar baan. Dat stemde Ralph verdrietig; hun oude intimiteit leek ook een slachtoffer van de vijandigheden.

Maar vandaag had Winnie vrij. Ze was naar Woolwich gegaan waar haar vriendin Elsie in het ziekenhuis lag met lyddietvergiftiging. Die had ze opgelopen door het vullen van granaten met explosieven. Ralphs moeder en Mr. Turk waren gaan spelevaren op de Serpentine.

Ralph legde zijn pen neer. Hij kon zich niet concentreren op zijn repetitie. Hij wist natuurlijk hoe dat kwam. Het bloed was weggetrokken uit zijn hersenen; het was naar de gebruikelijke plaats getrokken waar het klopte en brandde en hem kwelde. De hitte maakte het erger. Moest elke jongen van zijn leeftijd deze marteling ondergaan?

Ralph stond op. Dit was z'n kans, nu ze alle drie uit huis waren. Hij deed de deur open. Het was doodstil; het huis was in slaap verzonken. De huurders waren uit of hielden een middagdutje.

Ralph ging de trap af, naar de kelder. Hij klopte pro forma op Winnies deur, maar hij wist dat de kamer leeg was. Ze zou pas vanavond terugkomen.

Hij voelde zich als een indringer maar zei tegen zichzelf dat Winnie het niet erg zou vinden. Hij zou ten slotte alleen maar een uurtje een van haar tijdschriften lenen: *Weldon's Ladies Journal,* als het kon. Ze had er geen idee van waarvoor hij het ging gebruiken.

Het probleem was dat hij een tekort had aan stimulerend materiaal. Afgezien van een gravure van een vrouw die een brief ontvangt, waren er in huis geen afbeeldingen van het vrouwelijke lichaam. Boyce' fotoboek was, toen Ralph een keer niet thuis was, samen met zijn andere spullen ingepakt en naar de moeder van de jongen gestuurd. Ralph vervloekte zichzelf dat hij dit niet had voorzien en het boek er niet uit had gehaald – of andere souvenirs had gestolen die hem aan zijn geliefde vriend hadden kunnen herinneren. Maar nu was het te laat en kon hij niet eens meer in de buurt van het bovenste kamertje komen, besmet als het was met Mr. Turks meubels.

Hij ging Winnies kamer binnen. Het smalle ledikant en de enkele stoel hadden iets maagdelijks. De wanden waren kaal; er hing niets behalve een crucifix. Haar kleine heiligdom was zo puur dat Ralph het gevoel had dat alleen al zijn gedachten het bezoedelden als een obscene geur. Het was de kamer van een vrouw die gedoemd was tot het celibaat.

Ralph voelde zich verdrietig. Winnie was lelijk, opvallend lelijk. Er was geen twijfel over mogelijk: haar brede schouders, haar hoekige kaken. Hij hield natuurlijk van haar, maar niet op die manier en het stond te bezien of er ooit iemand naar haar zou smachten met de vleselijke honger die hij zelf maar al te vaak voelde. Na vier jaar oorlog waren er zo weinig jongemannen over dat de resterende konden kiezen wie ze maar wilden en dat zou niet Winnie zijn: dat waren de harde feiten.

Dit leek zo treurig dat Ralph op het bed ging zitten. Zijn lust verdween als sneeuw voor de zon. Hij keek naar haar haard. Zelfs die was klein, alsof Winnie te onbelangrijk was om evenveel warmte nodig te hebben als anderen.

Op dat moment zag hij de sigarettenpeuken. Ze lagen verspreid in de haard, het waren er een stuk of zes. Ralph was verrast. Waarom rookte Winnie sigaretten?

Fronsend probeerde hij het uit te vogelen. Die peuken hadden iets schokkends; ze strookten in het geheel niet met de rest. Maar mensen hadden nu eenmaal hun kleine geheimpjes, zoals hij zelf maar al te goed wist. Wie wist wat ze allemaal uitspookten achter hun slaapkamerdeuren?

Z'n gezicht klaarde op: Winnie was natuurlijk aan het leren hoe je moest roken. Iedereen deed het, als bescherming tegen de griep. Zelfs zijn moeder probeerde het, hoestend en proestend met de sigaret ver van haar af tussen de vingers alsof hij zou bijten. Ze had zelfs ook Ralph aangespoord om het te proberen. 'In het begin is het vreselijk,' zei ze, 'maar ik weet zeker dat we eraan zullen wennen.' Ralphs angst voor haar afkeuring bleek ongegrond; Alwyne had gelijk, zoals zo vaak. Hij zei dat de griep met de Amerikaanse troepen was meegekomen. Ze hadden hem naar het front gebracht waar hij helaas juist de manschappen die ze kwamen ondersteunen, begon te vellen. God had toch echt een paar vreemde verrassingen in petto.

Ralph hoorde een geluid. Er kwamen voetstappen de trap af.

Hij stond op en liep naar de deur.

'Alles gaat goed, schat,' zei Mrs. Spooners stem. 'En wil je wat boterhammen met jam?'

Ze praatte tegen haar man. Haar stem was zacht en zangerig, een stem die Ralph nooit eerder had gehoord.

'Zie je wel? Het is veilig,' zei ze. 'Ga zitten en maak het je gemakkelijk. Help hem even, Lettie. Ik zet de ketel op het vuur.'

Ralph schoot de slaapkamer weer binnen en deed de deur dicht. Er naderden voetstappen door de gang, die buiten, in de bijkeuken stilhielden. Hij hoorde het water stromen toen Mrs. Spooner de ketel vulde.

'Herinner je je nog die dag op Frinton Sands?' riep ze. 'Dat was net zo'n mooie, zonnige dag als vandaag! Vond je ook niet, Lettie?'

Ze nam de ketel weer mee naar de keuken. Ralph hoorde haar tegen haar echtgenoot praten. Hij ving woorden op '... rolde je broekspijpen op... o, wat was dat een heerlijke dag, hè, schat?'

Mr. Spooner antwoordde. Ralph kon hem niet verstaan. De stem van zijn vrouw werd vrolijker. 'Inderdaad!' zei ze. 'En Lettie en jij bouwden een zandkasteel.'

Ralph ging op het bed zitten. Hij kon nu niet weg; de trap lag pal in het zicht van de keuken. Ze zouden de schrik van hun leven krijgen. Als Mr. Spooner hem nu zag zou hij door de schok misschien voorgoed in bed belanden.

Ralph ging liggen. Hij zou moeten wachten tot ze weg waren. Hij lag daar maar naar het gemurmel van hun stemmen en het gerammel van de borden te luisteren.

Mrs. Spooner sprak met een lage en liefdevolle stem tegen haar man. Hij antwoordde. Ralph kon niet horen wat hij zei, maar Mrs. Spooner moest lachen. Hij had haar zelden horen lachen. Hij luisterde naar hoe het gezinnetje zijn lunch at in de keuken. Mrs. Spooner blies met haar liefde weer leven in haar man: een bleek, trillend menselijk wrak, maar hij was tenminste thuisgekomen.

Opeens barstte Ralph in tranen uit. Het overviel hem. Toen hij eenmaal was begonnen kon hij niet meer stoppen. Hij lag als een balletje opgekruld op Winnies bed. Hij huilde in stilte, weende om zijn vader, die nooit meer bij hem zou terugkomen.

Ralph werd met een schok wakker. Het schemerde al. Hij sprong van het bed; Winnie kon elk moment thuiskomen!

Hij versteende. Er kwam een geluid uit de keuken. Hij sloop naar de deur en luisterde.

Er kreunde iemand. Het klonk als een dier dat pijn lijdt. Mr. Spooner had een hartaanval! Ralph opende de deur tot een kier en luisterde. Het was een ritmisch, grommend gekreun. Iemand leed pijn; was de dokter al gebeld?

Ralph opende de deur en liep op zijn tenen naar buiten. Hij gluurde de keuken in.

Het was schemerig in de keuken. Hij kon niet meteen zien wat er gebeurde. Er leken twee gedaanten tegen de keukenkast aan gesmakt te zijn.

De rok van zijn moeder zat rond haar middel gepropt; haar witte onderrok lichtte op. Zij was het die het geluid maakte. Mr. Turk stond wijdbeens rechtop. Zijn hemdsmouw was opgerold. Zijn blote arm was in haar geschoven, als een dierenarts die een kalf haalt bij een koe. Het hoofd van zijn moeder was naar achteren gebogen; haar lichaam beefde. Ze slaakte gilletjes terwijl hij zijn arm naar binnen en naar buiten duwde.

Ralph deinsde terug. Hij draaide zich snel om en struikelde de trap op.

7

Zeg ober, zou u die deur willen dichtdoen – ik wil niet dat mijn vleesrantsoen wegwaait.

Ansichtkaart

Eithne tikte op Ralphs deur.

'Je ontbijt wordt koud,' zei ze. 'Ik heb een eitje voor je gekookt.'

Geen antwoord.

'Vandaag is de grote dag,' zei ze.

Ralph mompelde iets.

'Wat zei je, schat?'

'Ik kom zo beneden,' zei hij.

'Haast je.'

Eithne ging naar beneden. Het was maandagochtend; haar echtgenoot en Mrs. Spooner waren allang naar hun werk. Er klonk gekletter van borden uit de salon, waar Winnie het ontbijt serveerde.

Ralph was zo'n brave jongen. Hij had hard voor zijn examen geleerd; hij wilde het voor zijn moeder zo goed mogelijk doen. Maar soms zou Eithne wel willen dat hij wat meer deelnam aan het gezinsleven. Wat had hij de vorige middag een hoop vertier gemist! Neville had haar over de Serpentine geroeid; hij had zijn mouwen opgerold en naar haar gegrijnsd, met een sigaar tussen zijn lippen geklemd en zijn sterke handen om de riemen die het water doorkliefden. Daar zat een man die voor hen zou kunnen zorgen. Ralph zou bewondering hebben gehad voor z'n bekwaamheid. Hij zou het zeker – ongetwijfeld – heerlijk hebben gevonden om z'n moeder zo onbekommerd te zien lachen. Ze hadden samen zoveel ellende doorstaan. Verdienden ze niet een beetje geluk?

Het was natuurlijk ook een opluchting geweest dat Ralph er niet bij was. Eithne vond het vreselijk om toe te geven, maar het was waar. Brutus, die zich zittend in de schommelende boot in evenwicht probeerde te houden, was een gemakkelijkere metgezel dan haar zoon. In dat opzicht waren dieren een verademing. Hun verwijtende blikken waren een kwestie van of je hen wel of niet uitliet.

Na afloop had Neville een ritje met haar gemaakt. Werk hard en ontspan met overgave, was zijn filosofie. Hij reed hard, met zijn voet plat op de bodem. De wind woei door Eithnes haar; ze hield haar hoed uit alle macht vast en greep naar de klink van het portier. Achterin slingerde Brutus van links naar rechts. Paarden sprongen schichtig opzij als Neville hen toeterend inhaalde. Nooit meer wachten bij de bushalte, nooit meer met een slakkengangetje voortklossen. Geen gehannes meer met penny's voor het buskaartje. Ze ronkten in een ommezien door de straten van Bayswater, door Notting Hill Gate, door straten waarvan ze niet wist dat ze bestonden. Londen was opeens zowel heel groot als heel klein. Hun prachtige glimmende Wolseley vrat de kilometers. Ze konden naar Blackpool, Bognor en Buxton rijden, waar dat ook mocht liggen. Ze konden naar Stockport rijden, waar ze was opgegroeid en waar haar vader nog steeds woonde, om zijn gezicht te zien als ze ineens toeterend voor zijn huis zouden stoppen. De verbrandingsmotor zou de wereld veranderen, zei Neville. Hij noemde hem 'verbreidingsmotor'. Weer thuis had Alwyne gemompeld 'verdommenismotor', maar wat wist Alwyne er nou van? Die was blind.

'Mannen willen hun vrijheid,' zei Neville. 'Let maar eens op, binnenkort hebben ze er allemaal een.' Hij baande zich toeterend een weg door de drukke straten. De automobiel stuiterde over tramsporen; hij kwam vast te zitten in tramsporen – en een keer werden ze, o Heer, bijna platgewalst door een tram die luid rinkelend op hen af raasde. Ze trotseerden zelfs Piccadilly Circus, één grote, verwarde kluwen van tramsporen en een stormloop aan bussen en taxi's en vrachtwagens waardoor Eithne in elkaar dook en de arm van haar man greep. Ralph was een jongen, die zou het prachtig hebben gevonden. Dit was nu zijn wereld, als hij tenminste zo verstandig was geweest met hen mee te gaan. Neville zou hem leren autorijden.

Haar echtgenoot was goed voor de jongen. Ach, hij was soms misschien een beetje scherp maar Ralph had een oppepper nodig en alleen een man kon hem het duwtje geven dat hij nodig had. Op den duur zou hij het voordeel daar wel van inzien. Neville was goed voor hen allemaal. *Hou van mij, hou van mijn huurders*, had ze op de avond dat hij zijn aanzoek deed gezegd. Hij had ze voor zich gewonnen met de maaltijd die hij voor hen had bereid. Alles zou goed komen. Eithne had haar twijfels gehad maar die waren weggeblazen toen ze rondstoof in de Wolseley. Ze hoefde zich nergens zorgen om te maken. Ze reden over London Bridge toen de zon onderging. Het was een prachtige zonsondergang: de hemel was overgoten met roze terwijl de bloedrode schijf weggleed achter de koepel van St Paul's.

Eithne deed haar hoed af en gooide haar hoofd naar achteren. Haar haar schoot los uit de spelden en sloeg om haar gezicht. 'Ik besterf het haast van geluk!' schreeuwde ze.

Toen ze uit de auto stapte, stond ze te trillen op haar benen. Ze voelde zich misselijk van lust, ziek ervan. Ze stommelden omlaag naar de keuken om thee te zetten. Haar man reikte naar de fluitketel, maar ze greep zijn hand en drukte die tegen haar borst.

'Ik hou van je,' fluisterde ze. 'Ik hou van je hou van je hou van je.' Ze leunde tegen de keukenkast en trok hem naar zich toe.

Toen ze na afloop het licht aandeden zag ze Ralphs schort aan de haak hangen. Het was de groene katoenen schort die hij bij het schoenenpoetsen droeg. Hoewel Ralph er niet in zat, deed hij haar zo sterk aan de jongen denken dat ze ervan bloosde.

Haar lieve zoon. Ze hield zoveel van hem. Wat zou híj van haar denken? Eithne voelde zich zo slap dat ze moest gaan zitten.

Ralph had zijn tas ingepakt. Die bevatte een verschoning, een schoon overhemd, het gestreepte wollen vest dat Winnie voor hem had gebreid, zijn tandenborstel en tandpasta, een pakje biscuitjes, de foto van zijn ouders die hij uit het lijstje had gehaald en een boek – *Fletcher's Guide to British Birds* – dat van zijn vader was geweest. In Frankrijk had je ongetwijfeld andere vogels maar de plaatjes zouden hem aan huis herinneren. Hij had niet geweten wat hij anders moest meenemen. Ze zouden hem natuurlijk een uniform geven. Kende hij nou maar nog iemand die dienst nam. Hij wilde zichzelf niet belachelijk maken door met een te grote of te kleine tas aan te komen. Waren Boyce of zijn vader nu maar hier om hem advies te geven!

Het was nog geen elf uur 's ochtends; het was een drukkende dag, er dreigde onweer. Zijn moeder was gaan winkelen; ze was met de metro naar Whiteleys gegaan om stof voor de nieuwe gordijnen uit te kiezen. 'Veel succes, mijn lieve kereltje,' had ze gezegd voor ze hem kuste. 'Je zult slagen met klinkende cijfers, dat weet ik gewoon. En we zullen iets bijzonders eten om het te vieren.' Ze vertrok. Hij veegde het speeksel van zijn wang.

Hij vond het een gek idee dat zijn medeleerlingen om twaalf uur aan hun eindexamen zouden beginnen. Harry, Roly en de anderen wier naam hij nooit had geweten en wier vriend hij nooit was geworden. Misschien zouden ze na afloop met z'n allen uitgaan om het einde van het semester en het einde van Mrs. Brand te vieren. Ze leken nu wezens uit een andere wereld, een wereld die zo onbeduidend was dat het hem op een milde manier verbaasde dat hij er ooit deel van had uitgemaakt.

Het was stil in huis. Winnie was naar de winkels. Ze had de hond meegenomen. Ralph was daar dankbaar voor; hij had het een vreselijke gedachte gevonden dat hij afscheid van hen beiden zou moeten nemen. Hij miste hen nu al.

Ralph trok zijn jasje aan. Hij klopte tegen de binnenzak om de controleren of zijn geld er nog was. Hij had een pond, vijf shilling en drie penny. Dat was het totaal van zijn spaargeld – een pond en drie penny – plus het geld dat Mr. Turk hem had betaald voor het wassen van de auto: vijf beurten voor een shilling per beurt. Als hij eenmaal in dienst was zouden ze hem natuurlijk de King's Shilling en een aanstellingsbewijs geven, en daarna zou hij geen onkosten meer hebben. Het leger zou voor alles zorgen.

Ralph droeg zijn tas naar beneden. Hij wierp nog een laatste blik op de gang en wilde net weggaan toen een stem hem vanuit de salon riep.

'Ben jij dat, Ralph?'

Het was Alwyne. Hij zat aan tafel een sigaret te roken.

'Ik dacht dat er nooit iemand zou komen,' zei hij geïrriteerd. 'Doe me een lol en zet eens een grammofoonplaat op. Beseft dan niemand dat ze allemaal hetzelfde aanvoelen – Mozart, Haydn, de goddelijke Schubert? Gewoon een stom stukje schellak.'

'Het spijt me,' zei Ralph. De man leek in een boze stemming te zijn. 'Wat wil je horen?'

'Ik geloof niet dat ik vanochtend zin heb in Schubert. Ik neem aan dat Winnie je over haar vriendin heeft verteld?'

'Nee.'

'Het arme kind, ze is er vreselijk aan toe.'

'Waarom?' Ralph keek op zijn horloge. Gelukkig kon Alwyne hem niet zien. Hij moest nu toch echt weg.

'Ze is stervende.'

Ralph versteende. 'Gaat Winnie dood?'

'Nee, haar vriendin. Je moet opletten. Haar vriendin Elsie, die de bommen maakt.' Alwyne drukte zijn sigaret uit. 'Pak de Rossini maar voor me. Ik heb nu geen zin in iets zwaars.'

Ralph doorzocht de grammofoonplaten. Dit was heel vervelend. De tijd drong; hij moest het huis uit zijn voor Winnie of zijn moeder terugkwam.

Hij vond de plaat en haalde hem uit zijn hoes.

'Blijf bij me, Ralph,' zei Alwyne. 'Doe me een lol en luister met me mee.'

'Dat kan niet,' zei Ralph. 'Ik ben al laat.'

'O ja, dat was ik vergeten.' Er viel een stilte. Alwyne keek naar Ralph; zijn gezicht was onzichtbaar achter de zwarte brillenglazen. 'Ik wil je iets vragen. Weet je zeker dat je je bij de Darren wilt aansluiten?'

Ralph keek hem verschrikt aan. Het bloed trok weg uit zijn gezicht. Hoe kon die man het in godsnaam weten?

Er moest een regiment zijn dat de Darren heette. Het was vermoedelijk een bijnaam. Maar waarom dacht Alwyne dat hij juist in dat regiment wilde gaan dienen?

'De Darren?' fluisterde hij.

'Je bent een gevoelige jongen,' zei Alwyne. 'Ik heb je vader natuurlijk nooit ontmoet, maar je lijkt veel op hem, naar ik hoor. Denk je nu echt dat hij zijn leven heeft gegeven zodat jij de rest van het jouwe dag in dag uit andermans geld kan tellen en in- en uitklokt als een wezenloze werkbij?'

Het duurde even voor dit tot Ralph doordrong. Hij liet zijn

adem los. Dus dat bedoelde Alwyne!

'Ik ben buitengewoon op je gesteld, Ralph. Je bent een beste jongen en ik weet dat je je moeder een plezier wilt doen. Maar als deze oorlog iets kan opleveren, dan is het dat jongens als jij worden bevrijd van de tirannie van het hele klotesysteem.'

Het was laat. Ralph stak zijn hand uit om die van Alwyne te schudden, maar besefte dat hij hem niet kon zien. 'Ik moet mijn plicht doen,' zei hij.

'Plicht?' zei Alwyne. 'Het is je plicht een gelukkig en compleet mens te zijn. Dat zou je vader voor je hebben gewild. Daarvoor zijn we op aarde en ik zal je wat vertellen: God heeft er niks mee te maken. Niemand zal hierna nog in Hem geloven.'

'Het spijt me,' zei Ralph. 'Ik moet gaan. Dag.'

Hij holde naar buiten en sloeg de voordeur achter zich dicht. Hij was al halverwege het station toen hij bedacht dat hij was vergeten Alwyne de grammofoonplaat te geven.

Ralph wachtte op het perron. De volgende trein naar Dover zou om half een vertrekken. Hij had een kaartje gekocht – een enkele reis, natuurlijk. Het was voor het eerst dat hij het tarief voor volwassenen had betaald: acht shilling en zes penny.

Hij was niet van plan zich in zijn eigen buurt aan te melden. Er was een rekruteringsbureau in de Borough Road maar er bestond een grote kans dat hij zou worden herkend. Dover leek de voor de hand liggende keuze. Daar zou niemand hem kennen. Het was vlak bij Frankrijk; de troepen vertrokken vanuit de plaatselijke haven. Hij zou al halverwege het front zijn.

London Bridge Station verhief zich boven de straat. Voorbij de wachtkamer kon hij het hospitaal voor ongeneeslijk zieken zien liggen. Heel even dacht hij aan Winnies vriendin Elsie, maar verwierp die gedachte. Daar mocht hij nu niet aan denken. Hij moest resoluut zijn en zich concentreren op de huidige zaken. Aan het eind van het perron stond een groepje soldaten te roken. Hun tassen – plunjezakken, natuurlijk – waren ongeveer even groot als de zijne en gingen vergezeld van helmen en ander materiaal, maar ze waren ongeveer even groot.

Ralph raapte zijn moed bijeen. Hij liep naar de kiosk en kocht een pakje van vijf Woodbines – vijf penny – en een doosje lucifers. Winnie had hem een paar luciferdoosjes gegeven – ze kocht die van de oorlogsinvaliden en had een grote verzameling – maar hij had ze op zijn kamer laten liggen.

Alwyne had gezegd dat het gedreun van de mortieren klonk als een dikke man die door een stoel zakt. Ralph herinnerde zich zijn vaders brief: *We hebben de mof dit keer een flinke oplawaai gegeven!* Het had allemaal niet bijster verontrustend geklonken. Zijn vaders brieven waren doorgaans voor het grootste deel gevuld met beschrijvingen van potjes voetbal en practical jokes: bijvoorbeeld die keer dat die stomkop van een officier zijn gasmasker tevoorschijn wilde halen om voor te doen hoe het werkte maar een doos vol vuile sokken aantrof. Ralph verheugde zich erop; het klonk allemaal als één groot avontuur. Hij zou naar het front gaan en honderd moffen doden om zijn vaders dood te wreken. Hij zou ze met een bajonet in hun buik steken en een held worden. En al die tijd zou zijn moeder thuis zitten te jammeren, zich afvragend waar hij toch kon zijn. Ze zou Mr. Turk de schuld geven en hem het huis uit gooien. Ze zou zich week in week uit de grootste verwijten maken, snotterend om haar zoon. Waar was hij naartoe gegaan? Ze zou voor het eerst van hem horen als haar dappere jonge held werd genoemd in berichten van het front. Of als ze een telegram kreeg waarin stond dat hij dood was. Dat zou haar leren.

Hij wilde niet aan zijn moeder denken. De trein arriveerde, in dikke wolken rook. Hij hijgde, zoals zijn moeder hijgde – zwaar, grommend gehijg... haar rokken opgesjord. *Hij wilde niet aan haar denken.* Hij zou aan zijn vader denken en aan hoe trots die zou zijn geweest. Misschien zou hij een paar kameraden van zijn vader ontmoeten, met wie hij over hem kon praten. Misschien zou Ralph wel in dezelfde loopgraaf terechtkomen als zijn vader! Er waren wel vreemdere dingen gebeurd. Het front leek volgens de verhalen de afgelopen vier jaar niet erg veel verschoven te zijn.

Ralph stapte in de trein en vond een lege wagon. Met een ruk reed de trein het station uit. Ralph drukte zijn gezicht tegen het raam om straks zijn huis te kunnen zien. Hij had al eerder in een trein gezeten, al een paar keer zelfs, maar nooit onder deze omstandigheden. Dit kon wel eens de allerlaatste glimp worden.

De trein ratelde over het viaduct. In het ravijn beneden zag Ralph de straatjes uit zijn kindertijd, die hem vanuit deze hoek onbekend voorkwamen. De mensen die er liepen zagen er zo onschuldig uit bij hun dagelijkse bezigheden. Ze bewogen zich in stilte; hij hoorde alleen maar het lawaai van de trein. De rook dempte hen; dikke rookwolken van de stoommachine. Als hij een sluipschutter was, zou hij ze een voor een kunnen neerknallen zonder dat hij ooit zou weten of hij ze misschien kende. In dit opzicht waren geweren beter dan bajonetten. Als hij tekende, zouden ze hem zijn eigen geweer geven; als hij werd bevorderd kreeg hij misschien ook een revolver. Sommigen lukte het die revolver na afloop te houden, zoals de man die zichzelf doodschoot op de dag van de bruiloft. De trein rammelde voort op loopsnelheid. Ralph zat nu ter hoogte van de schoorstenen. Het was vreemd om zijn buurt vanuit dit perspectief te zien. Het scheidde zijn nieuwe leven van het verleden. Hij had sinds zijn zesde op Palmerston Road gewoond maar het duurde even voor hij zich vanuit deze hoek kon oriënteren.

De trein schokte voorbij de pub de Mitre en de woorden op

zijn fronton: TRUMAN AND HANBURY LICHTE EN DON-
KERE BIEREN, die ongekend dichtbij waren en afbladderden.
Hij schokte langs de achterkant van zijn straat, langs de roet-
zwarte achtergevels van de huizen waarvan de voorkant hem
zo vertrouwd was. Waar het viaduct een bocht maakte, werden de achtertuinen kleiner, tot de huizenrij bij de brug op-
hield. Ralph zag aan het eind zijn eigen huis opdoemen door
de rook. Er was geen enkel teken van leven. Op Boyce' vensterbank zaten nog steeds witte spatten op de plek waar de duiven
altijd op hun voer wachtten. Daaronder was Alwynes raam en
daaronder dat van hem. Nog verder naar beneden, ver in de
diepte, was de bakstenen uitbouw met de badkamer, waar de
jaloezieën gesloten waren, en daaronder lagen, onzichtbaar,
de tuin en Winnies raam. En toen was het verdwenen.

De trein begon vaart te maken. Terwijl hij door de buiten-
wijken reed, door Lewisham en Hither Green, werd de hemel
donkerder. Het begon te regenen. Het gaf Ralph een vreemd
gevoel om hier op een gewone maandagochtend te rijden terwijl zijn schoolgenoten op hun examens ploeterden.

Hij dacht: ik had vaker met Lettie moeten spelen.

De trein kwam om kwart voor drie in Dover Priory aan.
Ralph stapte uit en stond op het perron. Voor hem had de reis
eeuwig mogen duren. Nu hij hier was, zonk de moed hem in
de schoenen. Was er maar iemand bij hem die hetzelfde ging
doen! Hij had buikpijn, een duidelijk teken van zenuwen.

Ralph liep naar de voorkant van de trein, langs de locomo-
tief die wolken rook uitblies, en ging op weg naar de uitgang.
Op het volgende perron lag een rij soldaten op brancards. Er
stond een vrouw bij, met een kind. Ze gaf het kind een sinaas-
appel om die aan een van de gewonden te geven, maar het
jongetje verborg zijn gezicht in haar rok. Ze bukte zich en gaf
hem zelf aan de man. Ralph zag een verbonden hand vanaf
de deken omhoogkomen.

Ralph wendde snel zijn blik af. Hij vroeg de conducteur de weg naar het rekruteringsbureau.

'De straat uit en dan rechts, jochie,' zei de man. 'Voorbij het postkantoor in Portcullis Street, je kunt het niet missen.' Hij zei het zonder een spier te vertrekken.

Ralph liep de regen in. Hij had graag een paraplu gehad maar dan zou hij een watje lijken. Mannen die in dienst gaan hebben natuurlijk geen paraplu bij zich.

Hij kon nog steeds omkeren en naar huis gaan. Hij had genoeg geld voor het kaartje. Hij kon naar huis gaan en niemand zou er iets van merken. Maar dan zou hij weer langs de gewonden moeten lopen. Sommigen hadden verband over hun ogen.

Ralph liep de straat uit, bukkend voor de luifels van de winkels. Hij herinnerde zich opeens een moment van geluk. Het was de eerste winter van de oorlog, in de sneeuw, en hij stond in de rij voor de melkboer Mr. Jones. Er werd gezegd dat hij boter had binnengekregen. Ralphs vader leefde nog en vocht voor zijn land, terwijl Ralph zijn moeder hielp. Er stonden nog meer jongens voor hun moeder in de rij; hij kende er een paar van school. Opeens begonnen ze allemaal sneeuw bij elkaar te schrapen en sneeuwballen naar elkaar te gooien. De orgelman was er toen ook nog. Hij had *Hello? Hello? Who's Your Lady Friend?* gespeeld.

Wat was het leven toen nog simpel! Ralph had het ijskoud gehad en hij was uitgehongerd. Maar gelukkig. Een verdwaalde granaat had daar een eind aan gemaakt. Eén granaat en zijn vader was voorgoed verdwenen, Ralph moest zonder hem opgroeien, *voorgoed.* Eén granaat, of één schot, of wat dan ook, dat zou niemand ooit weten, en Mr. Turk was bij hen ingetrokken met zijn dikke benen en zijn strakke broeken en zijn walgelijke dierlijke gewoonten; nee, erger nog dan dierlijk. Heel veel erger.

Niet aan denken. Ralph probeerde zich op de huidige zaken

te concentreren. Zijn vader had dienst genomen bij het Middlesex Regiment maar nu hij in Kent was, was het uitgesloten dat hij in diens voetsporen zou treden. Bovendien was de hele dienstneming tegenwoordig een zootje; Alwyne had gezegd dat het vanwege het hoge verloop een chaos was geworden. Ralph zou moeten nemen wat toevallig in de aanbieding was. Maar bij welk regiment hij ook zou komen, er wachtte hem daar een nieuw leven. Wapenbroeders! Een muziekkapel! Ze zouden de basistraining krijgen en dan snel naar Frankrijk gaan.

Ralph liep doorweekt van de regen langs het postkantoor en de Temperance Hall en kwam bij een bakstenen gebouw. In de steen boven de deur stond VRIJWILLIGE LANDWEER gebeiteld. De traptreden waren bezaaid met sigarettenpeuken. Op een bord op een standaard stond REKRUTERINGS-BUREAU. Ralph moest hoognodig naar het toilet. Het was binnen zo donker dat hij even moest stilstaan om zijn ogen aan de schemer te laten wennen. Hij ontwaarde een mevrouw achter een bureau. Hij vroeg haar waar het rekruteringsbureau was en ze wees naar een deur. Als zijn moeder hem nu eens kon zien! Want hij deed dapper de deur open en liep een kamer in. Het kolkte in zijn ingewanden maar dat was onbelangrijk als je bedacht waar hij als soldaat mee te kampen zou krijgen.

Hij bevond zich in de drilzaal, die schemerig werd verlicht door een dakraampje. Er waren geen rijen jonge mannen; er leek zelfs helemaal niemand te zijn op een sergeant achter een tafel na. Hij keek op van zijn krant.

'Dag, jongeman,' zei hij. 'Wat kan ik voor je doen?'

'Ik kom dienst nemen, sir,' zei Ralph.

De man keek hem aan. 'Zo zo, is het heus?'

'Ja.' Ralph wachtte tot de man zijn naam zou vragen.

'En hoe oud ben je dan wel, jongen?'

'Achttien, sir. Mijn naam is Ralph John Clay.'

De man hield zijn hoofd scheef en inspecteerde Ralph. 'Heb je je geboorteakte bij je?'

'Nee.'

De man keek hem een tijdje aan. Hij leek licht geamuseerd. 'Kom over een paar jaar maar terug, ventje.'

'Maar ik ben achttien!'

'Laten we die geboorteakte dan maar eens bekijken.'

Hij was niet onvriendelijk. Hij grijnsde alleen maar, alsof hij het allemaal al eens had meegemaakt. Ralph bleef nog even staan maar het gesprek leek ten einde.

'Mag ik even naar het toilet?' vroeg hij.

Lettie stond buiten bij de Mitre te wachten. Ze schuilde voor de regen in de deuropening van de pub. Winnie, die terugkwam van het boodschappen doen, zag haar voor ze haar herkende: een klein meisje met afgetrapte schoenen, een onderrok die onder haar rok uit kwam en haar sjaal strak rond haar schouders getrokken. Haar vader zou wel binnen zitten. Mr. Spooner glipte tegenwoordig om de haverklap het huis uit met Lettie trippelend aan zijn zijde, om in de Mitre te verdwijnen, waar hij zichzelf bewusteloos dronk, waarna hij naar huis geholpen moest worden.

'Hallo, Brutus.' Lettie aaide de doorweekte hond. Winnie gaf haar een toffee. Ze had medelijden met het arme onderkruipseltje. Letties twee broers waren als zuigelingen aan de kinkhoest overleden. Wat moest het voor zo'n jong meisje een last zijn om in haar eentje de verantwoordelijkheid te dragen voor haar vader, dronken en nuchter! Lettie had geen school, ze had geen vrienden. Waarom vermande haar vader zich niet? Hield hij dan totaal geen rekening met haar? Dat hij uit bed kwam was natuurlijk een welkom teken van herstel, maar moest hij daar nu per se dronken bij worden?

Winnie was die dag prikkelbaar, maar ze was van haar stuk. Elsies toestand was min of meer een schok voor haar geweest.

Winnie was haar gaan opzoeken in het ziekenhuis en heel even had ze haar vriendin niet herkend. Ze had Alwyne erover verteld maar die had de gelegenheid aangegrepen om haar een lezing over de onrechtvaardigheden van de oorlog te geven. Ze had alleen maar gewild dat hij zijn armen om haar heen zou slaan.

Winnie sjokte naar huis. Ze hoefde die dag niet te koken; Mr. en Mrs. Turk waren allebei uit en Ralph was op school voor zijn examen. Ze ging de keuken in.

Daar liep Alwyne rond te tasten, op zoek naar iets eetbaars. Van de huurders werd verwacht dat ze zelf hun lunch verzorgden maar Alwyne had een soort zesde zintuig voor wanneer de kust vrij was.

Winnie smakte de boodschappentas op tafel.

'Ben jij gisteren op mijn kamer geweest?' vroeg ze, terwijl ze haar paraplu uitschudde.

'Nee,' antwoordde Alwyne verrast. 'Waarom zou ik?'

'M'n sprei was helemaal losgetrokken, alsof iemand erop had gelegen.'

'Lieve schat, zoiets zou ik nooit doen. Waarom zou ik in jouw bed kruipen als jij er niet in ligt?'

Winnie was blij met dit blijk van genegenheid. Ze hadden zo'n eigenaardige verbintenis dat ze geen idee had bij wie de verplichting berustte, laat staan of er sprake was van liefde. Doordat het zich afspeelde in de beschutting van het duister, onder de grootste geheimhouding, onttrok het zich aan de werkelijkheid van het dagelijks leven. Overdag was het moeilijk voor te stellen dat het überhaupt gebeurde, dat het de afgelopen twee maanden zelfs een paar keer per week was gebeurd.

Maar soms had ze het gevoel dat de waarheid andersom was. Dat ze alleen maar echt leefde als Alwyne naast haar lag, haar armen streelde en woordjes in haar haar murmelde. Ze was begeerlijk! Ze deed de passie van een volwassen man oplaaien! Hij begon te leren wat ze fijn vond. En wat nog fijner was: zij gaf hem genot. Ze was deze gebroken man aan het herstellen, als een gebroken vaas.

En ze was natuurlijk niet alleen hem van dienst, maar ook haar land. Oorlog had een bedwelmend effect op vrouwen; Winnie had daar de afgelopen vier jaar volop bewijs van gezien. De quasi chique kroegen rond de treinstations wemelden van meisjes die maar al te bereid waren hun patriottische plicht te vervullen. Zelfs achtenswaardige dames smolten bij het zien van een uniform. Wie maalde er nog om zedelijkheid als die arme kerel over een paar dagen dood kon zijn? Als íédereen dood kon zijn.

'Zal ik wat brood met jus voor je maken?' vroeg Winnie.

'Kom hier.' Alwynes armen zwaaiden door de lucht, op zoek naar haar. Ze deden haar denken aan een zeeanemoon die tastend naar een passerende prooi met zijn armen zwaait. Ze had die in de getijdepoelen bij Ramsgate gezien.

Winnie raakte zijn hand aan. Die sloot zich om de hare. Alwyne trok haar omlaag zodat ze naast hem kwam te zitten.

'Ik hoop dat Ralph zijn examen haalt,' zei ze.

'Vergeet Ralph.'

'Ik wou dat hij meer vrienden had. Mrs. Turk had hem niet bij de andere jongens vandaan moeten houden. Ze vond dat hij te goed voor hen was.'

Alwynes hand kroop onder haar rok omhoog. 'Mrs. Turk had altijd al ideeën die boven haar stand zijn,' zei hij.

'Nou praat je als een snob! Ik dacht nog wel dat je een communist was.' Winnie giechelde; zijn vingers kietelden haar. 'Jij bent zeker van adel, met al die praatjes van je.'

'Dat doet er niet toe, schat. Het enige dat nu telt is dit.' Hij liet zijn vingers in haar broekje glijden. 'Godzijdank zit er geen politiek in een poesje.'

Alwyne zat net aan zijn broek te frunniken toen ze het geluid van voetstappen op de trap hoorden. Winnie sprong achteruit en streek haar rok glad.

Mrs. O'Malley kwam de keuken binnen. De oude dame keek verrast. 'Ik had de indruk dat iedereen weg was,' zei ze.

Ook zij was naar beneden gelopen om stiekem wat te eten te halen. Winnie had zich inmiddels vermand. 'Zal ik lekker brood met jus voor u maken?' vroeg ze.

Ralph zat in een pub bij de haven. Hij had twee halve pinten Bass gedronken; hoewel hij te jong werd geacht om te sterven voor zijn vaderland, was hij blijkbaar wel oud genoeg om zijn bier te drinken. Het was hem ook gelukt een sigaret te roken zonder spektakel te maken. Naast hem stond een pianola. De toetsen dansten op en neer en speelden op eigen kracht *Burlington Bertie*:

I'm Burlington Bertie, I rise at ten-thirty
And reach Kempton Park around three

Ralph ging z'n mogelijkheden na. Hij kon bij de marine gaan in de aloude rol van verstekeling en voorgoed verdwijnen. Hij kon naar het platteland trekken en op zoek gaan naar Winnies dorp; hij wist dat haar familie in Kent woonde, had hij haar er maar meer over gevraagd. Als hij daar eenmaal was, waar het ook mocht zijn, dan kon hij zich verschuilen in Dulcies lege stal en daar wachten tot het voorbij zou zijn, wat 'het' ook mocht wezen. Of hij kon naar huis gaan.

De pub was blauw van de rook en druk. Het viel hem op dat iedereen behalve hijzelf een uniform droeg. De meesten waren matrozen. Ze zagen er allemaal uit als volwassen kerels die zich dagelijks schoren.

I'm Burlington Bertie, I rise at ten-thirty
And saunter along like a toff.

Het was het lievelingsliedje van Boyce.

I walk down the Strand with my gloves on my hand
Then I walk down again with them off.

De toetsen rezen en daalden, bespeeld door spookvingers. Als klein jongetje had Ralph de pianola een beangstigend instrument gevonden. Hij dacht dat hij door een dode werd bespeeld.

The Prince of Wales' brother along with some other
Slaps me on the back and says 'Come and see Mother'.

Misschien was Boyce niet dood! Misschien had hij daar op het perron op een brancard gelegen en zijn arm opgestoken om Ralphs aandacht te trekken!

'Ben je eenzaam, schatje?'

Ralph draaide zich met een ruk om. Er was een jonge vrouw naast hem komen zitten.

'Niet echt,' zei hij.

'Je ziet eruit alsof je wel wat gezelschap kunt gebruiken.'

Ze was niet veel ouder dan hij. Haar gezicht had niettemin niets jeugdigs.

'Krijg ik misschien een drankje van je?'

Lieve heer, wat zou dat kosten?

'Wat wil je hebben?' vroeg hij.

'Ik zeg geen nee tegen een glas sherry.' Ze wierp hem een glimlach toe, terwijl ze rusteloos zat te schuiven op haar stoel en haar ogen door het lokaal schoten. Hij moest toegeven dat ze best knap was. Ze had bruine krullen en een met insignes bedekt vilthoedje.

Ralph wurmde zich naar de bar. Terwijl hij op zijn beurt wachtte, voelde hij het ongeduld van het meisje dwars door het lokaal heen. Eindelijk zag de barman hem en hij schonk een glas sherry voor hem in. Dat kostte negen penny. Hij nam het voorzichtig mee, om niets te knoeien, en ging weer naast haar zitten.

'Hoe heet je?' vroeg ze.

'Ralph.' Zijn achternaam vertelde hij niet. Een of ander instinct weerhield hem daarvan.

'Ik heet Jenny,' zei ze, 'Jenny Wren.' Ze giechelde. Was het soms als grapje bedoeld? Ze hief haar glas. 'Ad fundum.'

Ze droeg een helgroene jurk en een verenboa. Ralph had het ernstige vermoeden dat ze een prostituee was. Hij was niet achterlijk. Een aantal van hen oefende hun beroep uit rond de pubs in zijn eigen buurt. Maar hoe verontrustend het ook was, hij voelde toch ook opwinding in zich opborrelen. Wat zou zijn moeder nu van hem denken?

'Heb je al dienst genomen, snoes?' vroeg ze.

Ralph schudde zijn hoofd. 'Ik ga er morgen naartoe,' loog hij.

'Goed zo.' Niet alleen haar hoedje was bedekt met insignes; ook op het lijfje van haar jurk waren regimentsinsignes en -knopen genaaid. Als ze bewoog, twinkelden ze in het gaslicht. Met enige teleurstelling merkte Ralph op dat haar borst zo plat was als het eerste plaatje van de bustevergrotingreclame.

'Leger of marine?' vroeg ze, terwijl ze haar glas leegdronk. Allemachtig, moest hij er nu nóg eentje voor haar halen?

'Ik ga naar waar ze me het hardst nodig hebben.'

'Wat een dappere vent,' zei ze. Ze legde haar hand op zijn knie. De bedoeling was duidelijk. 'Zin om met mij mee te gaan? Ik heb een speciaal aanbod voor hullie wie gaan vechten.'

Ralph stond op. 'Ik denk dat ik er maar eens vroeg in duik. Belangrijke dag, morgen. Maar toch bedankt.'

Ze haalde haar schouders op. Ze was godzijdank niet beledigd. Haar ogen schoten zelfs alweer door het lokaal. 'Als je van gedachten verandert, weet je waar je me kunt vinden,' zei ze, terwijl ze opstond. 'Vraag maar gewoon naar Jenny.' Ze blies hem een kus toe, gooide haar boa naar achteren en stak het lokaal over naar een groepje soldaten.

Ralph ontsnapte naar buiten. Het was donker geworden; de natte kinderkopjes glommen in het licht van de lantaarns. Het was kwart voor negen. Hij had nog steeds genoeg geld voor een kaartje naar huis, als de laatste trein niet al was vertrokken.

Ralphs wagon zat tjokvol soldaten die in een uitgelaten stemming verkeerden. De lucht was verzadigd van sigarettenrook en alcoholdampen. Hij zat naast het raam, met zijn tas op zijn schoot. Een van de soldaten gaf hem een dropveter maar verder letten ze niet op hem, waar hij dankbaar voor was. Sommige uniformen waren modderig. Ralph had over de luizen gehoord; de vraag was nu of die van het ene lijf op het andere konden overspringen. Hij hield zich tegen het raam gedrukt. De mannen zongen uit volle borst.

Three German officers crossed the line,
Parlez-vous,
Thee German officers crossed the line,
Parlez-vous,
Thee German officers crossed the line, fucked the women
and drank the wine,
Inky-pinky parlez vous!

Het grove woord gaf Ralph een schok. Er waren in de wagon geen dames die het konden horen en de soldaten vonden Ralph blijkbaar mans genoeg om er niet over te vallen. Hij wist natuurlijk wat het betekende. Hij was die avond zelfs gevaarlijk dicht bij die mogelijkheid zelf geweest. Hij had een voorstel gekregen van een vrouw die, ondanks haar kinderlijke leeftijd, het ding in kwestie al heel vaak – misschien wel hónderd keer – moest hebben gedaan.

Ralph knabbelde aan een biscuitje. Maar hij had geen honger. Hij voelde zich koortsig; hij was draaierig in zijn hoofd. Misschien had hij kougevat doordat hij zo nat was geworden in de regen. Misschien had hij de griep opgelopen! Alwyne zei dat de mensen als kegels omvielen. Hij zei dat het niet alleen de zwaksten trof; het trof ook sterke jongens. Ze kregen koorts en pijn in hun benen en zakten gewoon in elkaar. Ze waren binnen een paar uur dood.

Dat zou al mijn problemen oplossen, dacht Ralph somber. Zijn moeder zou dan niet kwaad op hem zijn, maar diepbedroefd. Het zou even tragisch zijn als sneuvelen in de strijd. Hij kon zich zijn sterfbed met alle deerniswekkende details zelfs gemakkelijker voorstellen dan zijn sneuvelen. Het probleem was dat je in een oorlog op zoveel verschillende manieren kon sterven, en hij had nog niet gekozen welke het moest worden. Maar dat alles was nu theorie.

De liedjes werden grover. Ralph rommelde blozend in zijn tas en haalde er *Fletcher's Guide to British Birds* uit. Hij sloeg hem open en zocht de bladzijde met de *wren*.* Jenny Wren was natuurlijk niet de echte naam van de prostituee. Ze had vast een valse naam aangenomen om haar ouders te misleiden, voor het geval ze haar zouden komen zoeken.

Hij las: *Winterkoning (Troglodytes troglodytes). Dit kwieke, ronde vogeltje is gemakkelijk te herkennen, vooral aan de opgerichte stand van zijn staart. Hij eet voornamelijk insecten en spinnen. De winterkoning heeft een gevarieerde zang, van de waarschuwingsroep 'tiktik'tik' tot de ijle, piepende roep om voedsel van de jongen die net uit het nest zijn. Het wijfje broedt vijf tot zeven eieren uit...*

De woorden begonnen te zwemmen. Ze leken helemaal niets met het meisje gemeen te hebben. Ralph sloot zijn ogen

* Winterkoninkje. [Noot van de vert.]

en liet zijn hoofd tegen het raam rusten.

Ralph worstelde zich door een bosje braamstruiken. De doorns scheurden zijn kleren, ze krasten in zijn gezicht, maar hij voelde niets. Hij wist alleen maar dat hij moest vluchten.

Hij werkte zich door de wirwar van takken en opende zijn ogen. Er was een fel licht. Hij leek in een wagon vol lijken te zitten.

Met een afzwakkend gevoel van onheil keerde Ralph naar de werkelijkheid terug. Wat zagen de soldaten er vredig uit! Ze waren helemaal niet dood. Ze lagen snurkend en kwijlend tegen elkaar aan gezakt tussen de bergen van hun uitrusting, hun in modderige puttees en grote modderige schoenen gestoken benen voor zich uitgestrekt.

Ralph keek jaloers naar hen. Wat boften ze dat ze zijn moeder niet onder ogen hoefden te komen! Een veldslag kon geen beangstigender vooruitzicht zijn. Ralph had een droge keel. Pas nu begon de omvang van wat hij had gedaan tot hem door te dringen. Hij had in alle mogelijke opzichten gefaald: als soldaat, als leerling, als zoon.

Ralph probeerde niet aan de reactie van Mr. Turk te denken. Dan had je nog Alwyne; die zou het vermoedelijk één grote grap vinden, wat misschien nog wel het ergst van alles was. Wat moest hij beginnen? Naar huis kruipen en heimelijk in een hoekje gaan liggen, zoals de hond deed toen hij de worstjes had gestolen?

De trein minderde vaart. Ralph trok het rolgordijn op. Dat was bij wet verboden; 's avonds moesten de treinen verduisterd zijn. Maar er was niemand die het kon zien. Misschien was de trein zijn station al gepasseerd en was hij nu op weg naar Charing Cross.

Het enige dat Ralph zag was zijn eigen spiegelbeeld op het glas. Hij deed het raam open en leunde naar buiten.

Z'n pet waaide af. Hij merkte het nauwelijks: iets anders

had zijn aandacht getrokken.

De trein rolde stapvoets over het viaduct. Ralph herkende de torenspits van de St Jude's, vlak bij zijn huis. In de diepte kon hij de laadplatforms zien liggen. Ze waren voor de opslagkelders die in de bogen onder het spoor waren gebouwd en werden gebruikt door de plaatselijke handelaars.

Op een van de platforms was van alles aan de gang. Er werd een vrachtwagen achteruitgereden. Er flitste een zaklamp; een man hield een lamp omhoog. In het licht ervan zag Ralph dat mannen kadavers uit de vrachtwagen haalden en naar de kelder droegen.

Op dat moment zag hij Mr. Turk. De slager stond in het licht van de koplampen van het voertuig en speurde de straat af. Zijn gezicht ging gehuld in de schaduw van zijn platte strohoed, maar het was hem beslist. Er was verder niemand, behalve een politieagent. Hij stond vlakbij, onder de gaslantaarn.

De trein rolde voort. Op het moment zelf was Ralph alleen maar verwonderd. Waarom stond Mr. Turk vlees op dit late uur uit te laden? Dat was niet het enige dat raar leek. Het hele zaakje had iets vreemds. En wat deed die politieagent daar?

Kort daarop stopte de trein bij London Bridge Station. Ralph vergat het tafereel. Hij had dringender zaken aan zijn hoofd.

'Waar heb jij uitgehangen?' Zijn moeder trok hem de salon in. De lampen schitterden.

'We zijn na het examen gaan feesten,' zei Ralph.

'Ik was verschrikkelijk ongerust!' Zijn moeder wees naar zijn tas. 'Wat is dit?'

'Een paar spullen die nog op school lagen. Ik heb ze mee naar huis gebracht.'

'Waarom heb je ons niet gebeld?'

'Gebeld?'

'Ja, met de telefoon.'

'Die heb ik nog nooit gebruikt. Ik weet het nummer trouwens toch niet.'

Brutus kwam binnen draven. Ralphs thuiskomst leek hem meer plezier te doen dan zijn moeder.

'Ben je dronken? Waar is je pet? Mijn god, wat heb je ons laten schrikken. Neville is naar je op zoek.'

Helemaal niet, dacht Ralph.

'Schat van me.' Eindelijk knuffelde zijn moeder hem. 'Ik ben zo blij dat je terug bent. Ik dacht dat je dood was.'

'Volgens mij krijg ik griep,' zei Ralph. 'Ik wil naar bed.'

Maar de griep schoot Ralph niet te hulp door hem van het aards tumult te bevrijden. Toen hij de volgende ochtend wakker werd, waren de symptomen verdwenen. Misschien kwam dat door de lijnzaadthee die zijn moeder hem de vorige avond had laten drinken.

Hij lag in bed en keek de kamer rond waarvan hij had gedacht dat hij er nooit meer zou terugkomen. Er ratelde een trein voorbij. Het was half tien; iedereen was al in de weer. Zijn moeder had hem niet gewekt voor het ontbijt, ofwel vanwege zijn ziekte of om hem te straffen.

Ralph had geen idee. Hij kende haar niet meer. Maar hij leek zelf ook een vreemde. Zijn kamer was een plaats die hij lang geleden achter zich had gelaten. Zijn verzameling vogeleitjes en sigarettenplaatjes waren van een jongen die jaren voor de rampzalige reis naar Dover was verdwenen. Ralph besefte dat nu. Die jongen was verdwenen, de jongen wiens trotse gezicht werd weerspiegeld op het leer van Boyce' lederen dansschoenen als hij die poetste tot ze glommen; die een flesje limonade deelde met z'n vader als ze samen op Box Hill zaten.

Ralph stapte uit bed en kleedde zich aan. Wat moest hij nu doen? Hij had zijn schepen achter zich verbrand, dat stond wel vast. Was gisteren maar een hallucinatie geweest. Waren de laatste paar maanden maar een hallucinatie geweest, dan was hij nu terug bij zijn moeder en zou hij voor haar zorgen en op haar dekbed zitten terwijl ze haar haar opstak.

Beneden rinkelde de telefoon.

'Geef me de sago eens aan, alsjeblieft,' zei Winnie.

Ralph hielp haar in de keuken. Het was half een; Mr. Turk zou zo dadelijk thuiskomen voor zijn middageten. Ralph had hem de vorige avond niet gezien en vreesde het vooruitzicht. Het leven in het souterrain was zoveel simpeler. Winnie hoefde die man alleen maar een bord eten voor z'n neus te zetten voor ze 'm weer kon smeren naar de keuken. Haar dag kende geen complicaties: geen schuld, geen strijdige loyaliteiten. Het was natuurlijk zielig dat ze geen vrijer had en ook weinig kans dat ze er een zou vinden, maar die aandrang tot seks zorgde alleen maar voor problemen.

'Ik denk dat ik butler word,' zei Ralph.

'Doe niet zo mal,' zei Winnie. 'Je krijgt binnenkort een fatsoenlijke baan, op een kantoor.'

Helemaal niet, dacht hij.

'Je krijgt dan loon en om zes uur ben je zo vrij als een vogel.' Winnie zweeg even met een dromerige blik op haar gezicht; haar handen rustten in de mengkom. 'Je bent niemands sloofje, zou dat niet fijn zijn? Mr. Flyte zegt trouwens dat er na de oorlog geen rijke huizen meer over zijn, dus zeg maar dag tegen de butlers.'

'Je praat veel met hem, hè?'

Winnie deed de sago in de kom. 'Hij heeft me veel geleerd,' mompelde ze. 'Hij is zo slim.'

'Ik weet waar hij tégen is: dat mensen op kantoren werken, dat mensen bedienden zijn, dat soort dingen. Maar waar is hij vóór? Dat mensen de hele dag op hun luie kont zitten te praten, zoals hij?'

'Dat is niet eerlijk!' snauwde ze. 'Hij heeft niks anders te doen, de stakker.'

Ralph gaf geen antwoord. Winnie had iets irritants in haar stem als ze over Alwyne sprak, alsof ze met hem onder één hoedje speelde. Snapte ze dan niet dat hij alleen maar zo aardig tegen haar deed uit klassensolidariteit, of wat voor rare term hij ook gebruikte?

'Toe dan,' daagde hij haar uit, 'waar gelooft hij wél in?'

'In stemrecht voor mensen zoals ik.'

'Op wie zou je dan stemmen?'

Winnie keek hem met wijd opengesperde ogen aan. 'Hoe moet ik dat weten?'

Ralph fronste. Maar ze moesten geen van beiden lachen. Vroeger zouden ze wel hebben gelachen.

Winnie zweeg even en keek hem over de tafel aan. Er hing vliegenpapier aan de lampenkap. Er kleefden talloze zwarte lijkjes aan.

'Wat is er met je, lieverd?' vroeg Winnie.

'Niets.'

'Mr. Turk zal echt niet kwaad op je zijn, geloof me. Je moeder zal hem wel hebben gekalmeerd. Het was ook maar gewoon een pleziertje. Als hij net een examen had afgelegd, had hij vermoedelijk hetzelfde gedaan.'

Ralph stond op. Hij verdroeg het niet om Winnie aan te kijken. Liegen tegen haar vond hij nog het ergste van alles. 'Hij zal zo meteen wel hier zijn,' zei ze. 'Ik ga de borden naar boven brengen.'

'Maak je geen zorgen, schatje,' zei Winnie. 'Je moeder is reuze trots op je. Ze heeft een cadeau voor je gekocht.' Winnie sloeg haar hand voor haar mond. 'O jee, het is een verrassing!'

'Hoe bedoel je, een cadeau?'

'Ze was gisteren geen gordijnen gaan uitzoeken. Dat was een smoesje om jou om de tuin te leiden.' Ze glimlachte samenzweerderig naar hem. 'Ik zeg niks.'

Ralph droeg het dienblad naar boven. Hij voelde zich misselijk. Hoe had zijn moeder zoiets kunnen doen?

Ralph zag een paar pantoffels de trap af komen. Mr. Spooner verscheen, vergezeld door Lettie. De voordeur ging open en Mrs. O'Malley kwam terug, met haar middageten in een papieren zak. Ze drukte zich tegen de muur toen Mr. Spooner met gebogen hoofd langs schuifelde. Lettie nam haar vader bij de hand en leidde hem het huis uit.

Ralph voelde een golf van eenzaamheid. Zijn huis was vol mensen en toch was hij moederziel alleen met zijn schaamte. *Kom over een paar jaar maar terug, ventje.* Er waren genoeg jongens voor zestien doorgegaan. De zoon van de herenkapper had dienst genomen, net zoals een andere jongen uit Ralphs klas op school. Ze hadden ongetwijfeld gelogen over hun leeftijd, maar in hun geval had de rekruteringssergeant hen geloofd. Ze hadden dienst genomen en gevochten; de zoon van de kapper, Derek, was zelfs direct gesneuveld. Maar ze hadden er mannelijk genoeg uitgezien om overtuigend te zijn.

Ralph begon de tafel te dekken. Terwijl hij bezig was, hoorde hij het geluid van de voordeur. Zijn moeder en Mr. Turk liepen de salon in.

Er was iets aan de hand. Hun gezichten stonden strak. De ogen van zijn moeder waren roze, alsof ze had gehuild.

'Ga zitten, ventje,' zei Mr. Turk. 'Wij tweeën moeten eens even praten.'

Ralph ging zitten.

'Je moeder kreeg vanochtend een telefoontje,' zei Mr. Turk. 'Van je school.'

Er viel een stilte. De hond snuffelde aan Mr. Turks broek maar hij schopte hem weg. 'Sodemieter op!'

'Niet doen,' zei Ralph.

Zijn moeder zeeg neer en zette haar hoed af. 'Ze zeggen dat

je niet bent komen opdagen voor het examen.'

Ze wachtten allebei tot Ralph iets zou zeggen.

'Nee,' zei Ralph.

'Ze kwam meteen naar de winkel om me het te vertellen,' zei Mr. Turk.

Ralph keerde zich met een ruk naar zijn moeder. 'Waarom heb je niet met míj gepraat? Waarom ben je eerst naar hem gegaan?'

'Wat is er in je gevaren, Ralph?' In haar ogen glinsterden tranen. 'Waarom ben je niet naar je examen gegaan? Weet je wel wat die beroepsopleiding kost?'

'Kijk naar je moeder,' zei Mr. Turk. 'Moet je zien wat je haar hebt aangedaan. Je zou je moeten schamen.'

'Het gaat u niks aan,' zei Ralph.

'Ralph!' snauwde zijn moeder. 'Hoe durf je zo tegen hem te praten!'

'Maar het gaat hem niks aan.'

'Je moet respect tonen.'

'Waarom?'

'Laat maar, schat,' zei Mr. Turk. 'Het is maar een kind.'

'Ik ben geen kind!'

'Hij is een verwende snotaap en als hij mijn zoon was, kreeg hij een pak slaag.'

'Ga je gang,' zei Ralph.

'Hou op!' gilde zijn moeder.

'Sla me maar. Het kan me niet schelen.'

'Ralph!'

'En ik ben uw zoon niet,' zei Ralph. 'Ik heb niks met u te maken, ik wilde niet dat u hier zou komen, niemand wilde dat.'

'Dat is niet waar!' riep zijn moeder.

Mr. Turk wendde zich naar haar. 'Is dat waar?'

'Nee. Ze vinden je allemaal aardig; ze zijn je heel dankbaar.'

'Ah.' Mr. Turk keerde zijn rode gezicht weer naar Ralph. 'Je bent blijkbaar in de minderheid, makker.'

'Bied Neville je excuses aan,' zei zijn moeder. 'Toe, Ralph, zeg dat het je spijt.'

Ralphs hart bonkte. Hij keek naar zijn moeder. 'Je hebt het me niet eens gevraagd. Je zei dat je ging trouwen. Je hebt niet eens gevraagd wat ik ervan vond. Je hield totaal geen rekening met anderen omdat je zo... zo...'

'Wat?'

Ralph kreeg het woord niet uit zijn mond. Hij keek naar Mr. Turks rood aangelopen gezicht. Hij keek naar zijn grote rode handen met het welige zwarte haar. Naar zijn arm, die heen en weer had gestoten.

'Het is afgrijselijk,' mompelde hij, terwijl hij zijn stoel naar achteren schoof.

Ralph rende de trap op naar zijn kamer en sloeg de deur achter zich dicht. Hij hoorde zijn moeder volgen en het gekras van de poten van de hond. Ze zwaaide de deur open en bleef bevend staan.

'Wat is afgrijselijk?' vroeg ze.

Ralph zat op zijn bed en keek naar de vloer.

'Zeg iets tegen me,' zei ze. 'Ik kan je niet helpen als je niet tegen me praat.' Ze ging naast hem zitten en kwam weer op adem. Toen ze weer sprak, klonk haar stem teder. 'Ralph, lieverd... Ik was erg op je vader gesteld maar niets kan hem terugbrengen.' Ze wachtte even. 'En als ik heel eerlijk ben, ging het niet zo goed tussen ons. De laatste paar jaar al niet.'

'Je was gelukkig. We waren allemaal gelukkig.'

Ze zuchtte. 'Je zult het toch niet begrijpen.'

'Wat was er dan mis?'

Ze vlocht haar vingers ineen. 'Dingen van volwassenen. Dingen tussen een man en een vrouw. O, hij was heel lief en teder en aardig... maar dan heb je nog geen huwelijk. In de breedste zin van het woord.'

Het donderde in Ralphs oren.

'Misschien moet ik je dit niet vertellen,' zei ze, 'maar ik vind dat je oud genoeg bent om het te horen.'

'Híj hield van ons. Hij ging voor ons de oorlog in. Hij is voor ons gesnéúveld!' Ralph begon te snikken. 'Je wachtte niet eens tot hij de straat uit was.'

'Wat bedoel je?'

'Je ging de trap af, naar de keuken,' barstte hij uit. 'Je wachtte niet eens tot hij de hoek om was. Hij had zich kunnen omdraaien om te zwaaien!' Ralph snoot zijn neus. 'Je bracht het niet eens op om even te wachten!' Dat had hij natuurlijk ook niet gedaan. 'Zelfs Brutus toonde meer liefde voor hem!'

'Brutus?'

'Hij paarde met zijn been.'

Zijn moeder liet een zwak lachje horen. 'Noem je dat liefde?'

Ralph keek haar boos aan. 'Jíj vindt blijkbaar van wel.'

Zijn moeder gaf hem een klap in zijn gezicht, een harde. 'Dat is walgelijk!'

Ze staarden elkaar verschrikt aan.

Toen sprong zijn moeder op en rende de kamer uit.

De klok sloeg drie uur. Dat werd gevolgd door de zwaardere klanken van de staande klok beneden. Er was al een tijdje geen geluid meer geweest in huis, niet meer sinds het gedempte gebots tegen de muur toen Mr. Spooner naar zijn kamer werd geholpen. Ralph had Winnies bemoedigende gefluister gehoord. Winnie was zo aardig, zo liefdevol. Ralph vroeg zich af of zijn moeder haar over zijn gemiste examen had verteld, of dat de schande te groot was om er een bediende over te vertellen. Maar Winnie zou er vroeg of laat toch achter komen. Dat zouden ze allemaal doen. Zelfs Mrs. O'Malley zou zich, hoe warrig ze ook was, in het koor van afkeuring scharen.

Ralph werd overvallen door roekeloosheid. Ze konden allemaal doodvallen! Het kon hem geen bal meer schelen. Hij was een boot zonder spanen en zonder roer, die wegdreef van een kust die met de minuut vager werd. Hij kon niet meer horen wat de mensen tegen hem schreeuwden. Wat had het trouwens allemaal voor zin?

Het is maar een kind, had Mr. Turk gezegd. *Gewoon een verwende snotaap.* O ja?

Opeens wist Ralph wat hij moest doen. Het enige probleem was er een van financiële aard. *Ik heb een speciaal aanbod voor hullie wie gaan vechten.* Hoeveel zou Jenny Wren vragen? Hij had geen flauw idee. Hij had nog maar twee shilling over, niet eens genoeg voor het treinkaartje.

Nog maar een kind, hè?

Ralph stond op van zijn bed. Hij liep naar de wasbak, zette de kraan aan en spatte water op zijn gezicht. Zijn ogen waren gezwollen door het huilen. De puisten waren even rood als altijd maar als een vrouw werd betaald was ze niet in de positie om te klagen.

Zijn moeder en Mr. Turk waren uitgegaan. Ralphs kamer was aan de achterkant van het huis maar hij hoorde aan de stilte dat ze weg waren. Misschien waren ze naar zijn school gegaan om over zijn zogenaamde toekomst te praten.

De kust was veilig. Ralph deed de deur open en ging hun kamer binnen. Het bed was onopgemaakt, de lakens verkreukeld. Het stonk naar hun activiteiten. *Leven in 't geile zweet van een vet-druipend bed.* Intieme spulletjes van zijn moeder lagen verspreid over de vloer.

Ralph wendde zijn ogen af. Hij deed de klerenkast open. Aan de rechterkant hingen de kleren van Mr. Turk. Die man had altijd pakken geld bij zich, niet alleen in zijn uitpuilende portefeuille maar ook in de binnenzakken van zijn jasjes. Ralph bekeek de kleren die voor hem hingen: de overjassen, de smokings die hij naar z'n etentjes met stadsbestuurders droeg, en alle colbertjes met hun opzichtige, ordinaire kleuren: tweedjasjes, geruite jasjes, een met galon afgezet camelkleurig jasje, dat hij die dag dat hij voor het eerst bij hen in huis kwam had gedragen. Ralph werd onpasselijk bij de gedachte dat hij Mr. Turks kleren zou aanraken. En hij had bovendien nog nooit gestolen. Zijn ouders zouden geschokt zijn.

Ralph verzamelde moed en liet zijn hand in een zak glijden. Maar hij had nu geen ouders meer. Zijn vader was dood en zijn moeder was zijn moeder niet meer; ze was een vreemde vrouw die naar rozenolie rook en hem in zijn gezicht sloeg. En God kon hem niet zien want God bestond niet. Op Palmerston Road waren ze allemaal op de een of andere manier tot die conclusie gekomen. Alwyne had ooit tegen hem gezegd: *Wat ik zo prettig vind aan dit huis is dat helemaal niemand naar de kerk gaat, behalve Ada O'Malley, en die is getikt. En wat voor conclusie kunnen we daaruit trekken, m'n jonge vrind Ralphie?*

Ralph doorzocht de zakken. Iemand beloonde hem want hij vond weldra wat kleingeld en uiteindelijk, in de vierde zak, een biljet.

Het was een biljet van vijf pond. Raph telde met trillende vingers de zilveren en koperen muntjes. Het was bij elkaar vijf pond, zes shilling en tienenhalve penny. Ralph stopte het geld in zijn zak.

Op dat moment zag hij de schrijfmachine.

Hij stond op de bodem van de klerenkast, tussen de schoenen. Er stond in gouden letters Remington op, in reliëf. Boven op de schrijfmachine lag een bolhoed; op de rand van de hoed lagen een losse kraag en manchetknopen. Het geheel was samengebonden door een roze satijnen lint.

Er stak een kaartje achter het lint.

Ralph boog zich voorover en pakte het. Het was bedrukt met een tuiltje bloemen. Er stond in blauwe letters HARTELIJK GEFELICITEERD op te lezen, plus een gedicht:

Proficiat! Dat deze dag
een bron van vreugde wezen mag.

Ralph draaide hem om. Op de andere kant had zijn moeder geschreven:

Ik weet dat je niet jarig bent
wat mij niet schelen kan
je bent vandaag nog zestien jaar
maar voor mij ben je een man

Ralph kon zich een tijdje niet verroeren. Hij zat daar maar naar zijn moeders handschrift te staren. Ten slotte stond hij op. Hij stak de kaart weer onder het lint, sloot de kast en verliet de kamer.

Winnie en Lettie zaten samen op de keukentrap. Winnie stak het haar van het kleine meisje op. Toen Ralph de gang in kwam keken ze op; hun gezichten waren in het schemerlicht zo bleek als manen.

Winnie trok een speld uit haar mond. 'Ziet ze er niet beeldig uit?' zei ze.

Ralph knikte. Lettie leek inderdaad iemand anders: een onbekende jonge vrouw met een smal gezichtje onder een grote vracht haar.

'Waar ga je naartoe?' vroeg Winnie. Ze gedroeg zich heel natuurlijk. Ralph nam aan dat ze nog niet over het examen had gehoord. Maar ze wist van de schrijfmachine. Hij voelde zich slap van ellende.

'Gewoon even weg,' zei hij.

'Wil je niet wat eten? Ik heb wat voor je bewaard.'

Ralph schudde zijn hoofd. 'Wil je tegen moeder zeggen dat ik pas laat terugkom?'

Winnie trok haar wenkbrauwen op. Ralph vluchtte weg,

struikelend over de poes in de gang.

Hij ging buiten niet naar rechts. Hij moest met een omweg naar het station lopen; het had de hele dag door zijn hoofd gespookt. Hij ging naar links en rende de straat uit, door de donkere, galmende tunnel van het spoorviaduct en aan de andere kant er weer uit.

Hij wist waar de gewelven waren: twee straten verderop. Hij ging door Silver Street, voorbij de kledingfabriek met de zoemende naaimachines, voorbij het ranzig ruikende pakhuis waar ze zeehondenhuiden opsloegen. Bij de Mitre ging hij rechtsaf. Volgens Winnie waren de zes kinderen van de waard allemaal gestorven aan de tering. Winnie wist dat soort dingen.

Waarom had zijn moeder in godsnaam een schrijfmachine gekocht? En een *bolhoed*? Zijn hart kromp ineen.

De straat leidde hem weer onder het spoor door naar het laantje aan de andere kant. Het liep langs de gewelven. Ralph liep door het laantje en bekeek de deuren. Sommige stonden open. In een van de gewelven was een man groenten aan het overladen op een handkar. In een ander waren twee mannen een automobiel aan het repareren. Het gewelf in kwestie was het derde voor het eind; dat kon Ralph zich nog heel goed herinneren.

Hij was er. Het hek naar het laadterrein was gesloten met een hangslot. Daarachter kon hij de deur zien, die in het gewelf paste. Ook deze was gesloten met een hangslot. Het zag er allemaal doods uit, alsof er in geen jaren iemand was geweest. Het was amper te geloven dat het er nog maar de vorige avond een drukte van belang was geweest. Maar dit was dezelfde plaats. De lantaarnpaal waarbij de agent het hele gebeuren had gadegeslagen stond ernaast. En op de kinderkopjes naast het hek was een bergje mest platgereden door autobanden.

Ralph tuurde naar de overkant van het terrein om de

woorden te kunnen lezen die op de deur waren geschilderd. W. PEPPIATT EN ZONEN. BOUWMATERIALEN. Niets over een slager.

Het schemerde al toen Ralph aankwam bij de Three Tuns. Hij hoorde pianola spelen. Langs de gebouwen kroop vanaf het Kanaal mist het land op. Hij kon de zee ruiken. De meeuwen zwenkten en ruzieden; ze ploften voor hem neer en vochten om een restje dat op straat lag. Hij had de treinreis in een staat van uitgestelde opwinding doorgebracht. Het kwam hem vreemd voor dat er nog maar een dag was verstreken sinds hij in Dover was geweest. Er was zoveel gebeurd dat hij zich een ander mens voelde. En vanavond zou de grootste verandering van allemaal plaatsvinden. Hij zou aankomen als een jongen en weggaan als een man. Dat was zijn plan en hij zou het ook ten uitvoer brengen. Er was geen weg terug.

Hij duwde de deur open en ging naar binnen. Hij trof precies hetzelfde tafereel aan als de vorige avond. Soldaten en zeelieden leunden gehuld in sigarettenrook tegen de bar en merkten hem nauwelijks op toen hij op de drempel bleef staan. De toetsen van de pianola gingen op en neer.

Good bye-ee, good bye-ee
There's a silver lining in the sky-ee...

Hij keek rond. Hij kon haar niet meteen vinden. Wat moest hij doen als ze niet kwam opdagen? Misschien was ze vermoord door een ontevreden klant. Dat had hij dan weer. Het viel niet te ontkennen dat het een hoogst gevaarlijk beroep was. Niet al haar klanten zouden zo welgemanierd zijn als hijzelf.

Wash the tear, baby dear, from your eye-ee...

Ralph liep naar de bar en bestelde een glas bier. Op dat moment zag hij Jenny, aan de andere kant van het lokaal. Ze stond in haar eentje bij de papegaaienkooi en duwde een takje gierst tussen de spijlen door. Ze trok het op en neer om de aandacht van de vogel te trekken, maar haar ogen schoten door de ruimte. Ze droeg dezelfde kleren – groene jurk, verenboa – als de vorige avond. Trok ze nooit andere kleren aan?

Ralph zwaaide maar ze zag hem niet. Ze stond rusteloos van de ene op de andere voet te wippen, alsof ze naar de wc moest. Hoewel hij vrijwel continu werd gekweld door lust, voelde Ralph zich, nu hij hier was met het vooruitzicht bevredigd te worden, vreemd genoeg zo dof alsof hij een pond aardappelen ging kopen. Ergens had hij zelfs gehoopt dat ze helemaal niet was komen opdagen. Hij haalde diep adem en liep naar haar toe.

'Hallo,' zei hij. 'Daar ben ik weer.'

Ze liet een kort, beroepsmatig glimlachje zien maar haar ogen bleven uitdrukkingsloos. Ze herkende hem niet!

Ralph zei: 'Gisteravond, weet je nog?'

Jenny hield haar hoofd scheef en keek hem aan. 'O ja.' Ze leek zich niet te generen dat ze hem was vergeten. Ralph ontdekte een klein zweertje op haar bovenlip. Hij was nog niet van plan haar te kussen.

'Krijg ik misschien een drankje van je?' vroeg ze.

Ralph haalde een sherry voor haar. Hij voelde de blikken van de mensen op zich rusten, maar misschien beeldde hij zich dat wel in. Toen hij haar het glas bracht, leek niemand dat op te merken. Misschien dachten ze dat hij haar verloren gewaande broer was.

'Bij welk regiment ben je ingedeeld?'

'De Kents.'

'De Kents wat?'

Hij dacht snel na. 'De West Kent Rifles.'

Hij had de naam verzonnen maar ze leek er tevreden mee. Misschien wist ze er even weinig van als hij.

'Je hebt je King's Shilling dus gekregen,' zei ze. 'Hoe heet je ook alweer, schatje?'

'Ralph.'

'Ad fundum, Ralph.'

Ze dronk haar grote sherryglas in één teug half leeg. Hij wist niet wat hij tegen haar moest zeggen maar wist wel dat ze toch een soort gesprek moesten voeren. Hij wees naar de insignes op haar hoedje en vroeg: 'Waar komen die vandaan?'

'Dat vraagt iedereen me.' Ze nam haar hoed af. 'Royal Scots Fusiliers... London Rifle Brigade... 16th Lancers...' Ze wees de insignes een voor een aan. 'Royal Artillery... Ox and Bucks... Tank Corps...' Haar stem ging maar door. Ralph was overdonderd. Ze begon aan de insignes die op haar platte borst waren gestoken. 'Hood Battalion, Royal Naval Division... Monmouthshire Regiment... Duke of Cornwall's Light Infantry...' Ze sprak de namen uit als een kind dat de tafels van vermenigvuldiging opzegt. Ralph was onder de indruk. Ze wist meer over de oorlog dan hij.

'Waren dat allemaal vrienden van je?' vroeg hij sullig.

Jenny knikte. 'O, ja. Ze zijn allemaal mijn vriend geweest.' Ze dronk haar glas leeg.

'Praten ze er met jou over?'

'Waarover, schat?'

'Over de oorlog en zo.'

Ze keek hem uitdrukkingsloos aan. 'Ze gaven me hun insignes. Ik heb meer insignes dan al mijn vriendinnen. En knopen.' Ze wees naar haar borst. 'Deze is van een dode Duitse soldaat. Ik kreeg hem van een heel aardige jongen.'

Ralph besloot ter zake te komen. Hij wilde niet nog een drankje voor haar kopen. 'Reken je me je speciale tarief?'

'Dat hangt af van wat je wilt, schatje.'

'Alles, eigenlijk. Ik bedoel: het gebruikelijke.'

'Twee pond.'

Ralph moest even slikken. Was dat het normale tarief of wist ze dat hij onervaren was in dit soort zaken? Twee pond! Dat was Winnies loon voor een hele maand. Dat wist hij omdat Winnie hem dat had verteld. Dit meisje ging dat in een uur verdienen, of hoe lang het ook mocht duren. Het leek niet eerlijk.

'Okido,' zei Ralph. Dat zou Boyce namelijk hebben gezegd: okido. Was Boyce maar bij hem, om hem moed in te spreken. Vrouwen zijn goedkoop in *Rio de Janeiro*. Boyce wist van de hoed en de rand.

Ze stond op. 'Kom maar met me mee. Het is niet ver.' Ze vertrokken godzijdank door de zijdeur, zodat Ralph niet met haar door het lokaal hoefde te lopen.

Het was donker geworden. Jenny gaf hem een arm. Terwijl ze de straat uit liepen, dacht Ralph: als Mr. Turk me nu eens kon zien! De wind was opgestoken. Hij blies haar verenboa in zijn gezicht, die in zijn neus kriebelde.

'Ziezo, we zijn er,' zei ze. Ze waren gestopt voor een hoog, donker gebouw vol krijsende baby's. Ze leidde hem naar binnen. 'Volg mij,' zei ze. 'Voorzichtig op de trap.'

Hij dacht op elke etage dat ze zouden stoppen, maar ze bleef maar klimmen op de krakende trap. Het was heel donker. Achter elke deur begon een nieuwe baby te kermen, alsof ze elkaar aanstaken zoals bij de griep. Op de bovenste overloop maakte Jenny een deur open.

Het was een kleine, door een olielamp verlichte kamer. Tegen de muur stond een koperen bed; eronder glom een nachtspiegel. Er was niets wat de kamer onderscheidde van die van een normaal persoon, afgezien van hoe het er rook. Het was er benauwd, zo onder het dak, en er hing een zoetzure geur. Het deed Ralph aan zijn lakens denken.

'Was je kleine soldaat maar even,' zei Jenny, terwijl ze op een scherm wees.

Erachter stond een wastafel. Ralph keek naar de kom met water. Had een andere man zich er voor hem in gewassen? En natuurlijk was zíj het die zich zou moeten wassen. Zijn lichaam was immers ongerept.

Verontwaardigd maakte Ralph zijn broek los en haalde wat zij zijn 'kleine soldaat' noemde tevoorschijn. Hij zag er ontluisterend klein en zacht uit. Hij spatte er water op en droogde hem af met een klein stukje handdoek dat er in het gedempte licht grijs uitzag en dat ongetwijfeld wemelde van de bacteriën. Besefte dat meisje niet wat een eer het was om hem van zijn maagdelijkheid te verlossen? Dat dit een keerpunt in zijn leven was? Ze gedroeg zich alsof hij háár dankbaar moest zijn.

Ralph kwam van achter het scherm tevoorschijn. Jenny zat op het bed haar kousen uit te trekken. Ze had zich ook ontdaan van haar bovenkleding en droeg nu alleen nog een lijfje en een onderrok.

'Kom zitten, schatje.' Ze klopte op het bed. 'Je bent nog heel jong, hè?'

Ik ben waarschijnlijk even oud als jij, dacht Ralph, maar toen kreeg hij toch zo zijn twijfels. Ondanks haar jeugd was er iets ouds in haar vlakke stem en haar harde, niets ziende ogen. Ze was schrikbarend mager; de knobbels van haar sleutelbeen staken uit en ze had armen als stokjes. Hij probeerde wat verlangen op te roepen. Hij probeerde de gebruikelijke methode – de foto van de naakte vrouw die een kleed uitklopt was meestal afdoende – maar vanavond bewoog er niets.

'Doe je je broek nog uit?'

Ralph maakte zijn schoenen los en trok ze uit. Hij trok zijn broek en zijn onderbroek uit. Boyce zou wel weten wat hij moest doen. Maak ze aan het lachen, zei hij, maar Ralph kon niets grappigs bedenken. Hij hoefde zoiets trouwens niet te doen; het meisje werd er tenslotte voor betaald.

Ze zaten even naar het zachte dingetje tussen zijn benen te

kijken. 'Daar zullen we snel iets aan doen,' zei ze. Ze nam hem in haar hand. Haar nagels waren afgebeten tot op het vlees; ze zagen er pijnlijk uit.

Ze begon hem te wrijven terwijl ze de kamer rondkeek alsof ze beoordeelde of de muren een nieuw verfje nodig hadden, wat beslist het geval was. Ralph begon een lichte prikkeling te voelen. Hij werd overspoeld door opluchting en had haar wel kunnen zoenen, wat hij natuurlijk niet deed. Hij zou zichzelf niet volkomen belachelijk maken.

'Dat is al beter,' zei ze. 'Zullen we gaan liggen?'

Ze was nogal bruusk, maar toen bedacht hij dat tijd natuurlijk belangrijk was. Ze gingen op haar sprei liggen. Hij probeerde niet te denken aan hoeveel mannen daar al voor hem hadden gelegen. Jenny sjorde haar onderrok op en plaatste zijn hand tussen haar benen.

Ralph schrok zich een hoedje. Het haar voelde aan als het staalwol waarmee Winnie de pannen schuurde. Hoewel zijn eigen haar stug was, had hij toch verwacht dat dat van een vrouw eleganter zou zijn. Hij duwde zijn hand onder de band van haar onderrok en vond haar navel. Hij stak zijn vinger erin en begon te wrijven.

Haar lichaam verstijfde. 'Wat doe je nou?'

'Ik zocht je liefdesknopje.'

'M'n wát?'

'Je liefdesknopje.' Zijn vinger had daarbinnen inderdaad een knobbelig stukje gevonden.

Ze begon te schudden van het lachen. 'Wie heeft je dat verteld?'

'Zomaar iemand.' Het was natuurlijk Boyce geweest. *Let maar eens op, vrouwen worden er helemaal gek door.*

'Je vriend heeft geen bal verstand van meisjes,' zei ze.

'Je liegt!'

'Hij is nog niet eens bij ze in de buurt geweest. Liefdesknopje!'

Ze lag slap van het lachen. En Ralph had haar niet eens een grapje verteld. 'Het bestaat wel, maar het zit ergens anders. Vertel dat je vriend maar als je hem ziet.'

Opeens barstte Ralph in tranen uit. Hij kon het niet helpen, ze stroomden naar buiten.

Jenny kwam overeind en keek hem aan.

'Gaat het?'

Ralph kon niets zeggen. Hij zat daar maar te beven terwijl die stomme tranen over zijn wangen vloeiden. Dat van Boycie, daar kon hij niet tegen. Hij kon er níét tegen.

'Stil maar,' zei ze, terwijl ze op zijn arm klopte.

Boyce had hem al die tijd iets wijsgemaakt. Hij had het nooit gedaan en nu was hij dood.

'Je bent bang, hè?' zei ze.

Ralph gaf geen antwoord. Hij veegde zijn neus af met de achterkant van zijn mouw.

'Dat zijn ze allemaal,' zei ze. 'Maak je geen zorgen, je bent niet de enige.' Ze gaf hem een zakdoek. 'Ze komen hier om alles even te vergeten. Een hoop ervan zijn net als jij. Ze hebben het nog nooit gedaan en ze willen weten hoe het is voor ze gaan.'

'Hoe weet je dat?'

'Wat?'

'Dat ik het nog nooit heb gedaan.'

'Dat ligt er toch duimendik bovenop?'

Ralph snoot zijn neus in de zakdoek. Alles was verpest. *Alles.*

'Kom op,' zei ze. 'Je hebt niet betaald om te huilen, of wel soms?'

Ze legde hem op het bed, dit keer wat voorzichtiger, en begon hem te strelen. Even later voelde hij zichzelf stijf worden. Hij moest toegeven dat haar afgekloven vingertjes heel bedreven waren.

'Kijk eens aan,' murmelde ze. 'In de houding, klaar voor de actie.'

Ze hees hem op zich alsof hij een lappenpop was. Ze spreidde haar benen en duwde hem naar binnen.

Ralph hapte naar lucht. Onder hem bewoog Jenny haar lichaam. Ze zette haar handen op zijn heupen en deed hem voor hoe hij met haar moest meebewegen en na een paar stoten voelde Ralph zo'n extase dat hij dacht dat hij zou ontploffen. En toen sprongen de sterren als vuurwerk te voorschijn en werd hij overspoeld door een groot fel licht, alsof hij naar de hemel was gegaan, en toen was het voorbij.

Ralph bleef trillend liggen. 'En nou niet weer gaan liggen janken,' zei ze, maar nu vriendelijk. Ze streelde zijn haar.

Even bleven ze allebei stilliggen. Zelfs de baby's beneden leken opgehouden te zijn met jammeren. Toen ging Jenny zitten en pakte ze haar kleren.

Ralph hees zich overeind en trok zijn broek aan. Hij pakte het geld en gaf haar twee briefjes van een pond. Ze stopte die in een doosje op het bamboetafeltje naast haar bed. Hij voelde zoveel liefde voor haar dat hij haar iets anders, iets bijzonders wilde geven. Niemand zou ooit weten wat zij voor hem had gedaan, en hij zou haar natuurlijk nooit meer zien.

'Heel erg bedankt,' zei hij.

Ze kuste hem op zijn wang. 'Succes,' zei ze. 'We zijn allemaal trots op je.'

Hij bloosde van plezier. Hij had dus naar tevredenheid gepresteerd!

Toen besefte hij wat ze bedoelde.

'Denk zo nu en dan eens aan me als je daar bent,' zei ze.

Ralph mompelde iets en haastte zich weg.

De trein ratelde terug naar Londen. Ralph zat bedwelmd door trots op z'n plaats. Hij had het gedaan! Hij was de drempel overgegaan; zijn jeugd lag nu achter hem. Het was verbazingwekkend dat de overige passagiers geen enkel benul hadden van de gewichtige gebeurtenis die had plaatsgevonden. Ondanks de plichtmatige aard van de handelingen was er toch een moment van intimiteit geweest tussen hem en de spichtige prostituee, die in een ander leven zijn klasgenootje op school had kunnen zijn. En hij voelde bovendien dat dit slechts een voorproefje was van nog veel grotere vervoeringen bij zijn toekomstige omgang met de andere sekse. Nu wist hij eindelijk hoe het was, en dat op z'n zestiende!

In de wagon zat een jonge infanterist te soezen. Ralph vroeg zich af of de man, ondanks zijn stoere uniform, nog onervaren was in de liefdesdaad. Zijn wangen waren zo glad als die van een baby; hij had zich beslist nog nooit geschoren. En toch zat hij daar, onderuitgezakt, met zijn geweer in zijn armen en zijn gordel vol munitie!

Ralph kon een tijdje nergens anders aan denken. Het scheen een van de krachten van de coïtus te zijn: het knalde al het andere weg, als dynamiet.

Maar zijn zorgen kwamen toch langzaam teruggekropen, als gedaanten uit verwoeste gebouwen. Hoe moest hij zijn toekomst aanpakken? Dit voorval had niets opgelost; hij mocht dan wel een ander mens zijn maar zijn problemen waren nog dezelfde. Zijn leven scheen nu zelfs verwarrender dan ooit tevoren. Boyce had dus gelogen over zijn vrouwelijke veroveringen. Zijn beste vriend was *virgo intacta* gestorven. Dit was te pijnlijk om bij stil te staan. En wat had zijn moeder bedoeld toen ze het over haar huwelijk met zijn vader had? *Het ging niet zo goed tussen ons... Dingen van volwassenen.* Nu Ralph dat gebied had betreden kon hij wel raden wat ze bedoelde. *Huwelijk in de breedste zin.* Schoot zijn vader tekort op dat gebied? Bleef hij achter bij wat Ralph zelf had weten te presteren?

Het duizelde Ralph. Hij wilde daar niet aan denken; hij werd er misselijk van. Wie bedroog wie in dit soort zaken? Maar telkens als hij die gedachte blokkeerde, schoot hem een ander beeld voor ogen, als een rat die achter het beschot krabbelt. Het was de gedachte aan zijn moeder en Mr. Turk, die aan elkaar frunnikten op een manier die akelig veel leek op wat hij die avond zelf op een vuile beddensprei had gedaan.

Hou op! Denk er niet meer aan! Ralph probeerde zich op iets anders te concentreren. Zijn knorrende maag, bijvoorbeeld. Hij had sinds maandag niet meer dan een broodje en een pakje biscuitjes gegeten. Het was nu dinsdagavond. Wat vreemd dat hij nog maar gisterochtend zijn tas inpakte en naar de oorlog vertrok! Het had niet helemaal uitgepakt zoals hij had gepland, maar er had toch een soort verovering plaatsgevonden.

Maar die twee pond knaagden nog steeds aan hem. Het was weliswaar niet zijn eigen geld, maar hij had nog steeds het vermoeden dat hij te veel had betaald. Het meisje had misbruik gemaakt van zijn onschuld. Als dat het tarief voor vertrekkende soldaten was, wat voor exorbitant bedrag vroeg ze dan aan normale mensen? Hij vond de vergelijking met Winnies loon schandalig. Het leek geen zwaar beroep, prostituee. En die Winnie zat de hele dag op haar knieën te schrobben en te boenen tot haar handen rood waren. En wat het nog erger maakte, was dat Winnie waarschijnlijk geen klanten zou krijgen mocht ze besluiten een dame van lichte zeden te worden. De natuur was wreed.

Ralph zat hierover te mijmeren terwijl de trein vaart minderde. Het was elf uur; ze moesten nu bijna bij London Bridge zijn. Hij vroeg zich terloops af of Mr. Turk weer onder het gewelf zou staan. Hij had hem er natuurlijk niet naar gevraagd. De omstandigheden van de vorige dag waren er niet bepaald gunstig voor geweest. Bovendien was hij bang voor zijn stiefvader; Ralph was nu mans genoeg om dat toe te geven. Mr. Turk was in zijn jeugd bokskampioen geweest en had trofeeën om dat te bewijzen. Als je hem een brutale vraag stelde, zou hij je ongetwijfeld met één klap kunnen vellen.

En er kon natuurlijk een heel onschuldige verklaring voor

zijn. Misschien had Mr. Turk gewoon extra opslagruimte nodig. Ralph had geen idee hoe zijn zaken werkten.

De wagon was nu leeg, op de slapende soldaat na. Ralph
trok het gordijntje omhoog, deed het raam open en leunde
naar buiten.

De trein pufte stapvoets over het viaduct. Alles was precies zoals het de avond ervoor was geweest. De rook trok op;
Ralph zag de spits van de St Jude. Hij voelde zich heel even
duizelig, alsof hij gevangenzat in een terugkerende droom.
Misschien had hij alles inderdaad gedroomd. Want beneden zag hij alleen maar duisternis. Hij zag het laadterrein, dat
zwak verlicht werd door de straatlantaarn. Het was leeg.

Ralph bleef uit het raam hangen. Het windje was verfris-
send. Hij hield zelfs van de scherpe geur van de rook; hij had
er tenslotte zo lang hij zich kon herinneren mee geleefd.

Hij zag zijn straat in beeld springen: de zwarte massa van
de gebouwen met her en der verlichte vensters. Hij zag iemand door een kamer bewegen. Grappig toch dat ze dachten
dat niemand hen kon zien; als hij thuis was, dacht hij dat zelf
ook.

De trein naderde zijn huis. Hij rekte zich uit het raam, om
goed te kunnen kijken. Het kwam dichterbij. Het bovenste
raam, dat van Boyce, was natuurlijk donker. Het zijne ook.
Maar het venster daartussen, dat van Alwyne, straalde hem
door het elektrische licht tegemoet.

Alwyne, de blinde man, zat aan zijn tafel. Hij was een boek
aan het lezen.

8

Als het te donker is om te vechten, heb je dan 's avonds vrij, kun je naar de bioscoop?

Vraag aan luitenant Bernard Martin, North Staffordshires,
toen hij op verlof thuis was

Eithne werd laat wakker. Tegen de tijd dat ze was aangekleed, was het al half tien. Neville had haar de vorige avond meegenomen naar *Chu-Chin-Chow* in His Majesty's, met een hapje na afloop. Dat had hij gedaan om haar op te vrolijken. Ze hadden natuurlijk over Ralph gepraat en Neville had een plan geopperd. Haar echtgenoot had opnieuw blijk gegeven van zijn uitzonderlijke generositeit. Hij had voorgesteld dat Ralph als hulpje bij hem in de winkel zou komen werken. *Hij kan de bestellingen bezorgen; die jongen kan toch zeker wel fietsen? Vloeren vegen, zichzelf nuttig maken. Ik heb momenteel te weinig personeel en ik wil die knaap best helpen.* Eithne was zo overdonderd dat hij bereid was Ralph zijn gedrag jegens hem en omtrent zijn examen te vergeven, dat ze haar armen om haar man had geslagen en hem had gekust voor het toeziend oog van de andere gasten. Hij was een toonbeeld, een parel onder de mensen.

Toen ze rond middernacht terugkwamen, was Ralph al naar bed. Ze had licht onder zijn deur door zien schijnen.

Hij was uit geweest – dat had Winnie gezegd – maar Eithne had geen idee waar hij naartoe was gegaan. Ze leed nog steeds onder dat incident in zijn slaapkamer. Het was vreselijk dat ze hem had geslagen – Eithne had nog nooit zoiets gedaan – maar er waren grenzen aan haar verdraagzaamheid. Nu ze weer was gekalmeerd, werd ze verteerd door wroeging. Ze zouden elkaar omhelzen en het goed maken. Ze betekenden alles voor elkaar en zouden tot aan hun dood van elkaar houden. Hun huidige problemen zouden weldra zijn opgelost. Ze zou hem meenemen naar het Terminus Hotel, waar ze altijd heen gingen voor iets lekkers. Ze gingen dan in de lounge zitten en bestelden pêche melba's in hoge coupes. Ze zou hem over Nevilles plan vertellen, dat Ralph voor hem in de winkel zou gaan werken tot januari, als hij terug zou gaan naar school om opnieuw examen te doen. Ze had er al met Mrs. Brand over gesproken. Misschien was dit zelfs wel een verhulde zegen. Door met Neville samen te werken zou haar zoon hem beter leren kennen en gaan inzien wat een voortreffelijke man het was. Ralph zou bovendien dankbaar zijn dat hij een tweede kans kreeg.

Eithne klopte op Ralphs deur. Geen antwoord. Ze deed hem open. De kamer was leeg.

De goede Winnie had beneden het ontbijt geserveerd. De huurders waren gekomen en weer vertrokken – allemaal, behalve Alwyne, die tussen de vieze borden een sigaret zat te roken.

'Goedemorgen,' zei Eithne. 'Heb je Ralph gezien?'

Ze bloosde. Ze zei dat altijd tegen Alwyne: heb je die en die *gezien*? Maar de huurder leek even onverstoorbaar als anders.

Hij schudde zijn hoofd. 'Ik hoorde hem met de hond naar buiten gaan.'

Ralph zat aan de rivier. Hij had niet langer in huis kunnen

blijven. Dat hij Alwyne de avond tevoren in de kamer boven hem had horen rondscharrelen, was al erg genoeg geweest. Nu Ralph besefte dat Alwyne niet blind was, klonk elk gekraak onheilspellend, alsof hij had ontdekt dat de man een moord had gepleegd. Het vooruitzicht om Alwyne aan het ontbijt te treffen was onverdraaglijk geweest.

Hij had de schok nog steeds niet verwerkt. Ralph had het beeld zich telkens weer voor de geest gehaald. Alwyne had een boek zitten lezen. Ralph had het zich niet ingebeeld. De man had zelfs een bladzijde omgeslagen op het moment dat de trein voorbij rolde. Waarom had Alwyne het afgelopen jaar in hemelsnaam tegen hem – tegen hen allemaal – gelogen?

Ralph herinnerde zich de talloze keren dat hij Alwyne bij de arm had genomen om hem door de straat te leiden. Hoe hij Alwynes vork naar zijn bord had geschoven. Hoe ze allemáál honderden kleine, behulpzame dingen voor hem hadden gedaan, iets wat een tweede natuur voor hen was geworden als Alwyne in de kamer was. Het hoorde bij hun dagelijks leven, bij het leven van het huis: de subtiele voorkomendheden, de kleine aanpassingen die ze bijna instinctief maakten, de gesproken uitleg van dingen waarvan ze dachten dat Alwyne ze niet kon zien.

Waarom had Alwyne hen verraden? Waarom had hij dat in vredesnaam gedaan? Had het mosterdgas zijn hersenen verward? Maar deze man leek niet in de war te zijn. Integendeel, zijn geest leek vlijmscherp.

Vertel eens wat je ziet, beste Ralphie. Beschrijf het voor me. Er doken steeds gebeurtenissen op – dat moment, twee dagen geleden, toen Ralph was vergeten Alwyne de grammofoonplaat te geven en zich daar later vreselijk schuldig over had gevoeld. Toen hij was vertrokken, moest Alwyne zijn opgestaan om hem zelf te pakken. O, het was afschuwelijk.

Brutus snuffelde rond langs de oever, waar jongens drijfhout verzamelden om het vuur mee aan te maken. Ralph had dat zelf ook heel vaak gedaan in de winter, als de brandstof schaars was. Zelfs deze activiteit, die niets met Alwyne te maken had, leek achteraf gezien bezoedeld. Het verraad van die man sijpelde als een gif alle kieren van Ralphs leven binnen.

Ralph zat op de kademuur en keek naar de hond. Het viel hem ondanks zijn droefheid op hoe stevig de hond de afgelopen twee maanden was geworden; vet als hij was van het vlees dat hij nu dagelijks te eten kreeg. Brutus was een bastaard van middelbare leeftijd met kromme poten maar Ralph hield zielsveel van hem. Hij leek vandaag ook een slachtoffer van Alwynes bedrog. Had zijn dierlijke instinct hem verteld dat er iets niet in de haak was? Hij behandelde Alwyne met dezelfde temerige trouw als alle anderen. Voor hem was er geen onderscheid tussen zienden en blinden, tussen onschuldigen en misdadigers. Ralph kon hem de waarheid vertellen maar Brutus zou alleen maar met zijn staart kwispelen; hij vond iedereen aardig.

Ralph hoorde de klok van de St Jude twaalf uur slaan. Zelfs deze diepe klank, de interpunctie van zijn kinderjaren, was geen geruststelling. Het was bewolkt en drukkend warm. Hij had alweer een maaltijd gemist en ook al had hij geen honger, hij stond toch op, liep naar de Albion en kocht daar een zakje garnalen van het stalletje bij de toiletten. Hij had nog twee pond, zes shilling en drie penny over van Mr. Turks geld.

De wind was gaan liggen. Er leek een stilte over de rivier, over de hele stad gevallen te zijn. Het leek alsof het kloppend hart van het Britse rijk van verbazing was stilgevallen. Zelfs de meeuwen zweefden geruisloos boven hem.

Op dat moment hoorde Ralph een geluid. Het was het *tik-tik* van een naderende stok. Hij draaide zich met een ruk om. Alwyne kwam de hoek om, op weg naar de pub.

Ralph stond als aan de grond genageld. Alwyne droeg zijn gebruikelijke verschoten zwarte jas; zijn kleren deden geen knieval voor het seizoen. Nu Ralph de waarheid kende, leek elke stap van de man bedrog, alsof hij acteerde. Zijn bril schitterde toen hij zijn hoofd opzij draaide.

Ralphs hart ging tekeer. Hij stond maar zo'n twintig meter van de man vandaan. Had Alwyne hem gezien? In dat geval kon hij dat natuurlijk niet laten merken. Als Ralph niet zo bang was geweest, had hij om deze waanzin moeten lachen. Alwyne bleef even op de drempel van de pub staan. Hij hield zijn hoofd scheef en luisterde. Kéék.

Een schuit liet zijn scheepstoeter klinken. Misschien stond Alwyne gewoon het uitzicht te bewonderen. Maar midden in dat uitzicht stond Ralph. Als Alwyne hem zag, liet hij dat niet merken.

De hond blafte. Alwyne draaide zich snel om. Brutus rende op hem af en snuffelde aan zijn hand.

'Dag, ouwe jongen,' zei Alwyne. 'Waar is je baas?' Hij keek om zich heen. 'Ralph? Ben je daar?'

Ralph draaide zich razendsnel om en vluchtte weg. Hij rende Back Lane in, met de hond achter zich aan. Hij rende hard om de vijand te ontvluchten. Terwijl hij de kinderen ontweek dacht hij: Alwyne was mijn vriend. Ik heb hem dingen verteld. Ik heb hem van alles verteld. Hij was mijn vríénd.

In Mercer Street was een paard gevallen. Het had zijn kar meegetrokken; de straat was bezaaid met aardappels. Het lag met zijn benen te trappelen en zijn buik was aan ieders blik blootgesteld. Een man probeerde zijn tuig los te maken, maar het paard schopte naar hem.

Ralph stormde de straat naar zijn huis in. Wat voor dingen had hij gedaan als Alwyne in de kamer was? Hij had zeker in zijn neus gepulkt en zijn vinger aan zijn broek afgeveegd. Hij had zijn puistjes in de spiegel bekeken terwijl Alwyne hem een lezing over bolsjewisme gaf. Wat nog meer? De mens werd een beest als hij zich onbespied waande. Het was te erg om over na te denken.

Toen Ralph bij zijn huis kwam ging hij niet door de voordeur. Hij kon zijn moeder nog niet onder ogen komen. Hij rende de trap naar de keuken af.

Winnie stond bij de tafel en hield een vis aan zijn staart omhoog.

'Ik heb van Mrs. O'Malley een bokking gekregen,' zei ze. 'Haar vriendin heeft hem meegebracht uit Whitstable. Ze wil dat ik hem klaarmaak voor haar avondeten maar ik wilde net gaan opscheppen voor je moeder en Mr. Turk. Ik ben al laat.' Ze keek hem aan. 'Wat is er met je, lieverd?'

Ralph ging aan tafel zitten. Er stond een schotel gehaktballetjes te dampen op het zeildoek.

Hij zei: 'Alwyne is niet blind.'

Er viel een stilte. Winnie legde de bokking voorzichtig op de tafel, alsof hij kon breken. 'Wat zei je daar?'

'Alwyne is niet blind. Hij doet maar alsof. Ik zag hem een boek lezen.' Toen hij haar gezicht zag, voelde Ralph de golf van voldoening van een mens die belangrijk nieuws heeft te melden. 'Hij kan ons zien. Hij kan alles zien. Hij heeft al die tijd maar gedaan alsof.'

Ralph was voor één keer blij dat hij bij zijn moeder en Mr. Turk kon eten. Samen stonden ze sterk. De gedachte dat hij Alwyne alleen zou treffen, was te beangstigend om bij stil te staan. Hij vertelde hun het nieuws niet. Mr. Turk was een sterke man; hij zou iets gewelddadigs kunnen doen. Het gaf Ralph bovendien een prettig gevoel van superioriteit om iets te weten wat zij niet wisten. Hij voelde een eigenaardige genegenheid voor die twee zoals ze daar in hun onwetendheid zaten. En de gehaktballetjes in jus roken zo heerlijk dat hij bijna zijn embargo doorbrak en er ook eentje nam. Maar hij weerstond de verleiding; hij had z'n principes.

Winnie bediende hen alsof ze slaapwandelde. Ze stootte Mr. Turks waterglas om en reageerde nauwelijks toen hij naar achteren sprong. Het lange vlak van haar gezicht was asgrijs.

Ook zij was in een schoktoestand. Ralph probeerde haar blik te vangen, als medeplichtige, maar ze leek mijlenver weg te zijn.

Tijdens het eten vertelde Mr. Turk Ralph over zijn plan om hem in z'n winkel te laten werken. Ralph knikte sullig. Er was niets wat hij nog vreselijker zou vinden, maar ze hadden dit natuurlijk als een soort straf bedacht – een straf die hij nog meer verdiende dan ze zich konden voorstellen, nu hij z'n zonde nog had vergroot door geld van Mr. Turk te stelen. Het drong eigenlijk nauwelijks tot hem door wat ze zeiden; hij had te veel andere dingen aan zijn hoofd. Zijn moeder glimlachte naar hem op de stralende, glazige manier die hij zo was gaan wantrouwen.

'Het is heel aardig van Neville dat hij je aanneemt en je zult hem ongetwijfeld niet teleurstellen. Je zult vroeg moeten opstaan om Winnie met haar werk te helpen, maar van hard werken is nog nooit iemand ziek geworden.'

Dan moet je zelf maar eens wat doen, dacht Ralph. Hij miste opeens heel erg de donkere dagen toen Winnie en zijn moeder en hij samen ploeterden; hongerig en koud, maar verenigd in hun arbeid.

Toen Winnie de borden ophaalde, hoorden ze het geluid van de voordeur. Alwyne was thuisgekomen.

Ralph versteende. Ook Winnie stond stokstijf stil. Toen de man langs de geopende kamerdeur kwam, riep Ralphs moeder: 'Alwyne? Mag ik je iets vragen?'

Alwyne draaide zich om. 'En wat mag dat dan wel zijn?'

'Zou ik een sigaret van je mogen? Ik probeer zo veel mogelijk te roken maar Mr. Turk heeft de zijne in de winkel laten liggen.'

'Met alle genoegen,' zei Alwyne.

Hij liep met zijn stok onder zijn arm geklemd de kamer in. Hij tastte met zijn vrije hand naar de rugleuning van een stoel. Ralph volgde hem aandachtig. Die kerel was buitengewoon overtuigend. Hij had natuurlijk genoeg geoefend. Hij was trouwens een groot deel van de tijd écht blind, als hij zijn ogen dichthield. En als hij zijn bril droeg, kon niemand zien wat zijn ogen deden; de glazen waren te donker. Ralph zou hebben gezworen dat Alwyne naar hem keek.

'Kom bij ons zitten,' zei Ralphs moeder. 'We zijn toch klaar met eten.'

Ze verschoof de stoel zodat Alwyne gemakkelijker kon gaan zitten. Hij grabbelde in zijn zak en haalde een pakje Players tevoorschijn.

'Raad eens hoeveel mensen er deze week aan de griep zijn overleden,' zei Ralphs moeder. 'Vijfhonderd, in Londen alleen al! Ik hoorde het bij de groenteman.' Ze draaide zich om. 'Winnie, pak eens een asbak.'

Winnie maakte een geluidje. Ze zette de borden neer en rende de kamer uit. Ze hoorden haar voetstappen de trap af bonken. De glazen stonden te trillen in de kast.

Er viel een stilte.

'Wat bezielt haar opeens?' vroeg Mr. Turk.

'Ze is overstuur,' zei Ralph.

'Waarom?'

Ralph dacht snel na. 'Haar vriendin Elsie.'

'Wie is Elsie?' vroeg zijn moeder.

'Ze werkt in het Woolwich Arsenal,' zei Alwyne, terwijl hij haar het pakje sigaretten aangaf. 'Ze gaat dood aan lyddietvergiftiging.'

'Misschien moet ze ook sigaretten gaan roken,' zei Ralphs moeder. 'Het lijkt dé remedie voor alles te zijn.'

Alwyne glimlachte. 'Dat lijkt me niet zo verstandig, in een explosievenfabriek.'

Ralphs moeder had genoeg van het onderwerp. Maar nu het woord dood was gevallen, had Ralph nieuwe moed gekregen. Hij was immers twee dagen geleden zelf van huis gegaan met een kans om te sterven.

Het was nu of nooit; hij kon zo niet doorgaan. Hij moest Alwyne aanpakken. Hij zou hem stilletjes opwachten en op hem afspringen als hij de trap op kwam.

Ralph excuseerde zich en verliet de salon. Hij ging naar zijn slaapkamer. Hij liet de deur open, ging op zijn bed zitten en wachtte, als een spin in zijn web.

Al snel hoorde hij zijn moeder en Mr. Turk het huis uit gaan. Alwynes voetstappen kwamen de trap op.

'Alwyne!' siste Ralph.

De man bleef staan.

Ralph schraapte zijn keel. 'Wil je even binnenkomen?'

'Ik wilde net een dutje gaan doen.'

'Dat kan wel even wachten.'

Alwyne trok zijn wenkbrauwen op. Ze schrokken allebei van Ralphs toon.

'Ga zitten,' zei Ralph.

'Pardon?'

'Ga zitten.' Ralph wees. 'Daar staat een stoel. Die kun je zien, hè?'

Er viel een stilte. Alwyne ging op de stoel zitten. Hij deed zijn bril af. Ze keken elkaar voor het eerst in de ogen. Het gaf Ralph een schok.

'Hoe ben je erachter gekomen?' vroeg Alwyne.

'Ik zat in de trein. Ik zag je een boek zitten lezen.'

Alwyne dacht hier even over na. 'Dom van me. Ik had de gordijnen dicht moeten doen.'

Ralph ging op het bed zitten. Zijn ingewanden gingen tekeer, maar hij moest dit doorzetten. 'Waarom heb je het gedaan?' vroeg hij.

Alwyne haalde zijn schouders op. Het was vreemd om direct met hem te praten, dacht Ralph: het was alsof de luiken waren opengezet en hij voor het eerst in een kamer keek. 'Waarom heb je het gedaan?'

'Wat denk je?'

'Waaróm?' vroeg Ralph streng.

'Omdat ik niet in dienst wilde, natuurlijk.'

Alwyne haalde zijn pakje sigaretten tevoorschijn en bood Ralph er eentje aan. Hij schudde zijn hoofd. Alwyne stak er een op. Ralph zag tot zijn genoegen dat zijn hand trilde.

Het duurde even voor Alwynes woorden waren doorgedrongen. Hij was helemaal niet in dienst geweest.

'Je hebt geen gasaanval overleefd?' vroeg Ralph ten slotte.

'Nee.'

'Je hebt niet gevochten?'

'Nee. Waarom zou ik?'

Ralph keek hem aan. 'Omdat iedereen het doet.'

'Dat zijn stommelingen. Dit is een oorlog van idioten, voor idioten, geleid door idioten.'

'Dat is geen excuus.'

'Ik kan geen beter bedenken.'

Alwyne bleef kalm, ook al trilde hij. Hij gedroeg zich eigenlijk superieur, alsof Ralph naar de bekende weg vroeg. Ralph voelde zijn greep verslappen. Er waren te veel schokken en hij had even nodig om zich te vermannen.

Alwyne haalde zijn schouders op. 'Toen ze mensen gingen oproepen, besloot ik eruit te stappen. Ik ging dus naar Londen, waar niemand me kende, en deed mezelf voor als blinde. Dat lukte buitengewoon goed, moet ik zeggen. Het is niet gemakkelijk, hoor. Het hele gedoe is zelfs reuze inspannend.'

'Hoe zit het met ons?'

'Hoe bedoel je met jullie?'

'Hoe kon je ons dit aandoen? Je hebt de hele tijd tegen ons gelogen.' Ralph hoorde z'n stem schril worden. 'En we waren nog wel zo aardig tegen je.'

'En ik ben enorm dankbaar, jongeman.' Hij blies een wolkje rook uit. 'Het lijkt zelfs het beste in iedereen naar boven te hebben gebracht. Ik werd overal met de grootst mogelijke vriendelijkheid bejegend. Het was echt een eyeopener, als je me de uitdrukking wilt vergeven. Ik heb op een bepaalde manier ook wel van de ervaring genoten.'

'Genóten?'

'Wat voor kwaad heb ik gedaan?'

'Je hebt tegen mensen gelogen. Je hebt je onttrokken aan de strijd.'

Alwynes ogen twinkelden. 'Ik ben niet de enige die dat heeft gedaan, vrind. Je hoeft niet buiten deze vier muren te zoeken.'

'Je had een dienstweigeraar kunnen worden.'

'Zodat een akelig vrouwtje me en plein public voor lafaard uitmaakt? Een dame die nota bene geen hogere nood kent dan een ladder in haar kousen?' Zijn as viel op het tapijt. 'Bovendien had ik m'n werk.'

'Wat voor werk?'

'Ik schrijf een geschiedenis van de twintigste eeuw.'

Ralph keek hem verrast aan. 'Maar die is nog maar net begonnen.'

'Voor een man met visie is dat geen belemmering.' Alwyne grinnikte. 'Blinden staan bekend om hun zesde zintuig.'

'Maar je bent niet blind.'

'Nee. Ik zie buitengewoon scherp. Dat kun je bepaald niet zeggen van onze zogenaamde leiders.'

Ralph kon z'n nieuwsgierigheid niet bedwingen. 'Wat gaat er dan gebeuren?'

'Ah. Je zult m'n boek moeten lezen.'

'Hoe ver ben je?'

Alwyne gaf geen antwoord.

'Hoe ver?'

'Bladzijde vijftien.'

'Is dat alles?'

Alwyne tikte tegen zijn hoofd. 'Het zit allemaal hier.'

'Je bent erg traag, als je bedenkt dat je verder niks te doen hebt.'

'Niet zo brutaal!' snauwde Alwyne.

'Toe dan. Vertel.'

Alwyne zuchtte. 'Je zou het toch niet begrijpen.'

'Ik ben geen kleuter!' zei Ralph. 'Ik ben bijna zeventien.'

'Precies.'

Ralph voelde een sterke aandrang om Alwyne over Jenny Wren te vertellen, maar hij slikte het in. Hij moest de man aanpakken, niet in vertrouwen nemen. Buiten ratelde een trein voorbij.

'Vooruit dan maar.' Alwyne gooide zijn sigaret in de haard. 'Ik zal het zo simpel mogelijk uitleggen. Deze oorlog stort Europa in chaos. De rede, de schoonheid en de gehoorzaamheid worden weggevaagd. De heersende klassen worden omvergeworpen door een reeks revoluties, de economieën storten in, en wat begon als de machtsgreep van het volk zal zwichten voor de sireneroep van de dictator.'

Ralph keek hem aan. 'Hoe deed je dat ding met je ogen? Deed het pijn?'

'Bedoel je dit?' Alwynes oogbollen schoten heen en weer, zijn pupillen draaiden naar boven. 'Een kwelling. Daarom draag ik een bril.' Hij voegde er met trots aan toe: 'Ik heb hem zelf zwart geschilderd.'

De ogen waren het venster op de ziel, wist Ralph. Nu Alwyne de luiken had opengezet, moest Ralph toegeven dat hij sprankelender en geestiger leek. Ménselijker. Maar Ralph weigerde te zwichten voor zijn charme. Hij zei: 'Het is verschrikkelijk, wat jij hebt gedaan.'

'Heb je het aan iemand verteld?' vroeg Alwyne.

'Alleen aan Winnie.'

Alwyne zweeg even. 'Ah,' zei hij. 'Dat is jammer.'

'Ze is helemaal overstuur.'

'Ja.'

Ralph zei: 'Ik denk dat ze zich net zo voelt als ik.'

Alwyne gaf geen antwoord.

Ze zaten zwijgend bij elkaar. Door de muur hoorden ze de klok drie uur slaan.

Iemand niesde. Ralph en Alwyne sprongen op. Het geluid kwam onder het bed vandaan.

'Wie is daar?' vroeg Ralph.

Het bleef even stil, toen klonk er geschuifel.

Lettie verscheen.

Ze staarden haar aan. 'Wat doe je daar?' vroeg Ralph.

'Ik bekijk je tijdschriften,' zei ze.

'Mijn tijdschriften?'

'Ik vind die dames mooi,' zei Lettie. 'Ze hebben mooie jurken.' Ze stond op en klopte haar schortje af.

'Doe je dit vaak?' vroeg Ralph.

Lettie knikte. 'Als je weg bent.'

Alwyne keek haar aan: 'Heb je gehoord waarover we praatten?'

Lettie knikte. 'Ik wist het toch al.'

'Wist je het?' zei Alwyne.

Lettie keek hem zonder nieuwsgierigheid aan. 'Natuurlijk. Dat zie je zo.'

Flossie was de kamer binnengekomen. Lettie bukte zich en aaide haar.

'Heb je het aan iemand verteld?' vroeg Alwyne.

Lettie schudde haar hoofd; haar vlechtjes zwiepten.

'Zullen we dit maar onder ons houden?' zei hij. 'Mondje dicht.'

Lettie knikte achteloos. Alwynes gefingeerde blindheid was niet gekker dan de andere dingen in haar leven. Ze vertrok; haar voetstappen tikten op de trap.

Ze bleven even zitten. Beneden sloeg de staande klok in de hal drie uur. Hij liep achter. Ralph had hem twee dagen geleden moeten opwinden. Hij wond hem altijd op maandag op, dat was een van zijn klusjes. Alles leek hem uit handen te glippen.

Alwyne draaide zich naar hem toe. 'Dat geldt ook voor jou, makker.'

'Wat?'

'Doe me een lol en vertel het aan niemand.'

'Waarom niet?'

'Waarom? Omdat ze me dan in de gevangenis gooien. Of me naar het front sturen.'

'Waarom zou je niet gaan? Waarom ben jij zo bijzonder?'

'We zijn allemaal bijzonder. Dat maakt het juist zo vreselijk, snap je dat dan niet?' Hij ging ongeduldig verzitten. 'Je weet er niets van, hè?'

Mijn vader was bijzonder, dacht Ralph. Hij was bijzonder voor mij. 'Waarom moet er voor jou een wet zijn en een andere voor de rest?' vroeg hij.

'Omdat ik meer hersens heb.'

'Je bent gewoon een lafaard.'

Alwyne keek hem kwaad aan. 'Wil je echt weten wat daar gebeurt?'

'Hoe weet jij dat? Jij bent er niet geweest.'

'Ik weet het, makker, geloof me.' Hij leunde naar voren in zijn stoel. 'Er sterven daar duizenden en duizenden jonge mannen, mannen wie nog een heel leven wachtte, en dromen en ongeboren baby's die nu nooit geboren zullen worden; en weet je hoe ze sterven? Terwijl hun ingewanden in de modder gulpen, met weggeschoten gezichten...'

'Hou op!'

'Wens je me dat toe?'

'Zo is het niet! Het is nobel en dapper...'

'Doe niet zo dom.'

'Mijn vader zei dat ze voetbalden...'

'Je vader loog! En jij noemt míj een leugenaar?' Alwyne verhief zijn stem. 'Het is een en al bloed en ingewanden en mannen die verdrinken in de modder, terwijl ze hun longen uit hun lijf hoesten. Mannen die in de uitwerpselen verdrinken, in de strónt, en om hun moeder roepen met wat er nog over is van hun mond...'

'*Hou op!*'

'Mannen wier armen zijn afgerukt en die drie dagen in granaattrechters liggen te kreperen tussen het vlees van hun vrienden...'

Ralph sprong op en rende de kamer uit.

Hij stormde de trap af, met twee treden tegelijk. Hij had Winnie nodig. Ze was de enige die hem nu kon troosten. Winnie was zo sterk, zo stevig. Hij kon zijn gezicht tegen haar schort drukken en de tranen laten stromen.

Ralph struikelde de trap naar de keuken af. Daar was niemand.

De bokking lag op de tafel.

'Winnie?'

Stilte.

Ralph holde de gang door en klopte op Winnies deur. Er kwam geen antwoord.

Hij deed hem open. Ze was er niet.

Ralph keek rond. Het kruisbeeldje was verdwenen van de muur. Haar kleine, kartonnen koffer lag niet meer boven op de kast.

Hij deed de deur van de kast open. Die was leeg.

9

Geachte redactie,

Toen ik me vorige week in de strijd begaf, hoorde ik onmiskenbaar de roep van de koekoek. Volgens mij heb ik hem dit voorjaar
als eerste gehoord, en ik zou graag vernemen of een van uw lezers
het eerder dan ik heeft gehoord.

Ik verblijf hoogachtend, een 'Natuurliefhebber'.

Geachte redactie,

Mijnheer, als u zo goed wilt zijn mij op de hoogte te stellen van
naam en adres van uw correspondent die zichzelf 'Een Natuurliefhebber' noemt, kan ik u ervan verzekeren dat hij de natuur niet
langer lief zal hebben; en hij zal ook geen koekoeken meer horen.
Zeker niet, mijnheer! Dit voorjaar niet, noch het volgende of welk
toekomstig voorjaar dan ook. Dank je de koekoek! Ik zal hem leren,

Hoogachtend, 'Schoon genoeg'.

The Wipers Times, Ieper, 1917

Eithne was aanvankelijk ontdaan door Winnies vertrek. Daarna werd ze boos. Na alles wat ze voor het meisje had gedaan.
Om dan zo, zonder een woord, te vertrekken. Het deed ook
pijn, na al die jaren dat zij hadden samengewerkt, zij aan zij.
Maar ja, bij personeel wist je ook nooit waar je op kon vertrouwen. Ze woonden bij je, intiem alsof het je familie was,

maar je wist nooit precies wat er in hun hoofd omging. Het wemelde van de verhalen over hun bedrog. Eithne had het meisje volledig vertrouwd. Van Neville had ze haar kostbaarheden moeten controleren, maar tot haar opluchting ontbrak er niets. Maar waarom had Winnie niet haar ontslag aangekondigd, als ze ongelukkig was geweest? Sterker nog, waarom had ze niet haar salaris voor een halve maand geïnd, waar ze recht op had? Eithne dacht erover de politie in te lichten, maar het probleem was dat ze niets van het meisje afwist, ze kende zelfs haar achternaam niet. Winnie kwam uit een dorp in Kent, meer wist Eithne ook niet. Net zomin als Ralph, die sinds zijn elfde op vertrouwelijke voet met haar had gestaan.

Drie dagen later kwam er een brief. *Het spijt mij vreselijk dat ik u problemen bezorg,* stond er. *Ik ontving slecht nieuws en ik moest weg. Vergeef me, alstublieft. U bent heel goed voor mij geweest en ik zal voor u bidden. Wens Ralph namens mij alstublieft het allerbeste toe. Het stopwerk ligt op de doos bij de wasteil. Winifred.*

Het was een opluchting te horen dat het meisje ongedeerd was. Maar wat zou dat slechte nieuws zijn? Het ging vast over haar broer, degene die naar Frankrijk was gegaan.

'Dat is de reden niet,' zei Ralph, terwijl hij de brief neerlegde. 'Dat heeft ze geschreven om jouw gevoelens te sparen.'

'Wat bedoel je?' vroeg Eithne.

Ralph keek haar aan. Hij begon te blozen. 'Volgens mij was ze niet erg gelukkig.'

'Waarom?'

'Sinds... de zaken hier zijn veranderd. Volgens mij vond ze dat niet zo leuk.'

Eithne was ontgoocheld. 'Maar Neville is zo aardig geweest. Ik bedoel, hij zei wel dat ze niet helemaal voldeed, maar hij had gelijk. Het siert hem dat hij haar niet ontsloeg.'

'Zij mocht hem niet.'

'Dat is niet waar!'

Ralph werd nog roder. Eithne keek hem met samengeknepen ogen aan. Ze kende hem door en door; hij was haar zóón. 'Dat zeg je om me ongelukkig te maken.'

'Niet waar.'

'Ik ben er zeker van dat er een andere reden is. Jij weet iets, dat voel ik gewoon.'

Ralph draaide zich om en zette de stofzuiger aan. Het geloei sloot elke mogelijkheid tot een gesprek uit.

Eithne begon de ontbijtborden op te ruimen. De sfeer was gespannen die ochtend. Zowel zijzelf als Ralph was uitgeput, en de dag was nog maar net begonnen. Eerst hadden ze ontdekt dat het fornuis was uitgegaan. Het aanmaakhout was op en niemand had eraan gedacht het aan te vullen. Er was geen boter meer want niemand had nieuwe gekocht, en in de margarine zaten muizenkeutels omdat ze die buiten hadden laten staan. De wasmand puilde uit van de vuile kleren. En dat was nog maar het begin. In het hele huis lag overal roet: het lag in de kamers, op de trap, het nam langzaam maar zeker bezit van het huis. *Winnie, waar ben je?* jammerde Eithne. Ze realiseerde zich nu pas hoeveel werk Winnie altijd verzette, onopgemerkt en niet geapprecieerd; hoezeer zij, Eithne, het werk van het meisje vanzelfsprekend had gevonden.

En wat waren die huurders een slordige eters! Alwyne was uiteraard geëxcuseerd. Die kon er bijna niets aan doen dat hij kruimels en as op het vloerkleed knoeide, maar alles wat hij aanraakte was plakkerig van de jam – het oortje van zijn kopje, ja zelfs zijn stoel. Hij mocht dan blind zijn, hij kon zijn vingers toch zeker wel schoonmaken?

Het geluid van de stofzuiger stierf weg. Eithne hoorde Ralph vloeken – een grof woord ook nog. Ze had er geen idee van dat hij dat woord zelfs maar kende. Ze haastte zich naar de hal en zag hem naar iets op het haardkleedje kijken. Toen rook ze het.

'Ik dacht dat jij de hond had uitgelaten,' zei hij.

'Je zei dat jij het zou doen.'

Na de ontdekking volgde een impasse. Eithne gaf zich als eerste over. Ze ging naar de bijkeuken en haalde de zwabber en emmer.

Neville had een andere meid aangenomen. Het meisje had de ochtend ervoor zullen beginnen, maar ze was niet komen opdagen. Dat was heel gewoon voor personeel tegenwoordig. Er was zo'n tekort dat ze zich arrogant konden gedragen; je moest kruipen om iemand zover te krijgen dat hij of zij zich verwaardigde iets uit te voeren. Zelfs werksters, het laagste van het laagste, gedroegen zich hooghartig. Iedereen maakte voor twaalf shilling per week granaten. En nu was het zaterdag en was er geen kans op hulp voor op z'n vroegst volgende week. Zoals de zaken er nu voorstonden, was er weinig kans dat Ralph met zijn nieuwe baan kon beginnen; voorlopig niet. Hij was thuis nodig.

Maar Eithne was vooral bedroefd over het verlies van hun oude hechte band. Haar hulpje, haar kleine kameraad, was van de ene op de andere dag veranderd in een vreemdeling met de baard in de keel en puistjes op zijn kin die krachttermen uitsloeg. De schuld daarvoor kon niet geheel bij Neville worden gelegd. Het was niet gemakkelijk geweest voor de jongen, maar dat was geen excuus voor de schandelijke manier waarop hij hen allen had teleurgesteld.

Eithne moest denken aan de typemachine die ze met zoveel trots voor hem had gekocht. Een Remington typemachine, twee gienjes had die gekost, de verkoper had gezegd dat hij een leven lang meeging. Die stond daar maar in haar klerenkast; ze wist niet wat ze ermee moest doen. Ze weigerde hem aan te raken. Net zomin als de bolhoed.

Terwijl ze bij de kraan stond moest Eithne denken aan alle hoge verwachtingen die ze had gehad van haar allerliefste jongen. Haar schat. Ze zakte tegen de gootsteen aan en huilde.

Ralph zat in Alwynes kamer en dronk een flesje bier. Het was al laat. Dit was de eerste keer die dag dat Ralph kon zitten.

'Ik ben hondsmoe,' zei hij. 'Het is niet eerlijk, jij zit de hele dag maar vadsig te worden terwijl ik het werk opknap.'

'Goed zo, jongen!' zei Alwyne. 'Kameraad Lenin zou trots op je zijn.'

'Toen ik nog dacht dat je blind was, kon het me niet schelen.'

'Er is geen rechtvaardigheid in de wereld, en hoe eerder je dat doorhebt, hoe beter het is.'

Alwyne had gelijk. Er was geen rechtvaardigheid in een wereld waarin zijn vader werd gedood en Mr. Turk bleef leven. En nog rijk was ook.

'Ik neem aan dat je ook geen Alwyne heet.'

Alwyne schudde zijn hoofd. 'Het klinkt wel gedistingeerd, vind je ook niet?'

Ralph dacht bij zichzelf: we hebben een crimineel in huis. Een vadsige revolutionair zonder papieren, met een valse naam. Er ging een huivering van macht door hem heen.

'Ik zou het aan de politie kunnen vertellen,' zei hij. 'Ik zou het tegen mijn moeder kunnen zeggen.'

'Maar dat zul je toch zeker niet doen?'

'Waarom niet?'

'Omdat je dat dan op je geweten hebt.'

'Jij bent degene die de wet overtreedt.'

'De wet is waardeloos,' zei Alwyne. 'Trouwens, wat heb jij er nou aan als ik sneuvel in een granaattrechter?' Hij dronk zijn flesje leeg. 'Een leven minder op aarde maakt geen jota verschil voor het geheel der dingen, wat dat geheel ook wezen mag. De zin ervan ontgaat me tegenwoordig. Maar het zou meer dan een jota verschil voor mij maken.'

'Jij denkt alleen maar aan jezelf.'

'Aan wie zou ik anders moeten denken?'

'Sommige mensen zijn niet zo,' zei Ralph. 'Winnie was niet

zo. Die dacht altijd aan anderen.' Hij miste haar verschrikkelijk.

'Arme Winnie,' zei Alwyne. 'Ik vind het jammer van haar.'

'Ze is wel vanwege jou vertrokken.'

'Wat bedoel je?' Alwyne leunde voorover in zijn stoel. 'Wat heeft ze tegen je gezegd?'

'Het moet een grote schok voor haar zijn geweest dat ze voor je heeft gezorgd terwijl jij de hele tijd deed alsof.'

'Juist.' Alwyne liet zich terugzakken. 'Ja, dat zal wel.'

Ralph dronk zijn flesje leeg. 'Zij heeft per slot van rekening meer dan wie ook voor je gedaan.'

Alwyne antwoordde niet. Hij pakte een flesje. 'Wil je er nog een?'

Ralph knikte. Alwyne haalde met de flessenopener de dop eraf.

Ralph zei: 'Ik heb tegen mijn moeder gezegd dat het was omdat ze Mr. Turk haatte.'

'Slimme jongen.' Alwyne overhandigde hem het flesje. 'Een vorm van projectie, vermoed ik.'

'Wat is projectie?'

'Jij bent degene die hem haat.'

'Maar jij mag hem toch ook niet?'

Alwyne knikte. 'Hij is een armetierig tirannetje.'

'Ik wil hem vermoorden,' flapte Ralph eruit.

'Wat zou je daaraan hebben? Kijk naar wat er met Hamlet is gebeurd.'

'Hij heeft mijn moeder veranderd. Ze is niet meer dezelfde.'

Alwyne tikte een sigaret naar buiten. 'Daar is een woord voor, mijn beste jongen, en dat wil jij niet horen.'

Ralphs moeder en Mr. Turk waren allang naar bed. Ralph kon ze haast door de vloer heen voelen. Hij zette het flesje aan zijn mond en nam een slok. Zijn hoofd duizelde.

Ralph veegde zijn lippen af. 'Ik maak het goed met je,' zei

hij. 'Als jij hem vermoordt, zal ik tegen niemand zeggen dat jij kunt zien.'

Alwyne hield de lucifer aarzelend halverwege zijn sigaret. 'Wat zeg je daar?'

Ralph pakte een sigaret van Alwyne, stak die op en inhaleerde. Eventjes dacht hij dat hij zou flauwvallen. 'Jij kunt hem vermoorden,' zei hij. 'Niemand zou jou verdenken.'

Alwyne haalde zijn schouders op. 'Ik dacht dat je inmiddels wel had begrepen dat ik geen gewelddadig mens ben.'

'Boyce zou het hebben gedaan. Mijn vader zou het hebben gedaan. Dat waren geen lafaards.'

'Dat waren dwazen.'

'Nietes!'

'Arme, misleide dwazen.'

Hoe kon Alwyne dat zeggen? Ralph voelde de tranen opwellen. Alwyne mocht dat niet zien! Het was zoveel eenvoudiger toen hij nog blind was.

'Met mensen doden schiet niemand iets op,' zei Alwyne. 'Dat is nu maar al te duidelijk, nietwaar? Op extreme schaal.' Hij zoog aan de sigaret tussen zijn verkleurde vingers. 'Wat heb je aan de dood van je vader gehad? Kijk eens aan. Daar heb je Neville Turk aan te danken!'

Ralph voelde zijn moed wegzakken. Alwyne behandelde hem als een klein kind. En nu hij zijn plan hardop had uitgesproken, klonk het inderdaad dwaas. Hij haatte Alwyne verschrikkelijk.

'Pik dan al zijn geld,' zei Ralph.

'En hoe pak ik dat aan?'

'Hij voert iets in zijn schild, daar ben ik zeker van. Ik zag maandag dat hij een heleboel vlees verstopte. Complete kadavers. Hij verborg ze onder het viaduct.'

Alwyne knikte. Het leek hem niet te verbazen. 'Onze vriend de slager slaat zijn slag. Je zou zijn investeringen eens moeten zien.'

Ralph keek hem aan. 'Welke investeringen?'

'Munitie, wapens, scheepsbouw. De aandelenkoersen zijn omhooggeschoten. O ja, onze slager is een uitgekookt ventje.' Hij gniffelde. 'Anders dan zijn vlees is Mr. Turk niet van gisteren.' Hij deed de sigarettenpeuk in het lege flesje. 'En dat is nog maar de legale kant.'

Ralph staarde Alwyne aan. Achter hem was het vocht door het behang getrokken en verhard tot een soort stroop. 'En wat is de andere kant?' vroeg hij.

'Laten we het er maar op houden dat hij heel dik is met de functionaris voor de Vleestoewijzing. Peetvader van diens dochter. Zoiets.'

'Wat doet hij met hem?'

'Volgens mij heet dat met een keurig woord woekeren.'

Ralph was stomverbaasd. 'Bedoel je dat hij iets crimineels doet?'

Alwyne knikte. 'Hij riskeert zes jaar gevangenisstraf, op z'n minst. Langer nog, denk ik, als ze weten om wat voor bedragen het gaat.'

'Hoe ken jij de bedragen?'

'Ik heb ze gezien.'

'Hoe?' vroeg Ralph.

'Ik ben blind, weet je nog?'

Ralph keek hem verbaasd aan. Alwyne glimlachte dunnetjes. 'Het is opmerkelijk wat iemand op tafel laat liggen als hij met zijn post bezig is en naar de wc moet. En in de kamer zit alleen een blinde *mutile de guerre* die naar Paganini luistert.'

Eithne onderdrukte haar trots en deed navraag bij de buren. Ze begroette sommigen van hen wel met een knikje, maar kende slechts enkelen bij naam. Het waren in het algemeen maar eenvoudige mensen. Het buurhuis was bijvoorbeeld nog slechter onderhouden dan dat van haarzelf en werd bewoond door een aantal schurkachtig ogende gezinnen wier kinderen op straat zwierven en die regelmatig werden bezocht door de politie. Maar Mrs. Baines, drie huizen verderop, was een respectabele vrouw en zij beval een meisje dat luisterde naar de naam Daphne aan. Daphne had blijkbaar een paar jaar bij een gezin in Tooley Street gewerkt dat onlangs was verhuisd, en zocht momenteel naar een betrekking.

Daphne bleek een vrouw van middelbare leeftijd met een grimmig uiterlijk te zijn. Aan haar houding was af te lezen dat zij degene was die de gunst bewees. Eithne weigerde zich te laten intimideren maar accepteerde de eisen van de vrouw – vijf pond per maand en twee dagen per week vrijaf. Het mens, dat Eithnes wanhoop bespeurde, maakte misbruik van de situatie en Eithne had de kracht niet om zich te verzetten. *O, Winnie*, jammerde ze, *kom toch terug!* Na hun gesprek liet Eithne de vrouw haar kamer zien. Tot haar eigen verbazing verontschuldigde ze zich voor de staat waarin Winnies kamer verkeerde. Ze was er al een hele tijd niet geweest. Hij zag er beslist groezelig uit, met die vlekken op de muren en die schimmellucht. Het was altijd onthutsend als je de dingen door de ogen van een buitenstaander bekeek.

'Het kan wel een likje verf gebruiken, nietwaar?' zei ze opgewekt. 'Mijn man is van alles van plan met het hele huis. De aanleg van elektriciteit was nog maar het begin. Hij wil de waterleiding uitbreiden naar de slaapkamers aan de voorzijde, wat je heel veel werk scheelt. Geen kannen water meer, geen geklieder meer!' Ze glimlachte bemoedigend, maar er kwam geen reactie. 'Hij gaat het huis opknappen. O ja, hij heeft heel wat in petto.'

Ze wist nog niet wat die plannen behelsden, maar dat zou Neville haar ongetwijfeld te zijner tijd vertellen. *Je zit op een goudmijntje,* had hij die eerste dag in de keuken gezegd. Plotseling schoot Eithne een gedachte te binnen: was hij alleen maar met haar getrouwd om het huis in handen te krijgen?

Dat was natuurlijk niet zo. Hun hartstocht was niet gebaseerd op stenen en specie. Als Neville een rijke vrouw had willen hebben, had hij er een met veel meer bezittingen kunnen vinden. Eithne was vaak genoeg met hem in gezelschap geweest om te weten dat hij een bijzonder prikkelend effect op het andere geslacht had, van wie de meeste rijker waren dan Eithne in haar stoutste dromen. Hij had bovendien gezinspeeld op zulke veroveringen in het verleden.

Trouwens, hij had zelf genoeg geld. Waar dat vandaan kwam bleef een raadsel voor haar, maar zij vermoedde dat het om verstandige investeringen ging. Haar man had een pientere kop.

Wat een verschil met haar dierbare, gestorven Paul! Eithne kon zich de letterzetter met zijn haakneus, afhangende schouders en algehele uitstraling van verstrooidheid nog nauwelijks herinneren. Het was haast niet te geloven dat er nog maar twee jaar waren verstreken sinds zijn dood. Haar huwelijk leek dat van een andere vrouw te zijn geweest, in een ander leven. Zij dacht met genegenheid aan hem terug, maar soms ging er om eerlijk te zijn wel een week voorbij waarin zij helemaal niet aan hem dacht.

Daphne zou de volgende morgen beginnen. Ze verscheen om klokslag zeven uur, keurig in het zwart met een wit schort en een wit kapje. Om een of andere reden wekte dit Eithnes wantrouwen. Ze hielp haar bij het klaarmaken van het ontbijt en bereidde zich voor om het huis uit te gaan.

'De stofzuiger is een zegen,' zei ze tegen Daphne. 'Daardoor heb je half zoveel werk.'

Ze haastte zich de deur uit en ging ervandoor.

Ralph wandelde naar huis met de boodschappen. Hij draalde. Zijn tegenzin was het gevolg van de aanwezigheid van die vreemde vrouw in huis. Ze hadden maar enkele woorden gewisseld, maar hij voelde nu al een afkeer voor de nieuwe meid.

Ze rook naar mottenballen; de lange, graatmagere vrouw leek een indringster in het huis. Hij verlangde naar Winnie. Wat was er met haar gebeurd? Zou hij haar ooit nog terugzien?

Het was een druilerige dag. Hij nam de lange route naar huis, langs de tafelzuurfabriek in Mercer Street. De keien waren glibberig; er was weer een paard gevallen. Het lag dwars op straat en blokkeerde het verkeer, met zijn hoofd op de stoep. Zijn ogen stonden dof; alleen zijn open en dicht gaande neusgaten, vuurrood bij het opengaan, verrieden zijn nood.

Ralph moest denken aan de zachtmoedige Winnie, zoals zij op de trap zat te huilen toen ze vertelde over de paarden die werden weggevoerd. Mannen legden jutezakken op straat om het dier overeind te helpen.

Ralph wandelde verder. Hij zou in de slagerij moeten gaan werken nu ze een meid hadden aangenomen. De gedachte vervulde hem met afgrijzen. Wisten ze dan niet dat hij vegetariër was? Dat zijn afschuw van vlees zich uitstrekte tot een afschuw van Mr. Turk? Sterker nog, erdoor werd veroorzaakt? Hij vond het een uiterst wrede straf.

Niet dat het zijn moeder iets kon schelen. Zij was zo verblind door hartstocht dat ze niet zag hoeveel pijn dit haar zoon deed. Ralph realiseerde zich dat hij in zichzelf mompelde, net als de invaliden die lucifers verkochten op straat. Ook hij koesterde een wrok. Nu hij met Alwyne had gepraat, was alles zwaarder gaan wegen. Hoe kon Ralph zich door een crimineel laten bevelen? Een man die niet alleen de oorlog had ontdoken, maar er zelfs van profiteerde? Hij met z'n Wolseley!

Ralph sloeg de hoek om en zag Lettie, die op haar gebruikelijke post voor de pub stond. Ze wenkte naar hem.

Terwijl Ralph op haar af liep, merkte hij haar vlechten op. Ze leken wel door de mest gehaald. Bekommerde zich dan niemand om het meisje? Hij wist dat hij medelijden met haar zou moeten hebben. Het kleine meisje had een zwaar leven.

Maar om de een of andere reden was hij altijd op zijn hoede voor haar en nu, na het incident op zijn slaapkamer, zelfs nog meer.

'Ik heb zitten denken,' zei Lettie.

'Waarover?'

Haar scherpe oogjes glinsterden hem tegemoet. 'Als jij me elke week zes penny geeft, beloof ik dat ik niks zal zeggen.'

De hond duwde met zijn neus tegen haar aan. Lettie, die strak naar Ralphs gezicht bleef kijken, liet Brutus aan haar hand likken.

'Ik geef het aan het Krukkenfonds,' zei ze.

'Het Krukkenfonds?'

'Voor de mannen zonder benen. Ik heb voor ze gedanst en ze vonden me aardig.'

Ze bleef hem strak aankijken. Achter haar ging de deur open. Er klonk gebrul en twee mannen kwamen wankelend naar buiten. Lettie deed een stap opzij. Ze strompelden de straat uit.

Lettie wachtte. Haar spitse gezicht zag er te volwassen uit voor haar kinderlijfje. Ze deed hem denken aan Jenny Wren, die ook te vroeg oud was.

'Ik durf te wedden dat je het niet aan ze geeft,' zei Ralph.

Lettie veegde met de rug van haar hand haar neus af. Het kon haar niet schelen. Daar kon hij niets tegenin brengen. Ralph wist dat hij had verloren.

Alwyne zei: 'Er heeft hier een of andere spichtige helleveeg rondgestommeld.'

'Ze heet Daphne,' zei Ralph. 'Ze is de nieuwe meid.'

'Ik had de neiging om met mijn stok haar rok op te tillen om haar geharnaste hemdbroek te zien.' Alwyne gniffelde. 'Geen mens kan dat bastion slechten en het leven behouden.'

Ralph ging op een stoel zitten. De biezen zitting was kapot. 'Ik kwam Lettie net tegen,' zei hij. 'We moeten haar zes penny per week betalen, anders vertelt ze dat je niet blind bent.'

Er verstreek enige tijd. Alwyne wreef met de rug van zijn hand over zijn baard. 'Heb je ooit,' zei hij. 'Dat meisje wacht een interessante toekomst.'

'Ik heb ja gezegd. Volgens mij kunnen we haar vertrouwen. Ik ken dat soort.'

'O, is dat zo?'

Ralph knikte. Hij vertrouwde het meisje echt. Hij had de kindertijd nog maar zo kort achter zich dat hij nog heel goed wist wat keiharde afspraken waren. Wat was het leven toen simpel geweest!

'We gaan het met bloed bezegelen,' vertelde Ralph. 'Ze komt vanmiddag naar mijn kamer. We gaan onszelf snijden met moeders nagelschaartje.'

'En wie gaat die zes penny betalen?'

'Jij natuurlijk,' zei Ralph. 'Het is allemaal jouw schuld.'

Wat raar, dacht Ralph, gekoeioneerd te worden door een klein meisje en zelf een volwassen man te commanderen! Wat waren het toch een vreemde tijden.

Alwyne krabbelde door zijn haren. Ze waren zwart en vettig en hingen tot op zijn schouders. Nu Winnie er niet meer was om ze te knippen, zouden ze vroeg of laat tot zijn middel komen. Dat gold ook voor zijn baard. De tijd zou verstrijken, zijn haar zou groeien en hij zou nog steeds bij bladzijde vijftien van zijn magnum opus zijn. Lettie zou tijdens zijn geploeter om hem heen dansen en hem met spinrag omhullen. Ralph voelde zich misselijk; hij zat in een sprookje – de harige man, het gewiekste elfje, de magische penny's. Zo meteen zou hij zijn ogen openen en zou zijn vader hem glimlachend aankijken. *Wakker worden, ventje. Je komt te laat op school.*

Ralph zat vast in zijn stoel. Zijn billen leken in het gat van de zitting geklemd te zitten. Alwyne schudde zijn hoofd.

'Het is een mooie boel geworden als een man van veertig wordt gechanteerd door een tienjarige.'

'Niet alleen door haar,' zei Ralph.

Alwyne keek hem met gefronste wenkbrauwen aan.

Ralph zei: 'Jij moet naar bewijzen zoeken dat Mr. Turk een crimineel is.'

'En waarom zou ik dat doen?'

'Dat ben je aan ons verplicht.'

'Hoezo?'

'Vanwege alles wat we voor jou hebben gedaan,' zei Ralph. 'Wat ík voor je heb gedaan. Voor al die keren dat ik iets voor je heb gepakt. Dat ik aardig tegen je deed, ook al deed jij niet aardig tegen mij. Vanwege je bedrog.'

'Wel, heb je ooit.' Alwyne tastte naar zijn sigaretten. 'En hoe moet ik dat volgens jou aanpakken?'

'Ontdek dingen. Bekijk dingen. Dat kun jij doen, omdat iedereen denkt dat je het niet kunt. Zo kun je goedmaken dat je hebt gedaan alsof je blind was.' Ralph verhief zijn stem. 'Dat is beter dan hem vermoorden. We kunnen hem in de gevangenis laten belanden! Iedereen zal zien hoe slecht hij is. We kunnen hem kapotmaken.'

Daar zat Ralph, vastgeklemd in z'n stoel. Er verstreek enige tijd.

Alwyne schudde zijn hoofd. 'Dat kan ik niet doen.'

'Waarom niet?'

'Ze zullen me betrappen en dan breekt de hel los.'

'Dat gebeurt niet. Ik zal je beschermen.'

'Wat dacht je van je moeder? Het zal haar ook kapotmaken. Geef je niet om haar?'

'Zonder hem is ze beter af.'

'Ik betwijfel of zíj het daar mee eens is,' zei Alwyne.

'Hij belandt in de gevangenis en alles wordt weer net als vroeger.'

Alwyne keek hem door de rook aan. 'Mijn beste jongen, denk je echt dat het zo eenvoudig is?'

'Ook goed. Dan ga ik het vertellen.'

'Niet doen,' zei Alwyne. 'Ik moet mijn boek afmaken.'

'Je boek!'

'Ik moet hier blijven, in alle rust, en verdergaan met mijn werk. Dat zal heel wat belangrijker zijn dan roddels over een simpel winkeliertje. Daar kun je zeker van zijn.'

Alwyne deed er verder het zwijgen toe. Hij zat daar maar, vaalgeel en koppig, aan zijn sigaret te zuigen.

Ralph bevrijdde zich uit zijn stoel. 'Loop naar de duivel!' zei hij, terwijl hij de kamer uitliep.

Hoe kon Alwyne hem zo laten stikken? Zijn enige bondgenoot bleek een regelrechte lafaard te zijn. Alles voor een rustig bestaan. Hoe kon hij met zijn geweten in het reine komen?

Maar wat kon je anders verwachten van een vent die loog om zijn huid te redden? Die anderen voor hem liet vechten en liet afslachten? Alwyne was in zekere zin net zo slecht als Mr. Turk. Erger nog, eigenlijk, want hij had Ralphs geest vergiftigd met beelden die er als zuur in brandden. Had Ralph z'n oren maar dichtgedaan!

Soldaten lagen dood in de modder, met uitpuilende darmen. Overal lagen ledematen. Er liep een man tussendoor. Dat was Mr. Turk. Hij liep van het ene lijk naar het andere, boog zich voorover en pikte hun horloges in.

Hij, Ralph, zou beiden vermoorden – Mr. Turk en Alwyne. De wereld zou beter af zijn zonder die twee. Hij zou worden gepakt, maar wat maakte het uit? Hij had niets meer om voor te leven. En er zou tenminste niemand zijn die hém een lafaard kon noemen.

In de gang kwam Ralph oog in oog te staan met een gedaante. Het duurde eventjes voor hij doorhad wie het was.

Het was Daphne, de nieuwe meid. Ze had haar hoedje op en haar jas aan.

'Waar is je moeder?' snauwde ze.

Toen Eithne thuiskwam, zat Daphne te wachten in de salon. Ze droeg haar gewone kleren. Haar koffer stond op de grond.

'Mrs. Turk,' zei ze, 'ik wens mijn dienstbetrekking op te zeggen.'

Eithne zette haar hoedendoos op de grond. Ze had gewinkeld bij Swan and Edgars. 'Dat kan niet,' zei ze. 'Morgen is het wasdag.'

'Ik ben boven begonnen,' zei Daphne. 'Ik begin altijd boven, uiteraard, en werk naar beneden. Ik trof daar een man aan, in bed, in een onbeschrijflijk smerige staat. Er zat een kind bij hem op de grond te spelen.'

'Dat is Mr. Spooner. Hij is er niet zo best aan toe.'

'Een verdieping lager trof ik een oude dame aan die lijdt aan incontinentie.'

'Dat is nog maar sinds kort.' Het was waar. Eithne had het pas zo'n week geleden ontdekt, na het vertrek van Winnie. Winnie was degene geweest die al die dingen had opgelost.

'Niet alleen de lakens en de matrassen. Dat zou al erg genoeg zijn. De hele kamer was ervan doortrokken. Ik heb nog nooit zoiets geroken. Zelfs de leunstoel.'

Daphnes harde maagdengezicht keek Eithne woedend aan. Ze had niet eens het fatsoen haar madam te noemen.

'Ik kon onmogelijk proberen de achterkamer schoon te maken. Daar scheen een soort zwerver te wonen...'

'Dat is Mr. Flyte...'

'...in een kamer die ik alleen maar kan omschrijven als een varkensstal. Ik heb nog nooit zoiets walgelijks gezien.'

'Dat komt doordat hij blind is.'

'De brutaliteit van de man! Ik zal niet herhalen wat hij tegen me zei, ik ben een respectabele vrouw. Het volstaat te zeggen dat ik me niet zal laten overhalen om hier nog een moment langer te blijven. Het verbaast me alleen dat u het niet nodig hebt gevonden om mij te waarschuwen.' Ze stond op en trok haar kraag strak om haar hals alsof ze anders bacillen zou binnenkrijgen. 'Goedendag.'

Neville was niet thuis gaan eten. De nieuwe meid moest haar draai nog vinden. Ze had al werk genoeg zonder ook nog het middageten te moeten koken. Hij zat in de bar van het Waterloo Hotel, een van de plaatselijke gelegenheden waarmee hij zaken deed. Hij at een sandwich en las de krant. De dag ervoor was een zware veldslag gevoerd.

EEN SCHITTEREND SUCCES luidde de kop. *VIJAND OVERROMPELD. TANKS GROTE STEUN. De problemen stapelen zich op voor de Duitsers. Met de hulp van de Fransen hebben wij vandaag het eerste grote offensief van dit jaar ingezet, dat deed denken aan de zware aanvallen aan de Somme, de Slag bij Arras en die in Vlaanderen. De organisatie en uitvoering waren bewonderenswaardig, want de vijand was totaal verrast...*

Dit was het keerpunt; Neville voelde het aan zijn water. De achttiende augustus 1918 zou de geschiedenisboeken in gaan. De Britten stevenden af op de overwinning. Met de steun van de sterke man Amerika sloegen ze eindelijk de moffen terug. De Duitsers waren dodelijk verzwakt; eindelijk hadden de geallieerden de kracht om hun opmars voort te zetten. Het was slechts een kwestie van tijd.

Neville voelde zulke dingen aan; hij wist altijd precies uit welke hoek de wind waaide. *Vertrouw op je intuïtie* luidde zijn motto, of het nu om een kadaver of aandelen in de Titanic ging – een aanbod dat hij zo verstandig was geweest af te slaan door te luisteren naar het stemmetje in zijn binnenste. Zijn moeder, God hebbe haar ziel, had dit ingezien. Zij wist dat zaken gedijen op een vooruitziende blik, niet op reactie. En dit was het moment om in actie te komen.

Neville had om drie uur een afspraak met zijn bankdirecteur. Hij kende Harold Smyllie al heel lang; zij hadden samen de ontgroening doorgemaakt en hun relatie was gebaseerd op een zeer diep vertrouwen. Als het einde van de oorlog inderdaad naderde, dan had Neville een paar belangrijke zaken te bespreken. Er zou een grote lening nodig zijn, maar Neville had er alle vertrouwen in dat Harold wel een mogelijkheid zou zien om hem tegemoet te komen. De man wist dat de zaken zodanig geregeld konden worden dat zij er beiden profijt van zouden hebben, met voor iedereen een flinke winst. Als je maar een scherpe visie had.

Eithnes mogelijke reactie deed hem aarzelen. Ze was een koppige vrouw met een verrassende weerzin tegen veranderingen. Dat had hij al vaker opgemerkt bij het zwakke geslacht. Hoewel Eithne zich ergerde aan haar huidige omstandigheden, zette ze haar hakken in het zand bij elk vooruitzicht op verbetering. Dat was soms tamelijk irritant.

Om eerlijk te zijn waren het niet alleen de vrouwen die ten prooi waren gevallen aan de algehele verlamming. De afgelopen vier jaar had de mensen alle energie ontnomen. Bij degenen die dierbaren hadden verloren – hijzelf had ook een traan gelaten toen zijn moeder stierf – kon hij dat wel begrijpen. Er was geen twijfel over mogelijk dat gezinnen het heel zwaar hadden nu er niemand meer was die voor brood op de plank zorgde. Dat zag hij dagelijks: klanten die smeekten of het op de lat mocht en een gezin van tien een worstenbroodje van zes penny te eten gaven. Maar dat gevoel van stagnatie was alomtegenwoordig. Het was net alsof iedereen tijdens de oorlog in een coma was geraakt. Misschien dachten ze dat het allemaal geen zin had als ze de oorlog zouden verliezen?

Dit bood een man als hijzelf natuurlijk heel veel ruimte. Het viel niet te ontkennen dat de oorlog hem hogerop had gebracht, maar een mens moest zijn sterke kanten uitbuiten. Als de oorlog zou zijn afgelopen, zou hij alle kaarten in handen hebben. Moest je dan eens zien hoe Eithne zou kijken!

Toen Neville die avond thuiskwam, viel er met Eithne echter niet te praten.

'Ze is vertrokken,' zei ze. 'Ze heeft het nog geen dag uitgehouden.' Zijn trotse en mooie echtgenote zat ineengedoken met haar hoofd in haar handen aan de keukentafel. 'O, ik mis Winnie zo! Waarom is ze bij me weggegaan?'

10

Telkens als een paard wordt afgetoomd, moet het bit zorgvuldig worden gereinigd en gedroogd en de riemen moeten worden afgeveegd om ze in goede conditie te houden, evenals de singels en het zadel, waarvan het laatste zorgvuldig moet worden gedroogd en geslagen met een zweep voor het weer wordt opgelegd. De meester moet bij het wassen van de hoeven van het paard aan het eind van de dag eisen dat de benen en hoeven grondig worden schoongemaakt met een spons tot het water eroverheen stroomt, en daarna met een borstel worden gewreven tot ze redelijk droog zijn.

Mrs. Beeton's Book of Household Management

Winnie was naar Kent gevlucht. Maar toen ze in Swaffley aankwam, trof ze een dorp in diepe rouw aan. Lord Elbourne was drie maanden eerder omgekomen toen hij zijn eenheid bij Ieper in de strijd voorging. Het grote huis was gesloten en bijna al het personeel was vertrokken. Zijn vrouw en zoontjes waren verhuisd en niemand wist of ze ooit nog zouden terugkomen. De meeste dorpsbewoners waren hun baan kwijt.

Winnie had haar intrek genomen in haar oude slaapkamertje boven de stallen, een afgeschermd gedeelte van de grotere ruimte waar haar broers vroeger sliepen. Haar vader was daar blijven wonen; hij kon nergens anders heen. Op de binnenplaats kwam al onkruid tussen de keien omhoog: ganzenvoet, distels. Een paar weken zonder aandacht en de natuur nam het over. De bloembedden van het grote huis stikten van de brandnetels. Nu er niemand was om ervoor te zorgen, veranderde het leven in een chaos. Alleen onderhoud kon dat voorkomen. Winnie moest denken aan het stof dat zich opstapelde in het huis dat ze had achtergelaten. Het thúís dat ze had achtergelaten. Waar zij nog steeds zou wonen als dat ene niet was gebeurd.

Swaffley was haar thuis niet meer; ze was bang geweest voor haar vader en was zo gauw ze kon in een betrekking als meid gevlucht. Maar waar kon ze nu anders heen? Ze was helemaal alleen op de wereld. 's Nachts in bed lag ze te hunkeren naar het geluid van de treinen.

Ze kon nog altijd nauwelijks geloven wat Alwyne had gedaan. Het ging haar bescheiden verstand te boven. Waarom had hij gedaan alsof hij blind was? Was het een soort zieke grap? Telkens weer kwamen haar de keren dat ze met Alwyne was geweest voor de geest. Er waren een paar dingen waar ze niet aan wilde denken. Nooit en te nimmer zou ze daar aan denken. Ze wilde nog liever sterven.

Maar er kwamen andere gebeurtenissen bovendrijven. Al die boeken die ze hem had voorgelezen, waarbij zij over de woorden was gestruikeld terwijl ze het bestek had moeten poetsen. Alwyne had ze gewoon zelf kunnen lezen! Waarom had hij haar zijn geheim niet verteld? Zij zou haar mond wel hebben gehouden; hij kon haar volledig vertrouwen. Ze hadden samen een band – ze dácht dat ze een band hadden. Ze was zelfs van hem gaan houden. Hij had haar gezegd dat hij van haar hield! En al die tijd had hij op de verschrikkelijkste manier die je je voor kon stellen misbruik van haar gemaakt.

Kon het zijn dat Ralph het bij het verkeerde eind had? Maar er was inderdaad iets raars geweest aan Alwyne, iets heimelijks. Nu herinnerde zij het zich weer, er waren ogenblikken geweest waarop hij haar leek aan te kijken – echt aan te kijken

– vanachter zijn bril. O, ze kon wel onder een steen kruipen!

Want af en toe dacht Winnie dat zij gek werd – zij die de verstandige was, die het gezin bijeen had gehouden na de dood van haar moeder en die voor haar broers had gezorgd. Haar vader merkte niets. Hij vroeg haar niet waarom ze was teruggekomen; het interesseerde hem niet. Hij dronk en dat slorpte al zijn tijd op. Hij zat weggezakt in zijn stoel, dronk de hele dag, en dan ging hij naar de pub en dronk hij de hele avond. Ze had hem sinds kerst niet meer gezien en zijn toestand was een schok voor haar geweest. Het was haast onvoorstelbaar dat ze ooit bang voor hem was geweest. Ooit was hij een krachtige man, maar nu leek hij wel gekrompen. Het verlies van de jachtpaarden had zijn hart gebroken en Winnie had medelijden met hem moeten hebben, maar zij dacht alleen maar: waarom komen mijn broers niet voor hem zorgen? Waarom moet het altijd op mij neerkomen?

Er was een nieuw soort hardheid in Winnies ziel gekropen. Mannen waren allemaal hetzelfde; ze bekten je af en bedrogen je, ze vernederden je. En als ze dat niet deden, dronken ze tot ze erbij neervielen. Ze verdienden de oorlog.

Winnie verschool zich in de stallen. Haar vader had daar geen voet meer gezet sinds de officier van de rekwisitie was geweest. De grond was bezaaid met de resten van de paardenmest. Ze zat in de stal van Dulcie, waar de ruif nog altijd gevuld was met beschimmeld hooi. Ze zat daar maar en probeerde Alwyne niet de schuld te geven. God strafte haar voor haar zonde. Het was Alwynes fout niet; het was haar eigen fout dat ze hem had aangespoord. Hij had gewoon gebruikgemaakt van haar behoefte om gewild te zijn en nu was ze haar echte familie kwijtgeraakt, Ralph en zijn moeder, die alles voor haar hadden betekend. Ze miste hen hevig – de andere bewoners ook, ondanks hun rare gewoonten. Wat zouden ze nu doen? Hoe zouden ze het redden nu zij hen in de steek had gelaten? Was er iemand die de bokking voor Mrs.

O'Malley kookte? Trouwens, moest je een bokking wel koken?

Winnie liep op die warme augustusdagen verdwaasd rond. Ze wilde niet nadenken over de toekomst, nog niet. Ze ruimde de kamers van haar vader op en begeleidde hem naar huis vanaf de pub; ze maakte het eten voor hem klaar. Het erf was stil. Verderop doemde het grote huis op tussen de bomen, met gesloten luiken. Wat zou ermee gebeuren? Zou het worden verkocht? Alleen de huishoudster Mrs. Maitland woonde er nog met haar zoon en de manke terreinknecht die nergens anders heen kon. Winnie had altijd gedacht dat de adel onkwetsbaar was, dat niets hen kon deren. Maar de oorlog bewees dat ze net als iedereen van vlees en bloed waren. Een granaat bekommerde zich niet om een titel. Misschien had Alwyne wel gelijk: er was een einde aan een tijdperk gekomen. Deze oorlog zou hoe dan ook de heersende klasse vernietigen, en net als Lord Elbourne zouden ze voorgoed verdwijnen. *'Als de vijand is verzwakt moeten we de gelegenheid aangrijpen om een eind te maken aan het kapitalistische klassenstelsel, Winnie!'*

Winnie herinnerde zich hoe de as door de lucht dwarrelde als Alwyne met zijn armen zwaaide. Ze zat in de schemering door het raam te kijken hoe het donker werd. Ze keek naar de zwarte klonten van de taxusbomen, de zwarte kolos van het onverlichte huis. Een kerkuil vloog naar buiten, als de laatste, vertrekkende geest. Toen zij klein was, wemelde het op het landgoed van de mensen en dieren. Die waren nu allemaal verdwenen – op haar vader na, die gesloopt werd door zijn gehoest en rouwde om zijn paarden.

Winnie zat daar maar te wachten. Dagen werden weken zonder dat er iets gebeurde. Toen de vos blafte herinnerde ze zich hoe ze had moeten blozen toen Mr. Turk biefstuk had gebakken voor het avondeten en zij op de beste stoel had gezeten, terwijl het vocht doorsijpelde. Boven de velden verscheen en verdween de volle maan.

Winnie wachtte tot het bloed zou komen. Het graan werd geoogst met behulp van Bismarck, het enige resterende trekpaard. Ze haalde haar vader op bij de King's Head en ze liep gearmd met hem door het weiland dat was omgeploegd voor de aardappelen. 'Laat me niet in de steek,' zei hij met zijn deerniswekkende dronkemansstem. 'Je blijft altijd mijn kleine meisje.'

Zij wachtte, maar toen het september was, kon Winnie zichzelf niets meer wijsmaken. Ze was in verwachting.

11

We strompelden over de weg, terwijl de granaten om ons heen ontploften. Een man voor mij bleef stokstijf stilstaan, en geërgerd schold ik hem uit en ik gaf hem een por met mijn knie. Heel zacht-jes zei hij tegen mij: 'Ik ben blind, sir,' en hij draaide zich om zodat ik zijn door een granaatscherf weggerukte ogen en neus kon zien. 'O, God, het spijt me, ventje,' zei ik. 'Loop verder over het verharde gedeelte,' en ik liet hem terugstrompelen in zijn duisternis.

Luitenant Edwin Campion Vaughan, 8the Royal Warwicks

'Een hotel?' Eithne keek op naar haar echtgenoot. Ze was net bezig zijn schoen uit te trekken; dat was een avondlijk ritueel geworden. 'Wil je een hotel van ons huis maken?'

Neville, die op het bed zat, knikte.

'En hiernaast,' zei hij.

'Hiernaast? Wat heb je met het buurhuis gedaan?'

'Gekocht.'

Eithne liet zich achterover op haar hielen zakken. Neville liet zijn schoen wiebelen om haar bij de les te houden, maar zij was te verbijsterd om te bewegen.

'Wanneer heb je dat gedaan?' vroeg zij.

'Vorige week.'

'Heb je het volledige eigendom gekocht?'

Neville knikte. 'Ze waren blij dat ze ervan af waren. De

huurders hebben hun alleen maar ellende bezorgd.'

'En ik neem aan dat die taxateur van jou zei dat het vol zat met rotte plekken.'

Neville grijnsde. 'Volledig.' Hij hield zijn voet voor haar gezicht en bewoog die als een metronoom heen en weer.

Eithne trok zijn schoen uit. 'Heb je ooit,' zei ze.

'De beste investering die we kunnen doen, lieve. De oorlog is voor Kerstmis afgelopen, let op mijn woorden. Dat soort onroerend goed is straks goud waard.'

'Maar wat bedoel je met een hotel?'

'Weet je nog, die Amerikaanse jongen?' zei Neville. 'Ik denk er precies zo over. Het wordt nooit meer zoals het is geweest. Je kunt geen personeel meer krijgen, niet nu die meisjes in de weer zijn geweest en als buschauffeur hebben gewerkt en wat al niet. Niet nu ze de smaak te pakken hebben. Dat worden typistes en dergelijke. Die zijn losgeslagen. Neem nou die suffragettedames, zie je die Ada O'Malleys plasje opdweilen?'

Eithne maakte zijn andere schoen los. Hij had natuurlijk gelijk. Die toestand met Daphne was nu een maand geleden. Ze hadden een andere meid aangenomen, maar die had het maar drie dagen uitgehouden voor ze was vertrokken.

'Ze willen namelijk hun onafhankelijkheid,' zei Neville. 'Er zijn straks een heleboel vrouwen die niet aan de man kunnen komen, dus die stichten geen gezin. Maar ze hebben wel een woning nodig. Een familiehotel – fatsoenlijk huishouden, mooie inrichting, elke kamer stromend warm water, handig voor aansluiting met het vasteland want het gaat hier om carrièrevrouwtjes, die op pad gaan met hun auto, de trein pakken, die overal rondzwerven. Heren ook – zakenmannen, professionals. Geen uitschot.' Zijn stem was geroerd van opwinding. 'Ik laat tekeningen maken door een architect. We breken de muur naar de buren door en daar maken we twaalf kamers, we maken een moderne keuken en creëren op de begane grond een eetzaal, met de enorme marges op consumptieartikelen, driehonderd procent winstmarge, kan aan eten heel veel worden verdiend.'

'Daar weet jij alles van,' zei Eithne, terwijl ze zijn schoen uittrok.

'Ik heb gesproken met mijn klanten, hotels en restaurants in de buurt, heb een paar adviezen gekregen. Niets wat ik niet al wist, natuurlijk, bij mij zitten de praktische vaardigheden hier.' Hij tikte tegen zijn neus. 'Het is intuïtie, begrijp je? Er komt een volkomen ander soort klanten en ik ben van plan daar mijn voet tussen de deur te krijgen. We hebben het over een rendement van twintig procent per jaar, we zitten ver- domme op een goudmijntje!'

Hij temperde zijn stem. 'Kom eens hier.'

Eithne knielde op de grond. Hij pakte haar bij de schou- ders en trok haar naar zich toe.

'Kom hier, mijn lief.'

Eithne verschoof zich met tegenzin.

'We noemen het het Continental Hotel,' zei hij. 'Lijkt je dat wat? *Gay Paree*, een snufje raffinement.'

'Dat heb je allemaal al bedacht?'

'En dat is nog maar het begin.'

'Het begin?'

'Je lanceert een merk, dan weten de mensen waar ze aan toe zijn. Gegarandeerde kwaliteit. Neem Lipton's. Die hebben zestig kruidenierswinkels, verspreid over Londen, en er ko- men er nog meer. Neem het Lyons Corner House. Begin klein en denk groot!' Hij trok Eithne omhoog, zodat haar gezicht op zijn borst lag. 'Als het aan mij ligt is er over tien jaar een Continental Hotel in elke grote stad.' Ze voelde hoe zijn hand aan zijn broeksknopen zat te friemelen. 'Hoe denk je nu over je man?' mompelde hij.

Hij greep haar bij haar haren. Zijn lid sprong omhoog, rood en rauw. Voorzichtig duwde hij haar gezicht omlaag en leidde hij haar erheen. Haar mond sloot zich rond zijn vlees.

Hij hapte naar lucht. 'Zo'n man heb je nou getrouwd,' prevelde hij.

Hij hield haar stevig vast tussen zijn benen en bewoog haar hoofd op en neer. Hij trok zo hard aan haar haren dat het pijn deed.

'O ja...' prevelde hij. 'O, God.'

Eithne hoorde terwijl ze zoog een stemmetje in haar hoofd. Het kwam van ver, uit een ander tijdperk – de schorre stem van haar zoon, die de baard in de keel had.

'Als de oorlog over is en het zwaard voorgoed begraven
Dan koop ik een stel schildpadden en laat ze rondjes
draven.'

Ze kneep haar ogen dicht.

Eithne veegde haar mond schoon met het washandje. Ze zei: 'Je had het wel eens eerder mogen zeggen. Het is ook mijn geld.'

'Nou niet sarcastisch worden.' Neville onderbrak zichzelf bij het uitkleden. 'Heb je soms geen lef meer?'

'Wanneer wil je beginnen?' vroeg ze.

'Als de tekeningen klaar zijn.'

'Wat gebeurt er met mijn huurders?'

'Hoe bedoel je?'

'Ik kan ze niet zomaar op straat zetten.'

Neville trok zijn vest uit. 'Heb je je wel eens afgevraagd, honnepon, of zíj net zo inschikkelijk zouden zijn tegenover jóú? Hè?'

Eithne gaf geen antwoord. Ze liep van de wastafel naar de schoorsteenmantel.

'De ene mens is voor de andere een wolf in deze wereld,' zei Neville. 'Had je dat nog niet door?'

Ze keek in de spiegel naar haar man. 'Meen je dat echt?'

'Je bent ze geen sikkepit verplicht,' zei hij. 'Het is een stelletje verdomde parasieten. Die hebben het veel te lang gemakkelijk gehad.'

De marmeren mantel zat onder het roet. Eithne beroerde het met haar vinger. Al dat vuil, wie zou dat allemaal gaan schoonmaken?

'We kunnen geen meid vinden, want die schrikt van ze,' zei Neville. 'En vind je het gek?'

Eithne veegde haar vinger af aan haar rok. Waar zouden ze heen moeten? Met Mr. Spooner ging het net wat beter – heel langzaam, maar er waren tekenen van herstel. En hoe moest Alwyne het redden, een blinde, moederziel alleen? Hij scheen geen familie te hebben. Neville had er geen idee van wat die twee hadden doorgemaakt toen ze voor hun land vochten. Zijzelf trouwens ook niet.

Hou van mij, hou van mijn huurders. Die stonden voor meer dan alleen haar levensonderhoud.

'Hoe het ook zij, ze mogen me niet,' zei Neville.

'Dat is niet waar.'

'Dat zei je zoon.'

'Dat meende hij niet. Hij is gewoon...' Ze kon het niet uitleggen.

'Die jongen moet een fatsoenlijke baan hebben.'

'Hij helpt mij. Ik red het niet zonder hem.'

'Hij moet onder jouw rokken vandaan. Veel te verwend, als je het mij vraagt.'

Daar zat haar echtgenoot, een grote man op haar bed. De muren van de kamer met het koolrozenbehang leken op haar af te komen. Neville had natuurlijk ergens wel gelijk – over Ralph, over de huurders – maar zijn toon beviel haar niet. Hij zat daar alsof het huis van hém was. Het wás ook van hem.

Hij leek vanavond wel een ongewenste indringer, zoals hij daar met zijn dikke harige dijen op haar dekbed zat. Ze wilde dat hij haar kuste en zei hoe mooi ze was. Ze wilde dat hij met haar danste. Hij had de laatste tijd iets verwaands over zich. En het deed nog steeds pijn waar hij aan haar haren had getrokken.

12

Het bos staat 's avonds nog vol bloemen
de paastijd herinnert aan 't legioen,
dat, nu ver weg, ooit met hun liefjes
ze plukten en dat nooit meer zal doen.

Philip Edward Thomas

Het Duitse leger trok zich terug. Half oktober was hun li-
nie over een front van ruim dertig kilometer doorbroken; de
kranten waren optimistisch dat de vrede in zicht was.

Ook in Palmerston Road kwam er een einde aan een tijdperk. In het buurhuis werden de huurders op straat gezet.
Het haveloze stelletje kwam als vluchtelingen voor hun eigen
uitputtingsoorlog naar buiten. Ze hadden vroeger weliswaar
problemen veroorzaakt, maar Ralph vond het jammer dat ze
weggingen, terwijl hij toekeek hoe ze hun handkar over straat
duwden en naar de agent spuwden. Het was het begin van het
einde.

'Hierna zijn wij aan de beurt,' zei Alwyne. Het nieuws was
doorgegeven aan de huurders, die een opzegging hadden ont-
vangen. Mrs. Turk liet hen echter uit haar aangeboren goed-
heid tot na Kerstmis blijven.

Daar waren zij natuurlijk dankbaar voor. Maar niemand

sprak erover, alsof ze hoopten dat het nooit zou gebeuren als ze hun mond maar hielden. Voor zover Ralph wist hadden ze geen plannen gemaakt. Het huis ademde een lusteloze sfeer. Vanaf de rivier dreef mist naar binnen; hij verspreidde zich door de kamers en verkilde hun botten. Ralph en zijn moeder hadden de strijd met het roet opgegeven; het was al zwaar genoeg om de mensen te eten te geven en het vuur aan de praat te houden, nu de dagen korter werden. Bovendien zou het huis binnen twee maanden overhoop worden gehaald. Wat had het voor zin?

Ralph probeerde Alwyne tot actie aan te sporen. 'Dit is onze laatste kans!' zei hij. 'Als jij het tegen de politie zegt, gooien ze hem in de gevangenis en kun je hier blijven, kan iedereen hier blijven. Snap je dat dan niet?'

'Waarom doe je het niet zelf, als je het zo graag wilt?'

'Je weet dat dat niet kan. M'n moeder kijkt me nooit meer aan.'

'En als ík het doe, vragen ze me om bewijs en dan komen ze erachter dat ik kan zien en stoppen ze míj in de gevangenis. Wil je dat echt op je geweten hebben?'

'Je moet aan het grotere belang denken.'

Alwyne glimlachte. 'Word eens volwassen, ventje.'

Ralph was woedend en kookte over van frustratie. Wat irriteerde die man hem – die stinkende sigaretten, die vuile kleren, die vadsigheid! Het gelispel, alsof zijn tong te dik was voor zijn mond. Zijn verdediging van de arbeidersklasse was allemaal nep. Winnie had zich rot gewerkt en Alwyne had nooit een poot uitgestoken om haar te helpen. Zijn houding tegenover de medemens verried zelfs een diepe minachting. Het was een aangename ervaring blind te zijn, erkende Alwyne spontaan. Mensen deden dingen voor hem en bespaarden hem de moeite het zelf te moeten doen. Erger nog, hij leek ze erom te verachten. 'Het is heel aangenaam om een geheim te hebben,' zei hij. 'Het gevoel van volstrekt onterechte macht. Je zou het ook eens moeten proberen.'

Geen wonder dat zijn vrouw bij hem was weggegaan. Daar was Ralph tijdens een van hun gesprekken achter gekomen. Alwyne was in Bolton kennelijk een getrouwd man geweest, met een vrouw en kinderen. Maar zijn vrouw had uiteindelijk haar geduld verloren en was weggelopen; ze hadden al jaren geen contact meer.

Het ergerlijke hieraan was dat Alwyne er zo open over was. Hij kende geen enkele gêne; het was net alsof je tegen een muur schopte. Hij kwam zelfs met volstrekt redelijke verklaringen voor zijn gedrag, alsof hij het over een laboratoriummonster had.

'Onze vriend Sigmund zou het ongetwijfeld herleiden tot mijn moeder,' zei hij. 'Ze aanbad mij namelijk. Mijn broer was overleden en ik was haar lieveling, wij aanbaden elkaar.' Maar op een dag had zijn vader hem naar een kostschool gestuurd. Alwyne noemde dat de verdrijving uit het paradijs. Hij beweerde dat hij het ze zijn leven lang niet kon vergeven.

Het was tamelijk verrassend te horen dat Alwyne van rijke komaf was. Hij kwam er ook voor uit dat hij op school werd gepest. 'Ik zag er anders uit, zie je – donkere huid, ik had iets van een malle buitenlander. Ze beschimpten me altijd – *olijfkaker, joodje* – stupide uilskuikens.'

'Maar ík ben wel aardig tegen je geweest,' zei Ralph. 'Ik heb zelfs m'n mond gehouden. En Lettie ook.'

'Die afperser. Zes penny per week, kom nou.'

'Maar je zult moeten toegeven dat ze het eerlijk speelt.'

'Jij ook, kerel. Denk niet dat ik niet dankbaar ben.'

'Doe dan iets,' zei Ralph.

Alwyne haalde zijn schouders op. Hij leek geen belangstelling meer te hebben. Ralph was geërgerd. Die kerel had explosief materiaal in handen. Hij hoefde alleen maar de lont te ontsteken en een stap achteruit te zetten. Dat was toch niet zoveel gevraagd. Hij was gewoon een hypocriete lafaard.

En over twee maanden zou dit leven voorbij zijn. Natuurlijk had niemand Ralph om zijn mening gevraagd. Het was aan hem voorgelegd als een vaststaand besluit; hij had geen keus. Hij, zijn moeder en stiefvader zouden tijdens de verbouwing kamers huren. Daarna zou Mr. Turk aan zijn opmars naar de wereldoverheersing beginnen. Ralph kon met niemand praten; er was geen Winnie om iets te zeggen en hem te omhelzen. Het was beneden zijn waardigheid om Alwyne in vertrouwen te nemen; hij was te boos op die man. Boos en teleurgesteld. Jongens hadden hun leven gegeven! Hun toekomst was weggevaagd; er was niets meer over van hun hoop en dromen. Om hen bekommerde hij zich blijkbaar niet.

De mistige dagen en avonden volgden elkaar op. Ralph wandelde met de hond door de zwavelkleurige straten. Paardenhoeven weerklonken op de keien. Hij piekerde en ziedde. Als hij een bom had zou hij Mr. Turk aan flarden knallen. Die man was erger dan een Duitser. Hij was binnengevallen in een plaats die waardevoller was dan een of ander onbekend land dat ze Frankrijk noemden. En Ralph, die geen bondgenoten had die hem te hulp schoten, stond machteloos.

13

We leverden nog altijd zware strijd en leden verliezen. Wij wisten niets van de voorgestelde wapenstilstand, dat hoorden we pas om kwart voor tien die dag. Toen wij optrokken naar het dorp Guiry, kwam er een verkenner aan om ons te vertellen dat de wapenstilstand om elf uur die dag, 11 november, getekend zou worden. Dat was de eerste keer dat we erover hoorden.

We stonden opgesteld op een spoorwegtalud in de buurt, hetzelfde waar de Manchesters in 1914 hadden gestaan. Die hadden in augustus van dat jaar gevochten bij de Slag om Bergen. Sommigen van ons zakten af naar een bos in de kleine vallei en troffen daar de skeletten van enkele Manchesters aan die daar nog steeds lagen. Ze lagen daar met hun laarzen nog aan, heel stil, zonder helm, geen roestige geweren of uitrusting, alleen hun laarzen.

Marinier Hubert Trotman, Royal Marine Light Infantry

En ziedaar, dronkenschap en feestelijkheden alom. En in alle straten van John o'Groats tot Land's End gingen de spandoeken omhoog en trokken de meisjes hun mooiste jurk aan en deden ze linten in hun haar en de kinderen wapperden met vlaggetjes om hun vader te verwelkomen en de lucht was vol gelach en kerkklokken beierden en de vreugde was grenzeloos.

'Kop op,' zei Alwyne. 'Wat ben je toch een somberaar. Zet je problemen overboord en kijk nou voor één keer eens naar de positieve kant.'

Ralph sloeg er geen acht op. 'Wat ga jij nu doen? Kun je opeens weer zien?'

'Dat lijkt me niet verstandig.'

'De oorlog is afgelopen. Ze kunnen je nu niet meer in de gevangenis gooien wegens ontduiking.'

'O jawel, dat kunnen ze wel. Ik ga naar het buitenland.'

'Waarheen?'

'Waar mijn kameraden me nodig hebben,' zei Alwyne. 'Nu begint de echte oorlog, nu de vrede is gesloten.'

'En daar weet jij alles van, van oorlog.'

Alwyne keek hem aan. 'Dat ontluikende cynisme bevalt me wel. Je leert het wel.'

'Je kunt net zo goed gaan,' zei Ralph. 'Alsof je hier zo nuttig was.'

'Mijn beste jongen, Mr. Turk zal de architect van zijn eigen ondergang zijn. Dat hoef ik niet voor hem te doen.'

'Hoezo?'

'Omdat een man die het zo ver heeft geschopt als hij, met zulke methoden, veel vijanden maakt.'

'Het lijkt mij dat hij veel vrienden heeft. Al die vrijmetselaars en weet ik veel wie, met hun begroeting.'

Alwyne schudde zijn hoofd. 'Vertrouw ze niet. Ze hebben allemaal hun snuit in de trog. Stelletje hyena's. Als je ze de kans geeft scheuren ze elkaar aan stukken.'

Ralph dacht hier even over na. Het was een aantrekkelijk beeld. 'En zo niet,' zei Ralph, 'dan krijgt hij misschien wel griep en sterft hij.' De epidemie was door Londen geraasd. Alleen in de laatste maand al waren tweeduizend mensen overleden. 'Als dat gebeurt,' zei Ralph, 'ga ik weer in God geloven.'

Alwyne trok zijn wenkbrauwen op. 'Nou, nou, ouwe jongen.'

Hij bood Ralph een Player's aan, en stak hem op. Het roken leek te werken, tot zover. Mr. Spooner boven deed ook zijn best. De rest van de bewoners zou hen dankbaar moeten zijn, dat zij de strijd namens hen voerden.

Ralph moest toegeven dat Alwyne vrijgevig was met zijn sigaretten. Hij wist dat Ralph, die inmiddels een enthousiast roker was, geen geld had om zelf sigaretten te kopen. Ralph zou hem in bepaalde opzichten missen als hij weg was. O zeker, de man was zwak en onaangenaam en een angsthaas, maar hij praatte tenminste met hem.

Ralph stond op. 'Het is twaalf uur,' zei hij. 'Ik breng je naar de pub.'

In de King's Head in Swaffley was een feestje aan de gang. Tom Spinks, de stratenmaker, was teruggekeerd van het front. De man zat daar maar, verlegen als een bruidegom, terwijl de mensen hem voortdurend van drank voorzagen. Het was eind november. Er waren mondjesmaat mannen teruggekomen, vijf tot nu toe. De demobilisatie verliep minder snel dan men had verwacht. Gezinnen hadden gedacht dat hun jongens binnen een week terug zouden zijn maar zo pakte het niet uit; er waren brieven gekomen waarin stond dat het misschien nog maanden zou duren. Dat was een zware teleurstelling. In veel gezinnen zou niemand thuiskomen, daar was alleen een officiële condoleancebrief gearriveerd. Het dorp had een verschrikkelijk hoge prijs moeten betalen voor de oorlog: vijftien doden, van wie vier broers. Twaalf kinderen hadden hun vader verloren.

Winnies vader had geen excuus nodig om nog een glas bier te bestellen. Hij zong begeleid door de piano. '*Shirley, Shirley, why's your hair so curly?*' Winnie zat naast hem te wachten tot ze hem thuis moest brengen. Ze zat nonchalant met haar arm op haar schoot. Aan haar gezichtsuitdrukking kon niemand zien wat haar tegen haar buik gedrukte onderarm voelde. Een por. De baby schopte, vast en zeker. Een por om haar eraan te herinneren, alsof ze dat nog nodig had, dat hij groeide en spoedig ter wereld zou komen. Wanneer was het leven begonnen – die avond in mei, de avond van de bruiloft? De dag dat die man zelfmoord pleegde met zijn revolver? Wanneer gaf een baby voor het eerst schopjes? Ze kon het aan niemand vragen.

En het was ook niemand opgevallen dat ze dikker was geworden. Ze kende iedereen in het dorp, ze was met hen opgegroeid. Haar terugkeer was met lichte verbazing begroet, maar daarna waren de mensen weer gewoon verdergegaan; voor hen hoorde zij gewoon bij het meubilair, net als de anderen in haar ogen. De inwoners van Swaffley stonden niet bekend om hun nieuwsgierigheid. En er keek trouwens toch nooit iemand naar haar, dat hadden ze nooit gedaan. Dat was eigenlijk een zegen.

Winnie had geen plannen. Ze leefde van dag tot dag. Ze was niet van plan geweest om ervan af te komen en nu was het te laat. Het gekke was dat haar schaamte leek te zijn verdwenen. Wat gebeurd was, was gebeurd. Op een bepaald moment zou er een baby ter wereld komen. Háár baby. Ze stelde zich voor dat ze in het hooi in Dulcies stal lag en een kind baarde zoals de Maagd Maria. Stel je eens voor hoe de dominee dan zou kijken!

Ze wist dat ze een zondares was, maar zo voelde ze zich niet, niet meer. Ze had geleerd de toorn Gods te vrezen maar Hij had andere dingen aan Zijn hoofd. De wereld stond op z'n kop. Bij de teruggekeerde zoon van Mrs. Powers, Timmy, waren beide armen afgeschoten. God zou wel druk bezig zijn te bedenken hoe Timmy volgend jaar de appeloogst moest binnenhalen. Hoe zou Hij tijd kunnen hebben om zich druk te maken over een kleine baby? Zeker, een buitenechtelijk kind, maar hoeveel kinderen waren inmiddels niet vaderloos? En wat had God eraan gedaan om dát te voorkomen?

Misschien veranderde zij door Alwynes uitspraken wel in een atheïst. Op het moment zelf had Winnie niet geluisterd, maar misschien waren zijn ideeën doorgesijpeld, zoals gekookt fruit door mousseline druppelt. Hij was wel een verrader, maar ook een intelligente vent, en de gebeurtenissen leken zijn gelijk te bewijzen.

De stemmen om haar heen klonken luider. *'If you were the only girl in the world, and I were the only boy...'* Winnie zat te denken aan Alwyne. Ze was nog altijd geschokt, maar haar boosheid was allang verdwenen. Het was vreselijk dat hij haar had beetgenomen, maar hij had de anderen net zo goed beetgenomen. Misschien leed hij wel aan een of andere geesteszieke; het gas had zijn hersenen vergiftigd.

En soms, heel af en toe, als ze besefte dat Alwyne haar al die tijd had kunnen zien, dacht ze: zo lelijk zal ik dan wel niet zijn.

Winnie voelde dat ze bloosde. Ze zette haar glas aan haar mond, zodat niemand het zou zien. Wat was het allemaal verwarrend! Want soms was ze Alwyne zelfs dankbaar, dat hij met haar had willen praten, dat hij haar dingen had verteld die in haar hoofd waren blijven zitten en haar kijk op de wereld hadden veranderd. Niemand anders had ooit de moeite genomen om dat te doen. En soms had ze zelfs medelijden. Want zij zou een baby krijgen, en hij had niets.

'They hadn't been married but a month or more when under her thumb goes he...'

Iedereen zong mee, zelfs de caféhouder, een van de norsere inwoners van Swaffley. Het geluid was zo hard dat Winnie niet hoorde hoe de paarden door South Street klepperden.

'Isn't it a pity that the likes of her should put upon the likes of him...'

Haar vader zong altijd met zijn ogen dicht. Boven hem hing in een vitrine Swaffleys kampioenforel, die in 1893 was gevangen. Zijn glazen oog was het enige dat Winnie rechtstreeks aankeek, en zij kon erop rekenen dat die vis z'n mond zou houden. Zo kon ze natuurlijk niet blijven doorgaan. Vroeg of laat moest ze het aan dokter Allender vertellen. Vroeg of laat zou haar vader de waarheid te weten komen. Ze verdroeg de gedachte niet, nog niet. Misschien zouden ze allemaal aan flarden gaan door een bom voor het zover was. Zo dachten ze, tijdens de oorlog. Leef van dag tot dag, want ze zouden morgen allemaal dood kunnen zijn. Geen wonder dat de mensen aan de boemel gingen. Zelfs mensen zoals zijzelf.

Om half drie begeleidde Winnie haar vader naar huis. Het was steenkoud, de grond was bevroren. Hij struikelde over de voren toen ze de akker overstaken.

'Kijk,' zei ze. Ze naderden het huis. 'Er zijn nog meer dakpannen afgewaaid. Er komt vast regen binnen.' Ze liepen achterom, naar het erf. 'En duiven.'

Haar vader bleef stokstijf stilstaan.

Hij had iets gehoord. Winnie ook. Eerst dachten ze dat ze het zich hadden verbeeld.

Ze stonden samen aan de grond genageld, ademend in de vrieslucht. Toen hoorden ze het weer. Het was het gehinnik van een paard.

Haar vader zette als eerste een stap. Hij wrong zich los uit Winnies greep en strompelde naar het erf. Winnie liep achter hem aan.

De huishoudster, Mrs. Maitland, stond op het erf, dik ingepakt tegen de kou.

'Daar ben je, Crooke,' zei ze tegen Winnies vader. 'De jongens hebben je gezocht, maar ze zijn inmiddels vertrokken. Ik heb de papieren getekend maar god weet wat we met ze aan moeten. Lady Elbourne is vanzelfsprekend ingelicht.'

Winnie noch haar vader hoorde haar. Ze liepen richting de stallen.

Winnie kon ze bijna voelen voor ze hen zag – de warmte van hun lichaam, hun geur. Ze ging naar binnen. Het duurde even voor haar ogen aan de schemering gewend waren.

Twee van de paarden waren thuisgekomen.

Dulcie stond weer in haar stal. De oude grijze merrie draaide haar hoofd om en keek Winnie aan. Haar oren gingen overeind staan toen ze haar herkende; met haar neusgaten maakte ze een zacht, hinnikend geluid.

'Ze is helemaal uit zichzelf naar binnen gelopen.'

Winnie keerde zich om. Joe, de zoon van de huishoudster, zat op een strobaal.

'Bertie is ook terug.' Hij wees naar de grote vosruin, die in de stal ernaast stond. Bertie was een van de jachtpaarden. 'Ze liepen terug naar binnen alsof ze nooit waren weggeweest. Ze wisten wat hun stal was en zo.' Hij wendde zich tot Winnies vader, die nog steeds niet kon bewegen. 'Ik heb ze wat haver gegeven.'

14

Cover him, cover him soon!
And with thick-set
Masses of memoried flowers –
Hide that red wet
Thing I must somehow forget.

[*Bedek hem, bedek hem snel!*
Onder een vloed
Zachte viooltjes –
Bedek dat natte rode
ding dat ik hoe dan ook vergeten moet.]

Ivor Gurney

Neville herkende de jongen eerst niet. De slager verpakte een half pond niertjes voor Mrs. Phelps. Er waren nog verscheidene andere klanten in de winkel, maar de jongen stond iets terzijde. Hij had een te grote overjas aan en een tas in zijn hand. Er zaten stoppels op zijn kin.

'Maak dat je wegkomt,' zei Neville. 'Ga maar op straat bedelen.'

'Ik ben Archie,' zei de jongen. 'H-h-herkent u mij niet?'

Neville deed de klep omhoog en liet de jongen meegaan naar zijn kantoortje. Archie ging zitten.

'Zo, zo,' zei Neville. 'Is het zwarte schaap teruggekeerd?'

Archie lachte niet. Neville keek hem nieuwsgierig aan. Het was haast ongelooflijk dat dit twee jaar eerder de kwajongen was die voor hem werkte, die de dames had nagefloten en een voetbal door een gespiegelde ruit had geschoten. De knaap leek wel twintig jaar ouder geworden.

'Ik ben te-te-te-te...' zei Archie.

'Zeg het maar, kereltje.'

'Ik ben terug,' zei Archie.

'Dat zie ik.' De jongen scheen te zijn gaan stotteren.

'W-wanneer kan ik beginnen?'

Neville stak een sigaar op. Hij was de jonge bezorger helemaal vergeten. Trouwens, nu herinnerde hij het zich weer, Archie was net aan zijn leertijd begonnen voor hij het leger in ging.

'Wil je je baan terug?' vroeg hij.

Archie knikte.

Neville blies een rookwolk uit. Hij kwam momenteel inderdaad personeel tekort – hij had drie assistenten in de winkel, een leerling en een onbetrouwbare bezorger van vijfenvijftig jaar, die leed aan zogenaamde gasvergiftiging in zijn longen. Neville had zo z'n bedenkingen over die man. En ook had Ralph de baan niet aangenomen, vanwege de last van het huishoudelijk werk thuis. Hoewel er heel wat te wensen overbleef aan de kwaliteiten van zijn stiefzoon – niet in de laatste plaats diens vegetarisme – had de jongen zich toch ten minste op de een of andere manier nuttig kunnen maken.

Neville keek naar Archie. Door zijn roodharige stoppels zag hij er verwaarloosd uit. Hij had een poging gedaan zijn snor te laten staan, maar dat was een zielige vertoning. Maar goed, lieverkoekjes worden niet gebakken.

'Je moet jezelf opknappen,' zei hij. 'Om te beginnen moet je je scheren. Zoals je misschien nog weet heb ik een eersteklas onderneming.'

Archie bleef daar maar zitten, alsof hij idioot was. Begreep hij niet dat het gesprek was afgelopen? De knaap leek een of andere tic te hebben. Zijn been wiebelde op en neer en zijn hand trilde. Misschien was hij zenuwachtig omdat hij zich aan de genade van Neville had overgegeven. Wat een geluk voor hem dat de slager zo'n goed hart had.

Eithne legde de hoorn terug op de haak. Ze had gebeld met de receptionist van het Ship Hotel. Clarence was nog niet teruggekomen om zijn foto op te halen.

De jonge Amerikaan kon natuurlijk nog best komen opdagen. De soldaten kwamen niet in grote groepen terug; het ging meer druppelsgewijs. Hij kon nog in leven zijn. Hij kon natuurlijk ook gewoon zijn teruggegaan naar Amerika. Ze voelde zich sterk verbonden met die jongen, die had gebaad in de gloed van haar huwelijksreis, die haar zoon had kunnen zijn.

Het had Ralph kunnen zijn, daar in die loopgraven. De gedachte dat haar lieve jongen ineengedoken zat onder vijandelijk vuur was onverdraaglijk. Hoe konden moeders hun zonen zo monter laten weggaan, misschien wel voor eeuwig? De overwinning had niet het gewenste effect gehad. Gek genoeg werd zij pas nu, nu de oorlog was afgelopen, getroffen door de omvang ervan. Ze voelde zich als een paard waarvan, nadat het stapje voor stapje vooruit was gesukkeld en alleen het kleine stukje weg onder zich had gezien, de oogkleppen waren afgedaan.

De patriottische opwinding van vier jaar geleden kwam Eithne nu idioot voor. Zij had haar eigen man weggestuurd. *Your Country Needs You.* Dat haar land had gewonnen leek op een vreemde manier irrelevant. Zij deed mee aan de feestelijkheden, maar met een bezwaard gemoed. Paul zou nooit meer terugkomen om slakkenhuizen te rapen in de South Downs. Ze had niet eens de moeite genomen om met hem mee te gaan en met hem uit een thermoskan te drinken. Hij was bevroren in de tijd, knapzak op zijn rug, en dat beeld kwelde haar. Ze had meer van hem moeten houden. Ze had moeten beseffen hoe fragiel het bestaan was, dat haar man spoedig weggevaagd zou worden, met al zijn bescheiden verwachtingen en dromen. In plaats van haar armen om hem heen te slaan was ze naar beneden gehold om haar schapenbouten te controleren.

En wat had zij gedaan? Ralph een klap gegeven toen hij haar eraan herinnerde.

Eithne leunde tegen de muur. De hond trippelde voorbij. Ze hoorde hoe hij de kamer in liep en ging liggen. Brutus leek heel tevreden met zijn nieuwe leventje, maar wat wisten honden er nu van?

Er was iets gebeurd die avond dat Neville aan haar haren had getrokken. *We zitten verdomme op een goudmijntje!* Neville kon het niks schelen. Hij gaf geen moer om wat anderen was overkomen, dat Mr. Fawcett, de manufacturier, zijn twee zonen had verloren en zijn zaak sloot. Eithne had het vreselijke vermoeden dat de oorlog voor haar echtgenoot een middel tot een doel was. Ze zou het hem nooit durven vragen, want zij moest er niet aan denken het antwoord te horen. Hij zou er trouwens toch over liegen. Zíj had ook gelogen, tegen zichzelf. Zij was ook schuldig.

Het drong ineens tot Eithne door dat ze nog steeds in de gang stond. Ze herpakte zich. Genoeg met die somberheid! Ze was per slot van rekening gevallen op die onbehouwen energie van Neville. En hij had dan misschien niet in de loopgraven gezeten, maar hij had zich fatsoenlijk gedragen tegenover haar eigen huisbewoners. Hij koesterde plannen, hij probeerde in moeilijke tijden het hoofd boven water te houden, probeerde zijn best te doen voor hen tweeën. Hen dríéën. Ze zag gewoon met angst en beven de aanstaande verandering tegemoet. Inpakken was een enorme onderneming. Ze had tien jaar in dit huis gewoond; ze waren vanuit hun kamer in Bow

269

hierheen gekomen toen Ralph amper zeven was. Wat hadden ze toen hoge verwachtingen gekoesterd! Paul zou het ver schoppen. Een wereldoorlog, met miljoenen doden, kwam niet in hun fantasieën voor. Die dromen waren verdwenen; nu wachtten haar nieuwe dromen.

Neville wilde met haar bij de verschillende hotels van een paar klanten van hem langsgaan zolang de verbouwing aan de gang was. *Je kunt een paar ideeën opdoen, mijn lief.* Want zij zou de bedrijfsleidster van het Continental Hotel worden. *Het heeft geen zin een ander een salaris te betalen.* Hij zou beschikbaar zijn, terwijl hij tegelijkertijd zijn slagerszaak zou blijven leiden. Eithne had eigenlijk gedacht dat zij niet meer zou hoeven werken maar Neville zei dat dat altijd nog kon, als de zaak eenmaal goed liep, en toen zij eenmaal gewend was aan dat idee, begon Eithne er zelfs naar uit te zien. Vrouwen maakten tegenwoordig carrière; sterker nog, hun hotel zou helemaal gestoeld zijn op deze opvatting. Neville had haar een volledige personeelsbezetting beloofd. Hij had verteld dat hij al discreet navraag had gedaan onder de ontevreden obers en huishoudsters van plaatselijke gelegenheden. Afsnoepen was in dit soort zaken kennelijk schering en inslag.

Ralphs rol stond al vast. Hij zou zijn examen halen en bij de boekhouding helpen. Hij zou natuurlijk niet de leiding krijgen; Neville had al een accountant, ene Mr. Postlethwaite, die ervaring had in dit soort zaken. Maar haar zoon zou worden opgeleid om een belangrijk lid van hun team te worden. Eithne had alle vertrouwen in Ralph. Na zijn probleempje zou hij wel inbinden. En ze zouden nog lang en gelukkig leven, met in de lounge potten met palmen.

Eithne had haar opgewektheid herwonnen. Neville was aan tafel ook buitengewoon goedgehumeurd. Er stond een Overwinningsbanket op stapel in de Lodge. Daar werden wekenlang voorbereidingen voor getroffen en de chef-kok van de Athenaeumclub, een beroemde Fransman, was voor een aanzienlijk bedrag ingehuurd om het eten klaar te maken.

'Kaassoufflé gevolgd door truffels met foie gras,' vertelde Neville. 'Gevolgd door zalm *aux fines herbes*, en door ondergetekende geleverde Aberdeen Angus-biefstuk.'

De burgemeesters van alle Londense deelgemeenten zouden komen, en plaatselijke hoogwaardigheidsbekleders – onder wie Neville uiteraard – met hun echtgenotes. Er zouden toespraken en vieringen zijn.

'Ik maak gehakt van de anderen,' verklaarde Neville.

'Zou u de soldaten niet moeten uitnodigen?' vroeg Ralph.

Neville draaide zich om. 'Wat zei je daar?'

Ralph kreeg een kleur. 'Zouden het niet de soldaten moeten zijn die mogen dineren in plaats van u?'

'Ralph!' siste Eithne.

Ze zaten aan de kleine tafel in de salon. Neville veegde met zijn servet zijn snor af. 'Er wordt heel wat voor hen gedaan, m'n jongen. Sterker nog, ik heb deze week nog een van hen weer aangenomen.'

'Wie dan?' vroeg Eithne.

'Een rossige knaap luisterend naar de naam Archie.'

'Die herinner ik me nog wel,' zei Eithne. 'Die floot altijd. Die bezorgde vroeger het vlees.'

Neville grinnikte. 'Hij kan het nu niet meer bezorgen.'

'Hoezo?'

'Hij heeft een spastische arm. Het zou halverwege op straat liggen.' Neville schoof zijn stoel naar achteren. 'Zo.' Hij schudde met zijn arm, alsof hij water van zich afsloeg. De hond blafte. 'Ik zei vanmorgen nog tegen hem, zit er soms een wesp in je mouw?'

'Misschien houdt hij je voor de gek,' zei Eithne lachend. 'Hij was nogal een dondersteen, als ik me niet vergis.'

Neville had het overdreven, om zijn vrouw aan het lachen te krijgen. Maar die jongen mankeerde zonder meer iets. Slagerswerk was uitgesloten. Hoe kon die jongen een schouder-stuk van een schaap uitbenen met een hand die trilde als die van een dronkaard? Hij zou niet eens een mes mogen gebruiken.

Archie bracht stamelend zijn verontschuldigingen uit. 'Ik heb het maar aan één h-hand, meneer, en ik voel het opkomen. Geef me alstublieft nog een k-kans.'

Neville schudde zijn hoofd. 'Je moet naar een dokter.' De jongen leed duidelijk aan de een of andere zenuwaandoening; hij was zo nerveus als een haas.

Er was een week verstreken. Hij had Archie minder belangrijke klusjes laten doen – 's ochtends de luiken openen, de vloer vegen en vers zaagsel strooien, dingetjes halen en dragen. Hij had hem zelfs af en toe een boodschap laten doen, maar die knaap deed er uren over. Op een keer had Neville hem onder een spoorbrug zien staan trillen toen er een trein overheen raasde.

Neville had kunnen doorzetten, want hij kwam inderdaad personeel tekort. Maar die jongen had iets waar hij zich niet prettig bij voelde. Belangrijker nog, zijn klanten voelden zich evenmin op hun gemak. Archie hing daar maar rond als een spook tijdens een feestmaal. Hij leek voortdurend op de verkeerde plaats te staan, in de weg. Hij zag er onnozel uit: schichtige ogen, zweterig, bleek gezicht. Al met al voelden de mensen zich bij hem niet op hun gemak. Neville had een winkel die in trek was, met scherts en geflirt; de dames hielden ervan. Archie was slecht voor de zaken en moest vertrekken.

Neville bracht het nieuws toen de winkel werd geopend. Er waren nog geen klanten. Archie stond uitdrukkingsloos voor zich uit te kijken. Boven hem hingen de achterpoten en schouderstukken aan hun S-vormige haken.

'Je kunt je weekloon ophalen,' zei Neville.

Archies lip trilde. 'W-wat zegt u?'

'Ik zei dat je je weekloon mag ophalen. Niemand kan zeggen dat ik niet genereus ben.'

'W-wilt u dat ik w-wegga?'

'Het spijt me, jongen.' Neville legde zijn hand op zijn schouder.

Archie sprong terug, alsof hij werd geslagen. Hij deinsde achteruit, deed zijn schort af en struikelde de mist in.

Achter de toonbank keken Will en Ted elkaar aan en trokken hun wenkbrauwen op.

Voor de zoveelste keer zat Ralph te mijmeren over zijn inwijding in de mannelijkheid op Jenny Wrens bed. Er waren vier maanden verstreken sinds het was gebeurd maar het kon hem nog altijd in vervoering brengen. Sterker nog, het werd met terugwerkende kracht opwindender: intenser, bevredigender voor beiden en inmiddels van veel langere duur. Het was veranderd in iets spectaculairs. Hij vroeg zich af of hij het aan Alwyne zou durven vertellen, voor die zou vertrekken. Dan zou die kerel heel anders tegen Ralph aankijken.

Er hing een dichte mist, echte erwtensoep. Ralph liep met de hond terug van het park. Het was pas vijf uur en nu al donker en ook guur en vochtig; de straatlantaarns gaven zwak licht alsof ze in watten waren verpakt. Er kropen voertuigen voorbij, hun koplampen tastten door de mist.

Zijn oude verontwaardiging vlamde weer op. Ralph probeerde uit te rekenen hoeveel geld Jenny Wren sinds zijn bezoekje zou hebben verdiend. Drie man per avond, zeg maar, tegen twee pond elk. Ralph was nu bij Niveau Drie van zijn boekhoudcursus; hij zou het moeten kunnen uitrekenen.

Hij botste bijna tegen Archie op voor hij hem zag. De knaap stond onder een lamp, ingepakt in een jas. Hij staarde de ruimte in.

'Hé, hallo,' zei Ralph. Hij had Archie in geen twee jaar gezien, sinds de bezorger dienst had genomen en naar de oorlog was verdwenen. Archie zag hem niet. Hij stond daar maar te rillen in de kou.

Ralph liep door. Misschien had Jenny Wren het licht gezien en haar zondige praktijken afgezworen. Misschien was zijn bezoek wel een keerpunt geweest. Had zijn huilbui, hoe gênant ook op het moment zelf, haar sterk aangegrepen en had zij haar schandelijke leven achter zich gelaten.

Ralph ging door de voordeur naar binnen. Boven trof hij zijn moeder in een uiterst geagiteerde toestand aan. Het was de avond van het grote diner en de kamer lag bezaaid met kleren.

'Er zit een vlek op de buste van mijn moiré! O, Winnie, ik heb je nodig!'

'Ik help wel,' zei Ralph. Hij vond het heerlijk om haar te helpen aankleden.

'Jij moet het avondeten klaarmaken. Er is rolmops en wat bietjes. Controleer het brood even. Ik kon niks vinden toen ik in de keuken keek, Mrs. O'Malley is weer op rooftocht geweest.'

'Ik zag Archie daarnet.'

'Wie?' Ze nam een andere jurk uit de kast.

'Archie, de bezorger. Ik geloof niet dat hij me herkende.'

'O, ja.' Ze stond voor de spiegel en hield een jurk tegen zich aan. 'Neville heeft hem vandaag ontslagen.'

'Ontslagen?'

'Hij zei dat hij de hele tijd trilde.' Ze hield haar hoofd scheef. 'Kunnen mijn gitten hierbij? Of ziet dat eruit alsof ik naar een begrafenis ga?'

Ralph ging naar beneden en begon de tafel te dekken in de salon. De voordeur ging open en Alwyne kwam binnen.

'Ah, je bent alleen.' Alwyne kwam de kamer in en zette zijn bril af. 'Ik zag geen steek in die mist.'

Ralph zei: 'Het moet een hele opluchting voor je zijn dat je daar straks mee kunt ophouden.' Hij legde de placemats neer.

'Behalve dat je dan zelf dingen moet gaan doen.'

Alwyne liet hem een papieren zak zien. 'Ik heb wat Chiver's Old English Marmalade voor mezelf gekocht. Dat hebben ze niet waar ik heen ga.'

Het zou Alwynes laatste avondmaal zijn. Zijn spullen waren gepakt. De volgende morgen zou hij de trein naar het vasteland nemen. Hij had Ralph nog steeds niet gezegd waar hij heen ging.

Ralph pakte het bestek uit het buffet. Het was dof; het was in geen weken gepoetst.

Hij wilde tegen Alwyne zeggen dat hij hem zou missen, dat niemand anders leek te luisteren naar wat hij zei. Zijn moeder had het te druk met zichzelf poesmooi te maken; ze had niet de minste belangstelling voor Archie getoond.

Alwyne gaf hem ten minste aandacht. Ralph vertelde hem over de bezorger. 'Dat was me toch een brutale schurk,' zei Alwyne. 'Ik weet nog dat hij een keer door de straat fietste en die mongool aangaapte. Herinner je je die nog, die woonde samen met zijn moeder en liep aan haar hand over straat. Archie lachte hem zo hard uit dat hij tegen een straatlantaarn aan knalde.' Alwyne stak een sigaret op. 'Net Charlie Chaplin. Ik moest me inhouden om zelf niet ook te lachen.'

'Dáármee zou je jezelf hebben verraden.'

'Zeg dat wel,' zei Alwyne. 'Dus die is ontslagen?'

'Ze zeiden dat hij te veel trilde.'

Alwyne knikte. 'Ik zag hem vorige week in de winkel. De arme donder heeft last van shellshock. Dat kon je van kilometers afstand zien.'

'Shellshock?'

'Die arme kerels,' zei Alwyne. 'Ze zouden moeten worden behandeld. Het kan de mensen geen barst schelen.'

Voetstappen trippelden op de treden. Alwyne zette zijn bril weer op. Maar het was Lettie maar, die haar laatste betaling kwam ophalen.

Alwyne bedankte haar dat ze eerlijk was geweest. 'Ten minste één iemand die eerlijk is,' zei hij.

Het Overwinningsdiner was afgelopen. Eithne had zoveel gegeten dat ze nauwelijks kon bewegen. Ze keek nog één keertje naar de eetzaal – de kristallen kroonluchters, omkranst door sigarenrook; de rondlopende burgemeesters met hun fonkelende ambtsketens.

Een lakei overhandigde hun hun jas. Eithne gaf Neville een arm en ze liepen naar buiten, de nacht in. De koplampen van de aankomende auto's doemden op in de mist. Chauffeurs, vaag als geesten, openden de portieren.

'Wij hebben binnenkort ook zo'n vent,' zei Neville. 'Slechts een kwestie van tijd, m'n lief.'

Eithne dacht: hoe heb ik aan hem kunnen twijfelen? Hoe heb ik aan ons leven samen kunnen twijfelen? Ze drukte zich ietwat aangeschoten stevig tegen haar mans arm terwijl ze naar hun auto liepen.

Ralph en Alwyne zaten in de Albion en dronken een glas bier ten afscheid. De vaste klanten wisten dat Alwyne wegging en trakteerden hem en Ralph. 'Het is toch een grof schandaal?' zei een van hen, zich tot Ralph wendend. 'Voor ons is de oorlog afgelopen, maar hij moet daar de rest van zijn leven mee leven.'

Ralph keek naar Alwyne, die zat te tasten naar zijn lucifers. Iemand duwde ze in zijn hand. De man had zijn roeping gemist; hij had toneelspeler moeten worden. Hij wás een toneelspeler. Hij was er ook behoorlijk wel bij gevaren, dacht Ralph, terwijl hij Alwyne nog een gratis pint licht bier zag wegklokken. Een jaar lang had hij misbruik gemaakt van de goede wil en dankbaarheid van anderen; het was allemaal zo onbeschrijflijk laag. Er was één manier waarop hij het goed had kunnen maken en daar had hij het lef niet voor.

Op weg naar huis zei Ralph: 'Je kunt het nog steeds doen. Je zou vroeg kunnen opstaan en wat rattengif in zijn thee kunnen doen en tegen de tijd dat ze erachter zijn, ben jij al vertrokken. Er is zelfs niemand die je naam kent.'

Alwyne grinnikte. 'Nog meer lumineuze ideeën?'

'Ik rekende op jou,' zei Ralph. 'Je hebt me erg teleurgesteld.'

'Ik heb het je al gezegd, beste jongen. Met geweld schiet je niets op. Dat is een les die we uit deze verschrikkelijke oorlog kunnen trekken.'

'Maar wij hebben gewonnen.'

'Denk je dat?' Alwyne zuchtte. 'O, Ralph.'

'Behandel me niet als een kind!'

'Gedraag je dan ook niet zo.' Alwyne hield halt en draaide zich naar Ralph. 'Neem mijn raad aan en ga hier weg.'

'Wat bedoel je?'

'Ga weg bij die man. Het vreet aan je. Je zult nooit volwassen worden als je wordt verteerd door haat.' De gedempte torenklok sloeg elf. 'Geloof me nou maar,' zei Alwyne. 'Ik weet waar ik het over heb. Maar al te goed, toevallig. Het verteert je als een zuur, verdomme.'

Ze wandelden verder door de mist, de blinde die de blinde leidde. Het was griezelig stil. In de verte hoorden ze de misthoorns op de rivier.

'Waar moet ik heen?' vroeg Ralph.

'Waar je maar wilt. Maar maak dat je wegkomt. Het is een kwestie van zelfbehoud.' Alwyne sprak vol vuur. 'Ga niet voor ze werken in dat hotel! Dat oord wordt je dood.'

'Dood?'

'Dat bedoel ik natuurlijk metaforisch. Je moet er niets mee te maken hebben. Het zal gebouwd zijn op bloed, dat weten jij en ik maar al te goed. Het is alleen zonde dat je moeder het niet ook ziet.'

'Pff,' zei Ralph. 'Zíj is degene die blind is.'

'Dat is logisch. Ze is verliefd. Wacht maar tot het jou overkomt.'

Ze liepen door Back Lane. Een dik ingepakte gedaante doemde in zichzelf mompelend op uit de mist en verdween weer. Ze kwamen aan bij Palmerston Road. Ralph haalde diep adem; het was nu of nooit. 'Dat is al gebeurd.'

'Wat?'

'Het is mij overkomen,' zei Ralph.

'Ben je verliefd geworden?'

'Nou, echt verlíéfd...'

Een luide knal verbrak de stilte. Ze stonden stokstijf stil.

Alwyne greep Ralphs arm vast. 'Mijn God! Is dat een bom?'

Ralph hield zijn hoofd scheef en luisterde. 'Nee,' zei hij. 'Het is de terugslag van een automotor.'

En inderdaad hoorden ze een pruttelende motor dichterbij komen. Alwyne trok zijn arm terug. 'Wat ben ik toch een dommerd,' zei hij met een lachje.

Ze staken de straat over op weg naar huis. Boven hen ratelde een onzichtbare trein over de brug. Er kringelde rook naar beneden.

'Je veracht me nu zeker,' zei Alwyne met vlakke stem. 'Ik heb geprobeerd om je te helpen, geloof me, maar niet op de manier waarop jij het wilde en nu zullen we elkaar nooit meer zien. Ik zal een van die volwassenen zijn die je in de steek hebben gelaten.'

'Het is al goed,' mompelde Ralph.

'Ik kan alleen maar praten, weet je,' zei Alwyne. 'Dat is het enige waar ik goed in ben.'

Ralph zou zich deze woorden later herinneren. Maar op het moment zelf voelde hij, toen ze zo samen richting voordeur liepen, alleen een somber soort ongeduld met de man.

'Het is al goed,' zei hij opnieuw.

'Dat is niet zo, toch?' zei Alwyne. 'Helemaal niet.'

Ralph bedacht wat hij terug moest zeggen. Het geluid van de auto werd luider. Twee koplampen doken op. De Wolseley kwam tevoorschijn uit de mist. Ralphs moeder en Mr. Turk kwamen thuis van het diner.

Het gebeurde allemaal in een flits. De auto stopte voor het huis. De motor sloeg met een laatste sputter af. Ralphs moeder zag hen en wuifde.

Vanachter de straatlantaarn stapte een gedaante naar voren – een kleine, broze gedaante in een overjas. Het was Archie. Hij richtte een revolver en vuurde.

Een knal. In de auto sloeg Mr. Turk voorover, alsof hij iets zocht op de grond. Archie versmolt met de mist.

Ralphs moeder schreeuwde.

15

Shall they return to beating of great bells
In wild train-loads?
A few, a few, too few for drums and yells,
May creep back, silent, to still village wells
Up half-known roads.

[*Keren ze terug onder klokkenkabaal?*
Wild en massaal in treinen?
Een paar, te weinig voor trom en cimbaal,
kruipen zwijgend terug – geen herkenningssignaal
naar hun dorpen met lege pleinen.]

Wilfred Owen

De achterkamer zat vol mensen; Ralph moest stoelen uit de salon halen. Alle huurders zaten er – zelfs Mr. Spooner – met jassen en sjaals over hun nachtkleding. Ze zaten bij elkaar als zwervers bij een botsing in het verkeer. Het was ijskoud; niemand was op het idee gekomen om een haard aan te steken. Zijn moeder zat ineengedoken te beven in een leunstoel. Ralph had onhandig geprobeerd zijn arm om haar heen te slaan, maar ze had niet gereageerd. Toen ze haar gezicht ophief zag het er nogal verwrongen uit, alsof haar gelaatstrekken door elkaar waren geschud en herordend. Hij was zich doodgeschrokken. Wat was er met haar oude gezicht gebeurd? Hij vroeg zich af of zijn eigen dood een vergelijkbare reactie zou opwekken. Op het tafeltje naast haar stond een onaangeroerd glas brandy.

Buiten had zich ongetwijfeld een menigte verzameld. Het zou het gesprek van de buurt zijn; het gesprek van heel Lónden. Het zou in de krant komen! Misschien was er een wegversperring opgericht; misschien was er een ambulance gekomen, die het stoffelijk overschot zou meenemen – het stoffelijk overschot dat een paar uur geleden een springlevende Mr. Turk was geweest. Ralph had geen idee welke procedures er in zo'n situatie werden gevolgd. Hij had nog nooit zoiets meegemaakt.

Het leek allemaal een ander te overkomen, in een droom. De schok zou ongetwijfeld nog komen, maar had hem nog niet bereikt. Hij luisterde naar de politieagenten die zijn moeder probeerden te ondervragen, maar die hadden ook iets onechts, alsof ze net voor het naar bed gaan hun uniform hadden aangetrokken. Ze leken te groot voor het vertrek, te officieel. Zulke mensen kwamen niet bij hen thuis.

Het was allemaal geënsceneerd, net als een theaterstuk. Een stuk waar hij maandenlang over had gefantaseerd. *De Dood van Mr. Turk!* Ze voerden het speciaal voor hem op: het spel, het publiek bestaande uit de rillende huurders, de huilende vrouw die daar in het felle elektrische licht in haar mooie kleren zat, die zijn moeder speelde. Zij wisten dat hij zich hierop had verheugd, dat hij negen maanden had lopen broeden en zieden in de hoop dat het zou gebeuren, en daarom hadden ze besloten hem een plezier te doen. Op dit ogenblik stapte Mr. Turk uit de auto en sloeg hij het stof van zich af. Archie gaf hem een hand. Ze grijnsden naar elkaar en hadden samen pret om de grap.

En over een paar tellen zou de voordeur opengaan en zou Mr. Turk binnenkomen. Zijn oog en de zijkant van zijn gezicht zouden weer op hun plaats zitten. Hij zou Ralph aankijken en grinniken. *Dacht je dat je zo gemakkelijk van me afkwam, ventje?* Iedereen zou zich naar Ralph wenden, want ze waren natuurlijk allemaal op de hoogte. Ze zaten met z'n allen in het complot. *Niemand kan mij doden,* zou Mr. Turk zeggen. *Ik ben degene die doodt, weet je nog?* Ralphs moeder zou ophouden met huilen; haar gezicht zou stralen van liefde. Mr. Turk zou op de leuning van haar stoel plaatsnemen, zoals Ralph altijd deed, en zijn hand zou over haar haar strelen. Zij zou zich kortstondig tot haar zoon wenden. *Je bent walgelijk,* zou ze zeggen, waarna ze zich weer naar haar echtgenoot keerde, en Ralph zou vergeten zijn.

'Ralph!' zei zijn moeder. 'Hij heeft het tegen jou.'

De politieagent, een grote man, zat op de meest fragiele stoel. Hij had zich omgedraaid om Ralph aan te kijken. Hij hield zijn potlood vast als een schooljongen. 'Dit moet een zware schok voor je zijn, jongeman,' zei hij.

Ralph knikte. Zijn moeder had haar donkergroene jurk aan. Nu pas zag Ralph een donkere vlek op haar schoot, waar zij Mr. Turks hoofd had gewiegd. De slager had er enige tijd over gedaan dood te gaan.

'We doen het stap voor stap,' zei de politieman. 'Denk heel goed na.' *Kunnen mijn gitten hierbij? Of ziet dat eruit alsof ik naar een begrafenis ga?*

'Je moet toch iets hebben gezien!' flapte zijn moeder eruit. 'Je stond vlak naast ons.'

'Dank u wel, Mrs. Turk,' zei de politieagent. 'Laat mij de jongen maar ondervragen.' Hij wendde zich weer tot Ralph. 'Nu, even voor de duidelijkheid. Jij en Mr. ...' Hij wierp een blik op zijn notitieblokje.

'Mr. Flyte,' zei Ralph.

Die geloof ik... eh, blind is, klopt dat?'

Ralph knikte. Alwyne zat onder het kastje met bokstrofeeën. Hij was haast niet te zien door de sigarettenrook. Mrs. O'Malley, die haar sjaal tegen haar mondje drukte, kuchte discreet.

'Ik meen dat jullie op het tijdstip van het incident op weg waren van de pub naar huis,' zei de agent. 'Kun je ons vertellen wat er is gebeurd?'

'We liepen door de straat,' zei Ralph. 'De mist was heel dicht. Je kon de huizen niet eens zien.'

'En kwamen jullie iemand tegen? Heb je iets verdachts gezien?'

Ralph schudde zijn hoofd. 'Er was niemand te zien. Alleen wij.'

De politieman schreef het langzaam op. 'Als iemand uit het raam had gekeken, had die dan iets kunnen zien?'

'Nee. De mist was te dicht.'

De staande klok sloeg. Ze schrokken allemaal op. Hij sloeg drie keer en zweeg.

'Iemand heeft Mr. Turk doodgeschoten,' zei de politieagent. 'Dat is duidelijk. En van dichtbij. Heb jij die persoon gezien?'

Ralph gaf geen antwoord. Iedereen keek naar hem.

'Je moet hem hebben gezien!' zei zijn moeder.

'Alstublieft, Mrs. Turk...' zei de politieagent.

'Er was iemand!' gilde ze. 'Ik zag iemand bewegen, maar ik zag niet wie het was.'

'Alstublieft. Laat de jongen nadenken.'

Ralph wás aan het denken, en snel ook. Zijn verlamming was over. Het was duidelijk dat hij iemand had gezien. Het zou heel vreemd overkomen als hij dat ontkende. Ze zouden denken dat hij iets te verbergen had. Maar als hij zei dat hij de persoon had gezien, moest hij toegeven dat het Archie was, en dan zou Archie in de gevangenis belanden. Hij zou aan de gálg eindigen. Ook als hij niet zei dat het Archie was, zouden mensen twee en twee optellen. Archie was die ochtend ontslagen. Er was waarschijnlijk ruzie geweest in de winkel. Hij zou de voor de hand liggende verdachte zijn – uit op wraak, niet goed meer bij zijn hoofd door de oorlog. Dat was volkomen logisch. Ja, dat moest ook wel, aangezien het precies zo was gegaan.

'Ralph,' zei de andere politieman. 'Je hebt iemand gezien, nietwaar?'

Ralph knikte.

'Heb je iemand herkend?' De tweede politieman had lichte, doordringende ogen. 'Kom op, jongen. Het heeft geen zin iemand in bescherming te nemen, we komen er toch snel achter.'

'Ik heb wel iemand gezien, maar ik weet niet wie het was,' zei Ralph.

'Kun je ons een beschrijving geven?'

Ralphs hoofd tolde. Wat moest hij zeggen?

'Niet echt,' mompelde hij.

Hij probeerde zijn gedachten op orde te brengen. Archie zou worden gepakt; ze moesten wel vragen gaan stellen en dan zou hij worden gepakt en opgehangen. Omdat hij precies dat had gedaan waarvan Ralph had gedroomd maar waarvoor hijzelf het lef niet had gehad.

Ralph wist dat hij niet overtuigend klonk. De politiemannen keken elkaar aan. De man met de lichte ogen schraapte zijn keel. Hij wilde net iets gaan zeggen, toen Alwyne voorover leunde en zijn sigaret uitdrukte.

'Ik heb gezien wie het deed,' zei hij.

De huurders verstijfden.

'Wat zei je daar?' fluisterde iemand.

'Ik heb gezien wie op hem schoot,' zei Alwyne.

Er volgde een stilte. De stilte was zo diep dat het getik van de staande klok in de ruimte ernaast hoorbaar was. De huurders keken een voor een aarzelend Alwynes kant op. Zijn gezicht was uitgestreken.

Ralphs moeder was de eerste die iets zei. 'Maar jij bent blind,' zei ze.

Alwyne schudde zijn hoofd en nam zijn bril af.

Mrs. O'Malley maakte een jammerend geluid. Mrs. Spooner greep Lettie vast alsof ze een rat zag.

Alwyne sloeg er geen acht op. Hij richtte zich tot de politieman. 'Ik kon de man vrij duidelijk zien. Hij was een stevige man van middelbare leeftijd, en hij droeg een geklede jas en een hoge hoed.'

De politieman keek Alwyne met open mond aan.

'Kom op, schrijf op,' zei Alwyne.

De politieagent vermande zich en begon in zijn notitieboekje te schrijven. Alwynes ogen flitsten in Ralphs richting, en weer weg.

'Herkende u hem, sir?' vroeg de politieman.

Alwyne schudde zijn hoofd. 'Ik kon zijn gezicht niet goed zien.' Hij haalde zijn schouders op. 'Om heel eerlijk te zijn, verbaast het me dat het niet eerder is gebeurd.'

'Wat bedoelt u daarmee, sir?'

'Mr. Turk had een heleboel vijanden,' zei Alwyne. 'O ja, heel wat mensen die een wrok tegen hém koesterden. Hij was bij enkele zeer dubieuze activiteiten betrokken.'

Ralphs moeder keek hem strak aan. 'Welke activiteiten?'

De anderen waren niet geïnteresseerd. Die keken nog steeds naar Alwyne.

'Zei hij dat hij niet blind was?' fluisterde Mrs. O'Malley.

'Ik heb het altijd geweten,' zei Lettie, die zich losmaakte uit de greep van haar moeder.

Alwyne bleef uitdrukkingsloos zitten. Alleen Ralph zag de zweetdruppels op zijn voorhoofd.

Mrs. Spooner raapte al haar moed bijeen en keek Alwyne recht aan. 'Neem me niet kwalijk, maar waarom deed u alsof u blind was?'

'Mijn beste dame, kunt u dat niet raden?'

'Waarom?'

'Zodat ik niet werd opgeroepen.'

Mrs. Spooner gaapte hem aan. 'U deed het om niet het leger in te hoeven?'

Alwyne knikte. 'Ik had er gek genoeg geen zin in om me aan flarden te laten schieten.'

Ralph verkeerde in verwarring. Hij had Archie gered! Waarom had hij dat in godsnaam gedaan? Hij wilde heel graag iets tegen Alwyne zeggen – hem bedanken, zich verontschuldigen, wat dan ook, maar met al die mensen erbij kon hij het niet. Hij probeerde Alwynes blik te vangen, maar hij had zijn ogen neergeslagen en keek naar de hond, waarbij hij zijn wenkbrauwen samenzweerderig fronste, alsof Brutus al die tijd op de hoogte was geweest van het geheim. Maar Ralph, die zag dat Alwyne inmiddels hevig zat te transpireren, liet zich niet in de luren leggen door zijn kalmte.

De politieman zei: 'Beseft u dat ontduiking van de dienstplicht een misdrijf is?'

Alwyne knikte.

Gedurende enkele ogenblikken wist niemand wat hij moest doen. De gebeurtenissen hadden zo'n verbijsterende wending genomen, dat iedereen erdoor overrompeld was. De politiemensen keken elkaar aan. Uiteindelijk wendde een van hen zich tot Alwyne.

'U zult met ons mee naar het bureau moeten, sir.'

De twee politieagenten stonden op. Ook Alwyne kwam overeind. Hij pakte zijn jas en stond deze eventjes te bestuderen, alsof hij keek of er vlekken op zaten. Ralph hoopte vurig dat hij op zou kijken.

De politieman borg zijn aantekenboekje op en wendde zich tot Ralphs moeder. 'Dat is het tot zover, Mrs. Turk. Ik condoleer u met uw verlies.'

'Wat gaat u met hem doen?' vroeg zij.

'We komen morgenochtend terug,' zei de politieman. 'Ik stel voor dat u intussen probeert nog wat te slapen.'

Ze liepen naar de deur. Alwyne wendde zich tot Ralphs moeder. 'Het spijt me echt,' zei hij. Daarna gaf hij Ralph een schouderklopje, keek hem aan en verdween.

Alleen zijn bril, op de leuning van de stoel, bleef achter.

Ralph zag Alwyne nooit meer terug. Een paar dagen later kwam iemand zijn spullen ophalen, die al waren ingepakt. Hij overhandigde Ralph een briefje.

Beste Ralph, zorg goed voor je moeder. Als je Winnie ooit nog eens tegenkomt, vertel haar dan alsjeblieft dat het me spijt. Alle goeds, beste jongen, Alwyne.

16

'My love!' one moaned. Love-languid seemed his mood,
Till, slowly lowered, his whole face kissed the mud.
And the bayonets' long teeth grinned;
Rabbles of shells hooted and groaned;
And the Gas hissed.

['Mijn lief!' kreunde er een. Hij leek vervuld van krachteloze liefde,
tot hij traag zijn gezicht naar de modder neeg en die kuste.
En de tanden van de bajonetten grijnsden;
Granaatscherven floten en kermden;
En het Gas siste.]

Wilfred Owen

Ralph en zijn moeder zaten in de salon. Op het tafelkleed lagen papieren uitgespreid. Flossie lag te slapen op Mr. Turks bankafschriften.

De accountant, Mr. Postlethwaite, was allang vertrokken. De kolen in de haard verschoven en kwamen weer tot rust. Ralphs moeder hief haar hoofd op en keek haar zoon aan.

'Hier zat ik vroeger altijd,' zei ze. 'Ik zat me hier altijd enorme zorgen te maken, daar had jij geen idee van.'

'Toch wel,' zei Ralph.

Ze stak haar hand uit en aaide hem over zijn vinger. 'Mijn enige jongen,' zei ze.

Haar gezicht was boven de zwarte jurk zo wit als papier. Voor Ralphs vader had ze geen rouw gedragen, want dat zou slecht voor het moreel zijn. Maar de oorlog was nu afgelopen en je mocht weer uitkomen voor verdriet.

'We zijn rijk,' zei ze met vlakke stem. 'We kunnen alles doen, we kunnen doen waar we zin in hebben. We kunnen gaan waar we maar willen.' Ze aarzelde. 'Hoe verder, hoe beter.' Ze liet haar hoofd zakken en krabde aan een etensrestje op het tafelkleed. 'Niet, dat er iets niet klopt, uiteraard. Dat heeft Mr. Postlethwaite heel duidelijk gemaakt. Maar het zou verstandig kunnen zijn.'

Ralph keek naar haar gebogen hoofd. 'We kunnen het niet allemaal houden,' zei hij.

Hij verwachtte dat zijn moeder terug zou bijten, maar ze zweeg.

'Je weet dat we dat niet kunnen doen,' zei hij.

'En waarom wel niet?'

'Het zou niet rechtvaardig zijn.'

Ze keek op. 'Sinds wanneer heeft rechtvaardigheid er iets mee te maken?'

'Sinds van alles en nog wat,' zei Ralph. Hij voelde zich aangemoedigd en keek zijn moeder recht aan. Ze zat daar maar te friemelen aan de gittenketting om haar hals. Hij haalde diep adem en zei: 'Je moet eindelijk eens een keer naar mij luisteren, vind ik.'

17

Wij van de zachtmoedig grootgebrachte, schuchtere sekse wilden de oorlog niet. Het is voor ons geen genoegen dat ons huis troosteloos achterblijft en onze oogappel is weggehaald. Wij hadden liever dat onze lieve, veelbelovende, vrolijke jongen op school was gebleven. Wij waren liever op een vrolijke manier met onze pleziertjes en hobby's doorgegaan. Maar het strijdsignaal klonk en wij hebben het tennisracket opgeborgen, wij hebben onze jongen van school gehaald, wij hebben zijn pet opgeruimd en wij hebben liefdevol zijn laatste bericht gelezen waarin stond 'Uitstekend' – wij hebben het allemaal in een vlag gewikkeld en het opgeborgen, om er pas na de oorlog weer naar te kijken... Wij zijn trots op onze mannen, en zij zijn op hun beurt trots op ons... Vrouwen zijn geboren om leven te geven, mannen om het te nemen.

Hoogachtend, 'Een moedertje'.

The Morning Post

Elsie werd eind maart begraven. Winnie ging naar Londen om de laatste eer te bewijzen aan haar vriendin, die zo geel was geworden als een kanarie en uiteindelijk gestorven was. Het was een natte, gure dag. Winnie hield haar baby in een sjaal gewikkeld tegen haar borst.

De begrafenis was in Kennington. Na afloop nam zij de tram naar Southwark en liep zij naar Palmerston Road. Ze was er sinds haar vlucht de zomer ervoor niet meer geweest.

Ze werd gedreven door nieuwsgierigheid. Zij was allang niet meer bang; dankzij de baby was dat voorbij. Niemand had haar verteld dat alles zou veranderen zodra zij moeder werd. Zorgen verdwenen als een zwerm spreeuwen en belandden op een andere plaats; rond haar kindje, het enige wezen ter wereld dat er iets toe deed, het warme, kloppende hart van haar zorgen en haar liefde.

Winnie ging de spoorwegtunnel in. Het metselwerk rommelde toen er een trein overheen reed. Ze was vergeten hoe dompig het er was; er vielen druppels van het plafond en het slijm glinsterde aan de wanden. De krijtstrepen van Archies doelpalen waren verdwenen.

Ze verscheen in het daglicht. De zijkant van het huis doemde op, beplakt met affiches. *Our Miss Gibbs* werd opgevoerd in de Duke of York. Ze zou er aan de overkant langslopen en kijken of ze vluchtig een teken van leven kon zien. Misschien zou Ralph wel naar buiten komen, om te wandelen met de hond. Ze miste hem heel erg. Het was zo'n gevoelige jongen; ze maakte zich zorgen om hem. Hoe zou het met hem gaan? In haar gedachten waren de omstandigheden nog dezelfde als toen zij was vertrokken maar ze wist dat er dingen veranderd zouden zijn. Ralph zou inmiddels wel in Mr. Turks winkel werken. Er zou een nieuwe meid zijn; hoe zou die het hebben gered met de kamers van de huurders? Kon zij Mrs. Turk steun bieden bij haar emotionele pieken en dalen? Vond Mrs. Turk haar aardiger?

Winnies hart begon sneller te kloppen. Stel dat Alwyne naar buiten kwam? In haar fantasie zou ze met een medelijdende glimlach naar hem toe gaan en hem zijn kind laten zien. Er zou geen verwijt over haar lippen rollen. De arme man was verward door de oorlog en zij had hem inmiddels vergeven. Sterker nog, ze had met hem te doen. Dat zou ze tegen hem zeggen; ze had een toespraakje voorbereid. Ze zou tegen hem zeggen dat zíj een baby had, en dat dat het enige was dat ertoe deed. De arme man had geen flauw vermoeden hoe dat voelde. Híj zou zijn dochter niet zien opgroeien.

Hij was bovendien vervangen door haar omgekomen verloofde. Het was uiteindelijk verrassend eenvoudig geweest. Toen haar tijd naderde had Winnie gewoon tegen de mensen gezegd dat de vader van haar baby was gesneuveld in de strijd. Harold heette hij. Iedereen in het dorp had in Harolds bestaan geloofd en na verloop van tijd was zij er zelf ook in gaan geloven. Zelfs haar vader scheen te denken dat zij op de een of andere eigenaardige manier haar plicht had gedaan. De oorlog had zijn voordelen, zo leek het. De wereld vergaf een meisje dat zich vooruitlopend op haar trouwbeloften aan een man had gegeven die naar het front vertrok.

En zij was niet de enige; verscheidene meisjes uit Swaffley hadden in hetzelfde lastige parket gezeten. Een paar van hen hadden een trouwring gekocht maar daar was niemand in getrapt. De zeden waren onder deze speciale omstandigheden losser geworden en het gekke was dat Harold voor Winnie inmiddels zo echt leek alsof hij werkelijk had bestaan. Alwyne was degene die onbelangrijk was geworden. Dát zou ze tegen de man zeggen als hij naar buiten kwam.

Maar eerlijk gezegd, zou ze 'm smeren.

Winnie had een hele poos op de stoep tegenover het huis gestaan. Het drong nu pas tot haar door dat het verlaten was. De luiken waren gesloten. Er zat een barst in het raam van de salon. Er was niemand thuis. Sterker nog, het leek erop dat er al een hele tijd niemand thuis was geweest. Het huis zag er net zo vervallen uit als dat van Lord Elbourne destijds. Winnie, die elk hoekje ervan kende, voelde haast hoe het vocht opsteeg, hoe het rottingsproces begon.

Waar was iedereen? Wat was er gebeurd? Winnie liep snel verder. Ze sloeg Mercer Street in en kwam uit op de Southwark High Road. En daar trof haar nog een schok.

De slagerij was er nog altijd, maar het bord was weg. KWA-

LITEITSSLAGER TURK was vervangen door BROWN EN ZONEN. VLEES EN GEVOGELTE VAN TOPKWALITEIT in glanzend rode letters. Winnie tuurde door de ruit. Ze herkende wel een paar mannen, maar geen van hen was Mr. Turk, of Ralph.

Ze ging bij de groenteboer ernaast naar binnen. Tot haar opluchting was Mr. Bunting er nog wel, wiens hals nog altijd gezwollen was door de krop. Hij was de buitenste bladeren van een kool aan het snijden.

Hij gaf haar een knikje alsof zij nooit was weggeweest. En hij merkte evenmin de baby in haar sjaal op. Misschien dacht hij wel dat het boodschappen waren.

'Waar is Mr. Turk gebleven?' vroeg Winnie.

'Heb je het niet gehoord?' Hij stopte even, het mes in de lucht.

Winnie schudde haar hoofd.

'Die is toch zeker dood.'

'Dood?'

'Doodgeschoten. Ze hebben de dader nooit gevonden.' Hij gooide de kool op een berg. Er kwam een klant binnen en hij wendde zich af om haar te helpen.

Het duizelde Winnie. Ze verliet de winkel. Hoe kon Mr. Turk dood zijn? Waarom zou iemand zoiets doen?

Wat was er gebeurd met Mrs. Turk en Ralph? Verdwaasd liep ze terug naar Palmerston Road. Het huis zag er nu onheilspellend uit; het leek wel een plaats van een misdrijf, een huis waarin ze nooit had gewoond. Ze wendde haar blik af. Ze haastte zich erlangs en klopte op de deur van nummer 39. Mrs. Baines zou wel weten wat er was gebeurd. Zij en Mrs. Turk hadden het altijd goed met elkaar kunnen vinden.

Een onbekende man deed de deur open. Hij wreef zich in zijn ogen, alsof hij net wakker was.

'Kan ik Mrs. Baines spreken?' vroeg Winnie.

Hij schudde zijn hoofd. 'Overleden.'

Winnie vroeg wanneer dat was gebeurd. De man begon enthousiast te vertellen.

'December. Kreeg de griep. Die ging als een lopend vuurtje door het huis, 's morgens waren er zes dood.'

Hij was nieuw hier en wist niets van nummer 45.

Winnie liep weg, haar baby stevig in de armen. Misschien waren ze allemaal wel gestorven aan de griep, Mrs. Turk en Ralph en de huurders; misschien was die ook wel als een lopend vuur door hun huis geraasd. Moord, griep... Londen leek gevaarlijker dan het tijdens de oorlog ooit was geweest.

Het begon te schemeren. Winnie liep naar het station. Ze wilde ineens dat ze veilig thuis op het erf was. De zaken waren er de afgelopen drie maanden vooruitgegaan. Lord Elbournes huis was verkocht; de nieuwe eigenaars maakten er een internaat van en hadden beloofd haar vader aan te houden. Hij was geheelonthouder geworden en volgde een opleiding tot automonteur. De stallen zouden worden verbouwd tot garages. En de twee paarden, die vier jaar strijd hadden doorstaan, die dingen hadden gezien die Winnie zich niet eens voor kon stellen, waren de wei in gestuurd.

Mr. Turk vermoord. Wie doet zoiets?

Er kwam een kwispelende hond aan gewaggeld.

'Brutus!' zei Winnie verrast. 'Wat doe jij hier?'

Hij zag er ouder uit; ze zag grijze haren rond zijn snuit. Toen zag ze Lettie. Het kleine meisje stond te wachten voor de pub. Een paar dingen waren ten minste niet veranderd. Haar geklitte vlechten hingen over haar schort.

'Lettie, lieverd!' Winnie gaf haar een kus. 'Ik ben zo blij je te zien. Waar is iedereen gebleven?'

'Weg.'

'Niet gestorven?'

Lettie schudde haar hoofd. 'Mrs. Turk en Ralph zijn vertrokken toen Mr. Turk was doodgeschoten.'

'Waar zijn ze heen gegaan?'

'Ze hebben ons wat geld gegeven,' vertelde Lettie. 'We wonen in Mercer Street, ik heb een slaapkamer helemaal voor mijzelf.' Ze wendde haar hoofd met een ruk naar het matglas. 'Mijn vader is reuze blij want hij kan het allemaal daar uitgeven. Mrs. O'Malley heeft de kat meegenomen. Die is in Whitstable gaan wonen.'

'Is er iemand die weet waar ze heen zijn gegaan? Je moeder bijvoorbeeld, weet die het niet?'

Lettie schudde haar hoofd. Zij staarde naar de baby. 'Hoe heet ze?'

'Matilda.'

'Ik wist helemaal niet dat je een baby had. Ben je daarom weggegaan?'

Winnie knikte.

'Mag ik haar vasthouden?'

Winnie overhandigde haar voorzichtig de bundel. Lettie keek naar het gezichtje van de baby. 'Ze heeft dezelfde wenkbrauwen als hij.'

'Als wie?'

'Haar vader.'

Winnie aarzelde. 'Wie is dat dan?'

'Mr. Flyte natuurlijk.'

Een kolenwagen ratelde voorbij. Winnie zei: 'Dus je wist het?'

'Natuurlijk.' Lettie haalde haar schouders op. 'Ik wilde zes penny per week vragen om m'n mond te houden.' Ze keek Winnie recht aan. 'Van jullie allebei. Maar toen ging jij weg.'

Winnie zweeg eventjes om dit te verwerken. 'En waar is Mr. Flyte naartoe gegaan?'

'De politie heeft hem meegenomen.'

Winnie keek haar met grote ogen aan. 'De politie? Waarom?'

'Toen ze erachter kwamen dat hij niet blind was,' zei Lettie.

'Hoe kwam dat zo?'

Lettie haalde opnieuw haar schouders op.

'Hoe zijn ze erachter gekomen?' vroeg Winnie.

'Dat heeft hij ze verteld.'

'Waarom?'

'Weet ik veel,' zei Lettie, die er ineens genoeg van had. 'Ik weet niet álles.'

Epiloog
1919

Emily Bild was alleen thuis toen de bel ging. Daar was ze dankbaar voor. Haar moeder was met de tram naar Manhattan om etalages te gaan kijken; haar vader was op z'n werk en het was Grace' vrije dag.

Emily zat eindeloos rondjes te draaien op de pianokruk. Het was een winderige lentedag; de vitrages voor het raam bolden op. De kersenboom stond in bloei. Ze draaide zich met haar voet in de rondte. Ze zou zich vroeg of laat op de Scarlatti moeten storten. Wat een geluk dus dat ze ermee had getreuzeld, want als ze had gespeeld, had ze de bel niet gehoord.

Emily liep naar beneden en deed de deur open. Er stond een vrouw die vergezeld werd door een jongeman. De vrouw keek haar strak aan.

'Hemeltjelief,' zei ze. 'We hebben je gevonden.'

Het was een Engelse – een lange, charmante vrouw, modieus gekleed in lila.

De jongen gaf haar een duwtje. 'Moeder,' mompelde hij.

'Neemt u mij niet kwalijk.' Ze stak haar hand uit. 'Mijn naam is Mrs. Turk, dit is mijn zoon Ralph. Wij zijn nu al weken naar je op zoek.'

'Maak je geen zorgen,' zei haar zoon. 'Niet continu.'

'Ik wist wel dat we je uiteindelijk zouden vinden.'

Emily ging hen voor naar de salon.

'Wilt u een kopje thee?' vroeg zij.

Mrs. Turk schudde haar hoofd en ging zitten. 'Het spijt me dat ik zo kom binnenvallen,' zei zij. 'Ik wist alleen maar dat je Emily heette, in Brooklyn Heights woonde en dat je vader bonthandelaar was. Dus liet ik de foto zien aan mensen in de winkels en uiteindelijk was het de kruidenier die je herkende. De kruidenier op Atlantic Avenue.'

'Welke foto?' vroeg Emily.

Mrs. Turk maakte haar handtas open en haalde er een envelop uit. 'Jij en Clarence staan erop,' zei ze.

Er viel een stilte. Buiten sloeg de klok van de anglicaanse kerk.

Mrs. Turk schraapte haar keel. 'Mag ik vragen – is hij teruggekomen?'

Emily schudde haar hoofd.

Mrs. Turk gaf haar de envelop. Emily haalde de foto eruit en bekeek hem.

'Ik vind het heel erg,' zei Mrs. Turk.

Emily staarde naar de verschoten afbeelding: zijzelf en Clarence voor het Astoria Hotel. Ze waren alle drie een tijdje stil.

'Ik dacht dat je die wel wilde hebben,' zei Mrs. Turk.

'Ja,' antwoordde Emily, 'ik wil hem graag hebben.'

'Omdat ik zag dat jullie er samen op staan.'

Emily zei: 'Dit is de enige afdruk. Ik dacht dat ik hem nooit meer zou zien.'

'Ik heb Clarence in Brighton ontmoet. Toch zo'n aardige jongen. Hij vertelde me zulke prachtige dingen over New York dat ik het wilde zien. Maar hij praatte het meeste over jou. Hij hield heel veel van je.'

Ralph wendde zich tot zijn moeder. 'Ik denk dat we moeten gaan.'

'Nee, wacht.' Emily haalde een zakdoekje tevoorschijn. 'Het gaat zo wel weer.'

Ralph ging zitten.

Emily snoot haar neus. 'Zijn jullie helemaal hier naartoe gekomen om mij m'n foto terug te geven?'

Ralph schudde zijn hoofd. 'We zijn hierheen verhuisd.'

'Mijn echtgenoot is namelijk overleden, weet je,' zei Mrs. Turk.

'Wat vreselijk voor u,' zei Emily. 'In welk regiment zat hij? Ik heb de krantenberichten gevolgd. Ik heb ze allemaal uit m'n hoofd geleerd. Ik wist er namelijk zo weinig van.'

'Geen regiment,' zei Mrs. Turk. 'Hij heeft niet gevochten in de oorlog.' Zij stond op. 'Goed, we zullen u niet langer ophouden.'

Ze stak haar hand uit om die van Emily te schudden. Toen sloeg ze impulsief haar armen om haar heen en kuste haar op de wang.

Ralph glimlachte naar Emily – een snel, verlegen lachje – en toen waren ze vertrokken. Emily hoorde hun voetstappen over het parket gaan, en daarna de klik van de deur. Ze had niet eens de tegenwoordigheid van geest om ze uit te laten.

De zon scheen; boven zong de kanarie in zijn kooitje. Emily zat met de handen ineengevouwen te kijken naar de foto van haar gestorven verloofde.

Dankwoord

Dank aan Max Arthur, militair historicus, die buitengewoon behulpzaam was door het manuscript te lezen, waarmee hij de grenzen van de vriendschap ontsteeg. Van de vele boeken die ik las voor mijn onderzoek, was vooral zijn *Forgotten Voices of the Great War: A New History of WW I of the Men and Women Who Were There* (Ebury Press, 2003) ook zeer inspirerend, net als Richard Holmes' *Tommy: The British Soldier on the Western Front* ((HarperPerennial, 2005), waaruit ik heb geput voor de motto's van enkele hoofdstukken en waarvoor ik hem zeer erkentelijk ben. Coupletten uit 'From a Full Heart', uit *The Sunny Side* van A.A. Milne © A.A. Milne 1921 met toestemming van Curtis Brown Group Ltd, Londen. Regels uit 'To His Love' uit *Collected Poems* van Ivor Gurney, en aangehaald met toestemming van Carcanet Press Limited. Regels uit 'The Last Laugh' en uit 'The Send-Off' van Wilfred Owen zijn aangehaald met de toestemming van de Random House Group. Ook The Imperial War Museum, Genista McIntosh, Tom en Lottie Moggach, Patricia Brent, Ruth Cowen, Alexandra Hough, Geraldine Willson-Fraser, Sarah Garland, Simon Booker, Christopher Hampton en Sathnam Sanghera hebben me geholpen met hun opmerkingen of informatie. Ook ben ik dank verschuldigd aan mijn editor Alison Samuel, en mijn agenten Rochelle Stevens en Jonathan Lloyd voor hun nuttige opmerkingen. Speciale dank ook aan Matt Whitticase, die voor Emily Bild een kort optreden in de roman kocht ten behoeve van Free Tibet. Tot slot dank aan Nina Jaglom voor het vreemde en prachtige gesprek waar het allemaal mee begon.

www.deborahmoggach.com

Het Engelse PEN komt op voor de vrijheid van schrijvers in Groot-Brittannië en in de rest van de wereld en stelt politieke en culturele beperkingen aan vrijheid van meningsuiting aan de kaak. Kijk voor meer informatie op www.englishpen.org